우루과이라운드

관련 기타 자료

우루과이라운드

관련 기타 자료

_____

| 머리말

우루과이라운드는 국제적 교역 질서를 수립하려는 다각적 무역 교섭으로서, 각국의 보호무역 추세를 보다 완화하고 다자무역체제를 강화하기 위해 출범되었다. 1986년 9월 개시가 선언되었으며, 15개 분야의 교섭을 1990년 말까지 진행하기로 했다. 그러나 각 분야의 중간 교섭이 이루어진 1989년 이후에도 농산물, 지적소유권, 서비스무역, 섬유, 긴급수입제한 등 많은 분야에서 대립하며 1992년이 돼서야 타결에 이를 수 있었다. 한국은 특히 농산물 분야에서 기존 수입 제한 품목 대부분을 개방해야 했기에 큰 경쟁력 하락을 겪었고, 관세와 기술 장벽 완화, 보조금 및 수입 규제 정책의 변화로 제조업 수출입에도 많은 변화가 있었다.

본 총서는 우루과이라운드 협상이 막바지에 다다랐던 1991~1992년 사이 외교부에서 작성한 관련 자료를 담고 있다. 관련 협상의 치열했던 후반기 동향과 관계부처회의, 무역협상위원회 회의, 실무대책회의, 규범 및 제도, 투자회의, 특히나 가장 많은 논란이 있었던 농산물과 서비스 분야 협상 등의 자료를 포함해 총 28권으로 구성되었다. 전체 분량은 약 1만 3천여 쪽에 이른다.

2024년 3월
한국학술정보(주)

| 일러두기

· 본 총서에 실린 자료는 2022년 4월과 2023년 4월에 각각 공개한 외교문서 4,827권, 76만여 쪽 가운데 일부를 발췌한 것이다.

· 각 권의 제목과 순서는 공개된 원본을 최대한 반영하였으나, 주제에 따라 일부는 적절히 변경하였다.

· 원본 자료는 A4 판형에 맞게 축소하거나 원본 비율을 유지한 채 A4 페이지 안에 삽입하였다. 또한 현재 시점에선 공개되지 않아 '공란'이란 표기만 있는 페이지 역시 그대로 실었다.

· 외교부가 공개한 문서 각 권의 첫 페이지에는 '정리 보존 문서 목록'이란 이름으로 기록물 종류, 일자, 명칭, 간단한 내용 등의 정보가 수록되어 있으며, 이를 기준으로 0001번부터 번호가 매겨져 있다. 이는 삭제하지 않고 총서에 그대로 수록하였다.

· 보고서 내용에 관한 더 자세한 정보가 필요하다면, 외교부가 온라인상에 제공하는 『대한민국 외교사료요약집』1991년과 1992년 자료를 참조할 수 있다.

| 차례

정 리 보 존 문 서 목 록

기록물종류	일반공문서철	등록번호	2019090053	등록일자	2019-09-10
분류번호	764.51	국가코드		보존기간	영구
명 칭	UR(우루과이라운드) 정부 실무대표단 스위스(Geneva) 방문, 1991.11.16-25				
생 산 과	통상기구과	생산년도	1991~1991	담당그룹	다자통상
내용목차	★ 단장 : 김인호 경제기획원 대외경제조정실장 ★ 목적 : Dunkel GATT 사무총장이 11월 말까지 UR 협상 전분야 협상 초안 작성, 이를 기초로 마무리 협상을 진행하고 UR 협상을 종결하겠다는 전략을 추진함에 따라, 협상 초안 작성 과정에서 한국 입장 최대 반영하기 위함				

0001

	분류번호	보존기간

발 신 전 보

수 신 : 주 제네바 대사. 총영사/

발 신 : 장 관 (통 기)

제 목 : UR 협상

일반문서로 재분류 (1981 .12 .31 .)

연 : WGV-1428

1. 연호, 정부는 막바지 UR 협상 과정에서 아국 입장을 최대한 반영하기 위하여
    협상 대표단(경기원 대조실장 및 관계부처 국장급)을 10월말-11월초에 제네바에
    파견하기로 한바, 현지 협상 일정에 비추어 적절하다고 판단되는 파견시기를
    보고바람.

2. ~~관계부처와 사정 및~~ 11.12-14간 개최되는 APEC 각료회의등과 관련, 상기 본부
    대표단은 ~~약 1주가량 귀지 체재가 가능하며~~ 11.9경에는 귀국해야 함을 참고바람.
    중앙부는

                                           끝.   (통상국장 김용규)

                                                        58

                                                     0002

외 무 부

종 별 : 지급

번 호 : USW-5170

일 시 : 91 1021 1913

수 신 : 장관(봉이, 미일, 정총, 통기), 경기원, 재무부, 농수산부, 보사부, 외교안보, 경제수석)

발 신 : 주 미 대사

제 목 : USTR 부대표 면담 결과

대: WUS-4786

연: USW-5144

당관 장기호 참사관은 10.21. NANCY ADAMS USTR 부대표보와 면담, 양국간 경제, 통상 현안문제를 협의한바, 동 결과 요지 하기 보고함.(서용현 서기관 동석)

1. UR 협상단 방미

- 장참사관은 대호 UR 협상단의 방미일정을 통보하고 10.28(월) 또는 10.29(화) 오전중 HILLS 대표 또는 J. KATZ부대표와의 면담이 가능할지를 타진함

- ADAMS 부대표보는 HILLS 대표및 KATZ 부대표가 한국 농수산부 차관과 기꺼이 면담코자 할 것이나, KATZ 부대표는 북미 자유무역협정 협상차 동기간중 멕시코에 출장예정이며, HILLS 대표도 멕시코에 갔다가 10.28(월) 저녁에 귀임 예정이고 10.29(화) 오전중도 다른 일정이 예정되어 있으나, 가급적 다른 일정을 조정하더라도 10.29. 오전중 면담이 가능토록 노력해 보겠다고 하면서 최종 결과는 추후 통보해 주겠다고함.

- ADAMS 부대표보는 UR 의 전망과 관련하여, 현재 제네바에 출장중인 미 대표단에 의하면 독일, 인도가 적극적 입장으로 선회한데 이어 호주도 서비스 분야에서 적극적 제안을 하는등 극적인 변화의 조짐을 보이고 있어, UR 전망이 지난 3주 정도의 기간동안 낙관적인 방향으로 돌아서고 있다고 말함.

2. APEC 서울 총회

- 아측은 APEC 서울총회가 UR 협상이 한창일때 개최되는 것과 관련, APEC 서울 총회시 UR 문제를 지나치게 집중적으로 거론함으로써 APEC 본래의 취지를 희석시키는 일이 없도록 해줄것을 희망함.

- 이에대해 ADAMS 부대표보도 이해를 표하였으나, 미측으로서는 UR 이 현

통상국	미주국	통상국	외정실	분석관	청와대	청와대	안기부	보사부
보사부	경기원	재무부	농수부					

PAGE 1

91.10.22   11:11

외신 2과 통제관 BD

0003

국제경제상 최대의 잇슈인 관계상 이에 중점을 두고 APEC 총회에도 임하는 것이 불가피하므로, 봉상분야 분과회의는 물론, 전체회의에서도 큰 비중을 갖고 거론할 수 밖에 없을 것이라고 말함.

- HILLS 대표 APEC 총회 참석 전후의 한국 관계장관 면담계획과 관련, 아직면담신청 대상자를 결정치 못하였으나 시간 관계상 해당부처 인사를 모두 만나지는 못할 것이므로 가급적 대외 경제. 봉상 교섭을 총괄하는 부서의 책임인사 약간명을 만나, UR, 새생활 새질서 운동및 혈액제재 문제등 핵심 현안을 협의하는 선이 될것이라 함.

3. 새생활, 새질서 운동

가. CREDIT CARD 사용 제한

- ADAMS 부대표보는 해외여행자 신용카드 사용제한과 관련, 신용카드 사용 명세 요구가 개인적 PRIVACY 나 신용카드 비밀 보장원칙에 어긋하는 것은 물론이고, 또한 한국측이 외화사용 제한 규정을 오랫동안 엄격히 집행치 않다고 새생활새질서 운동이 전개중인 지금에 와서 신용카드 사용제한 조치를 취해짐으로써 이것이 수입억제적인 의도에서 취해진 조치가 아닌가 하는 의심을 짙게 하고 있다고 지적함.

- 이에대해 아측은 외화 사용제한 규정이 오래된 것이 사실이나, 신용카드 제도가 한국내에서 일반화된 것은 불과 몇년이 되지 않으며, 특히 최근 일부 여행자들이 복수의 신용카드를 이용하여 외화사용 제한을 회피하는 경향이 있어 여사한 조치를 취하게 된 것으로, 시기적으로 오해될 소지는 있을지 몰라도 수입을억제코자 하는 의도는 전혀 없다고 설명함.

- ADAMS 부대표는 AMERICAN EXPRESS 사의 ROBINSON 회장은 미국내에서도 유력한 UR 의 지지자로서 정치적으로도 큰 영향력을 갖고 있다고 하면서, 여사한 여행자 외환 사용제한의 철폐가 UR 협상의 의제중의 하나로 올라 있으므로 다자적 측면에서도 미측은 여사한 제한 철폐를 계속 추진할 것이라고 언급함.

나. 쵸코렛 검역문제

- ADAMS 부대표보는 최근 부산세관에서 2 개 콘테이너분의 M M 쵸코렛 검역과정에서 부산세관측이 종래 인정해오던 검역증 인정을 갑자기 거부, 동 검역증 발급부서인 김포세관으로 동건을 이송하였으며 김포세관은 동 검역증이 소량의 항공화물 쵸코렛에 대한 검역증이라는 이유로 동 검역증 인정을 거부,쵸코렛이 부산항에 계속 억류되는 사태가 발생하였다고 말함.

PAGE 2

- 동 부대표보는 작년에도 성탄절 쵸코렛 성수기를 앞두고 쵸코렛 봉관문제가 발생하였으며, 금번에도 비슷한 시기에 한국측에서 여태까지 인정되던 검역증명 인정을 갑자기 거부하는 것은 의도적인 지연조치가 아닌가 하는 의심을 주고 있으며, 특히 이러한 조치가 새생활, 새질서 운동이 전개중인 때에 취해지게 되어 동 운동과 관련이 있는 것으로 받아들여질 우려가 크다고 말함.

- 아측은 이러한 미측 우려를 본부에 전달하겠다고 말함(한편, M M 쵸코렛 제조회사측에서도 동 검역문제및 쵸코렛 LABEL 문제를 당관에 제시해온 바, 동 건 상세는 별도 보고함)

4. 양국간 봉상현안

가. 혈액제재 수입제한

- 미측은 ADAMS 부대표보 방한시 협의된 대로 6-7 개 선진국을 대상으로 혈액제재 수입제도를 조사중이며, 조사가 끝나는 대로 아측에 결과를 봉보할 예정이라 하였으며, 아측도 아측 나름대로의 각국제도 재조사를 실시중임을 알리고, 이러한 조사결과가 나오기 전에라도 우선 ADAMS 부대표보 방한시 구두 설명했던 아측의 혈액제재 유봉제도 개선방안에 대한 세부 설명자료를 미측에조만간 전달할 수 있기를 희망한다고 말함.

- 미측은 당초 혈우병 치료제 수입제한을 10.1 까지 해제하겠다는 아측 약속에도 불구, BAXTER 사 등에서 아직 혈우병 치료제 수입면허를 받지 못하고 있는 것으로 안다고 하면서, 이러한 지연의 사유를 문의해 옴.

나. BENZOIC ACID 문제

- 아측은 수입 건포도에 대하여 대호와 같이 1.0 PPM 이하의 BENZOIC ACID 는 자연 발생적인 것으로 허용키로 하였음을 봉보한데 대해, ADAMS 대표보는 동 PPM 수치는 전문가와 협의해 보아야겠으나 아무튼 각종 문제가 많았던 검역분야에서 최초의 문제해결이라는 점에서 아측 노력을 평가한다고 하면서 사의를 표하였음. 끝.

(대사 현홍주-국장)

예고: 91.12.31. 까지

외　무　부

관리
번호 91-715

원본

22.3.05

종　별 :

번　호 : GVW-2129   일　시 : 91 1024 1930

수　신 : 장관(통기, 경기원, 재무부, 농림수산부, 상공부, 특허청)

발　신 : 주 제네바대사

제　목 : UR/협상 대표단 파견

　　　대:WGV-1454
　　　연:GVW-2095

　　1. UR 협상 년내 타결을 위한 던켈 총장의 협상 추진 전략에 따라 각협상그룹별 협의가 진행중이며, 조기에 REV. II 를 작성해야 한다는 분위기는 강하나 최근 상황으로 보아 동 REV.II 의 제출시기는 11 월중순 또는 더연기될 가능성도있는 것으로 예견되고 있음.

　　2. 현재 각 분야별 협상 그룹에서의 협의는 각국으로 부터 종전에 계속 참여해온 수준의 대표들이 참석, 기술적인 내용을 협의하고 있고 핵심적인 쟁점사항에 대해서는 과거 입장이 되풀이될뿐 실질적인 진전을 이루지 못하고 있는 상황이며, 일부 협상분야는 11 월초 이후의 협상일정 마저 불확실함.

　　3. 따라서 RE.II 의 제출시기, REV.II 제출전 주요 핵심쟁점 분야에 대한 실질협상을 통한 각국의 CONSENSUS 도출 시도 여부등이 현재로서는 불투명한 상황이므로 막바지 협상에 대비한 고위협상 대표단의 당지 상주를 위한 파견 시기에 관해서는 10 월말경 협상진행을 보아 가면서 판단함이 좋을것으로 사료됨.

　　4. 한편 미국은 LAVORALL 대사가 현지 체류중이며 일본은 엔도대사가 지난주 당지를 방문하였고 내주에도 재방문 가능성이 있다하니 참고바람. 끝

　　(대사 박수길-국장)

　　예고:91.12.31. 까지

일반문서로 재분류(1991.12.31.)

통상국	장관	차관	1차보	2차보	외정실	분석관	청와대	안기부
경기원	재무부	농수부	상공부	특허청				

PAGE 1

91.10.25　06:49
외신 2과 통제관 CE

0006

長 官 報 告 事 項

報 告 畢

1991. 11. 1.
通 商 局
通 商 機 構 課 (58)

題 目 : UR 協商 政府 實務代表團 派遣 關聯 關係部處 會議 結果

1. 會議日時 및 場所 : 1991.11. 1(金) 10:40-11:20, 經濟企劃院

2. 參席者 : 經濟企劃院 對外經濟調整室長 (主宰)

   外務部(김용규 通商局長), 財務部, 商工部, 農林水産部 關係局長

3. 會議目的 : UR 協商 關聯 政府 實務代表團 派遣 時期 協議

4. 會議內容 :

   ○ 外務部는 10.30(水) Dunkel 갓트 事務總長이 主要國 招請 實務 晚餐에서
   밝힌 向後 協商 計劃과 주 제네바 代表部 建議를 土臺로 當初 11.2로 豫定된
   政府 實務代表團 제네바 派遣 時期를 延期할 것을 要請

   ○ 商工部, 財務部는 對調室長과 派遣 可能한 部處의 局長은 當初 豫定대로
   派遣할 것을 希望 하는 것도 무방하다 의견

5. 會議結論 :

   ○ 政府 實務代表團의 제네바 派遣 時期는 11.18경으로 延期하며, 필요한 分野는
   그전이라도 部處別로 代表 派遣

   ○ 政府 實務代表團 제네바 滯在期間中 代表團이 各 協商그룹 議長을 面談토록
   제네바 代表部에서 周旋

6. 言論對策 : UR 對策 實務委員會 次元에서 共同 對處

   ○ UR 協商의 全體 日程이 지연되어 政府 代表團의 派遣을 延期 한다고 說明.

끝.

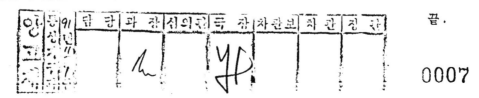

0007

長官報告事項

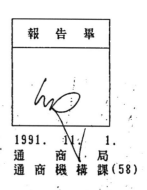

題 目 : UR 協商 政府 實務代表團 派遣 關聯 關係部處 會議 結果

1. 會議日時 및 場所 : 1991.11. 1(金) 10:40-11:20, 經濟企劃院

2. 參 席 者 : 經濟企劃院 對外經濟調整室長 (主宰)

       外務部(김용규 通商局長), 財務部, 商工部, 農林水産部 關係局長

3. 會議 目的 : UR 協商 關聯 政府 實務代表團 派遣 時期 協議

4. 會議 內容 :

    ○ 外務部는 10.30(水) Dunkel 갓트 事務總長이 主要國 招請 實務 晚餐에서
      밝힌 向後 協商 計劃과 주 제네바 代表部 建議를 토대로 當初 11.2로 豫定된
      政府 實務代表團 제네바 派遣 時期를 延期할 것을 要請

    ○ 商工部, 財務部는 對調室長과 派遣 可能한 部處의 局長은 當初 豫定대로
      派遣 하는것도 無妨하다고 言及

5. 會議 結論 :

    ○ 政府 實務代表團의 제네바 派遣 時期는 11.18경으로 延期하며, 필요한 分野는
      그전이라도 部處別로 代表 派遣

    ○ 政府 實務代表團 제네바 滯在期間中 代表團이 各 協商그룹 議長을 面談토록
      제네바 代表部에서 周旋

6. 言論 對策 : UR 對策 實務委員會 次元에서 共同 對處

    ○ UR 協商의 全體 日程이 지연되어 政府 代表團의 派遣을 延期 한다고 說明.

                                                              끝.

                                                          0008

관리번호 '91- 143

분류번호	보존기간

발 신 전 보

WGV-1518   911101 1620 BE

번   호 : _____   종별 : _____

수   신 : 주   제네바   대사 . 총영사/

발   신 : 장 관 (통 기)

제   목 : UR 관련 정부 실무대표단 파견

대 : GVW-2200, 2201

연 : WGV-1454

일반문서로 재분류 (1991 . 12. 31.)

1. 대호, 표제 대표단의 귀지 파견과 관련 11.1(금) 관계부처 회의 결과, 던켈 총장이
    밝힌 협상 계획 및 이와 관련한 귀관 건의를 감안하여 대조실장을 단장으로 하는
    정부 실무대표단은 APEC 각료회의 종료후 11.18경 파견키로 하였음.

2. 또한 대표단은 귀지 체재기간중 귀관 관계관과 함께 각 협상그룹 의장을 면담키로
    하였으니 참고 바라며, 상세 추후 통보하겠음.   끝.

                                              (통상국장   김 용 규)

보안통제	

앙고재	91년11월1일	통기과	기안자성명		과 장		국 장	전결	차 관		장 관		외신과통제	

0009

	분류번호	보존기간

발 신 전 보

WGV-1559   911108 1723   BE

번   호 : _____   종별 : _____

수   신 : 주   **제네바**   대사 . 총영사/

발   신 : 장   관   (통 기)

제   목 : UR 관련 정부 실무대표단 파견

연 : WGV-1518

1. 연호 2항, UR 관련 본부 실무대표단(단장 김인호 대조실장)의 귀지 활동 계획
    관련, 던켈 사무총장 포함 각 UR 협상그룹 의장 면담을 11.18(월)-22(금) 기간중에
    적의 주선 바라며, 동 면담에는 대조실장, 관계부처 국장 및 귀관 관계관이
    참석할 수 있도록 하기바람.

2. 아울러 대조실장과 본부 국장이 동 기간중 미국, 일본, EC의 협상대표와도 면담
    가능토록 적의 주선바람.   끝.   (통상국장 김용규)

일반문서로 재분류 (91.12.31.)

	보 안 통 제	*서명*

앙고재	*91년 11월 8일*	통기과	기안자 성 명 *조현*		과장 *서명*	심의관 *서명*	국장 *전결*		차관	장관 *서명*		외신과통제

0010

기 안 용 지

분류기호 문서번호	통기 20644-	기 안 용 지 (전화: 720 - 2188)		시 행 상 특별취급	
보존기간	영구. 준영구 10. 5. 3. 1.	차 관		장 관	
수 신 처 보존기간					
시행일자	1991.11.11.				

보조 기관	국 장		협조기관	제2차관보	문 서 통 제
	심의관			기획관리실장	
	과 장			총무과장	
기안책임자	조 현			기획운영담당관	발 송 인
경유 수신 참조	건 의		발신명의		

제 목	UR 협상 관련 정부 실무대표단 임명

　　　　Dunkel 갓트 사무총장이 11월말경까지 UR 협상의 전분야에서

협상 초안을 작성, 이를 기초로 마무리 협상을 진행하여 UR 협상을

종결짓겠다는 협상 전략을 추진하고 있음에 따라, 동 협상 초안 작성

과정에서 아국 입장을 최대한 반영시키고 현지 협상 대응체제를

강화하고자 아래 정부대표단을 임명, 각 협상그룹 회의에 참가하고

갓트 사무국 주요인사 및 미국, EC, 일본등 주요협상 참가국 대표와

- 1 -

0011

면담을 통한 우리 입장을 교섭케 하고자 하오니 재가하여 주시기

바랍니다.

　　1. 정부대표단

　　　o 경제기획원　　김인호 대외경제조정실장 (단장)

　　　　　　　　　　　이윤재 제2협력관

　　　　　　　　　　　하동만 통상조정3과장

　　　o 외 무 부　　김용규 통상국장

　　　　　　　　　　　홍종기 통상기구과장

　　　o 재 무 부　　조건호 관세국장

　　　o 농림수산부　　조일호 농업협력통상관

　　　o 상 공 부　　추준석 국제협력관

　　　o 특 허 청　　노영욱 기획관리관

　　　o 대외경제정책연구원 박태호 연구위원 (자문)

　　2. 출장기간 : 91.11.16(토)-11.25(월)

- 2 -

0012

3. 소요경비 :
가. 김용규 통상국장 : $3,548
ㅇ 체제비 : $1,421
- $79 X 9박 + ($25+46) X 10일
ㅇ 항공료 : $2,127
나. 홍종기 통상기구과장 : $3,341
ㅇ 체제비 : $1,214
- $66 X 9박 + ($20+42) X 10일
ㅇ 항공료 : $2,127
다. 여타 대표단 : 소속부처 해당예산
4. 훈 령
ㅇ UR 관련 정부 대표단은 파견기간중 GATT 사무국 주요인사
및 주요국 협상대표들과 면담, 현지 협상 동향을 파악하고
농산물등 분야에서 우리의 입장을 반영시켜 나가기 위한
교섭활동 전개
- 3 -

0013

- UR 협상의 성공적 타결을 위해 각국이 갖고 있는

특수성에 기인한 예외적인 사항에 대해서는 이를 상호

양해하는 방향으로 협상이 추진되어야 함을 제의하고

이에 따라 우리의 농산물 분야의 특수성이 반영되도록

집중적인 교섭 활동을 전개

- 서비스, 지적재산권, 반덤핑 및 섬유등 우리의

관심분야에 있어서는 그간의 우리의 협상 기여를

정당하게 평가받고 기존의 입장을 반영시켜 나가는데

최선의 노력을 경주

ㅇ 상기 정부의 기본입장을 효율적으로 반영.설득시켜

나갈 수 있도록 UR 협상과 관련하여 대외협력위원회에

상정, 결정해야할 주요사항을 제외하고는 주 제네바

대표부 대사를 비롯한 현지 협상 대표들과 협의하여

각국과의 협의에 신축성있게 대처.   끝.

- 4 -

특 허 청

135-784   서울 강남 역삼 823-1   (02) 568-6077   / 전송 553-9584

문서번호 국협 28140-4387

시행일자 91. 10. 31 (   )

(경유)

수신 외무부장관

참조 통상국장

선결			지시		
접수	일자 시간	91. 10. 31	결재·		
	번호	**36138**	공람		
처리과					
담당자					

제목 UR 정부 실무대표단 파견

    1991. 10.25(금) 개최된 UR/대책 실무위원회의 결정에 따라 UR/TRIPs 분야 정부 실무대표단을 아래와 같이 파견하고자 하오니 필요한 조치를 취해 주시기 바랍니다.

                                아   래

1. 파 견 자 : 특허청 기획관리관 노 영 욱

2. 파견기간 : '91. 11. 2(토) ~ 11. 10(일) (8박 9일)

3. 파 견 지 : 스위스 제네바

4. 주요 활동계획

    o 파견기간중 매일 UR/대책 실무위원회 회의 참가 (11. 4 - 8)

    o 협정 초안 작성 책임자 및 주요협상 대표와의 접촉

    o 주요 협상국의 입장동향 및 관련정보 수집

5. 소요경비 : $ 3,442

6. 지변과목 : 특허청 국제협력강화 국외여비.

첨부 1. 세부여행일정 및 주요활동 내용 1부.

     2. 소요경비 내역 1부.

     3. 훈령안 (경제기획원에서 총괄 송부 계획).

                특   허   청

                                                    0015

1. 세부여행일정 및 주요활동 내용

일 자	시 간	일 정	비 고
11. 2 (토)	12 : 40 17 : 10	서울 발 (KE 907) 런던 착	
3 (일)	20 : 05 22 : 30	런던 발 (SR 837) 제네바 착	
4 (월) / 8 (금)		UR/대책 실무위원회 참가 및 TRIPs 분야 주요인사 면담	
9 (토)	10 : 55 12 : 15 13 : 50	제네바 발 (LH 1855) 푸랑크푸르트 착 푸랑크푸르트 발 (KE 916)	
10 (일)	10 : 20	서울 착	

2. 소요경비 내역

(단위 : $)

항공료	일 비	숙박비	식 비	판공비	계
2,136	225	653	428		3,442

o 산출내역

  - 항공료 : $ 2,136

  - 일 비 : $ 25 x 9일 = $ 225

  - 숙박비 : $ 100 x 1박 = $ 100
          $ 79 x 7박 = $ 553

  - 식 비 : $ 53 x 2일 - $ 106
          $ 46 x 7일 = $ 322

  - 판공비 : $

      계   : $ 3,442

0016

재　무　부

국관 22710-493　　　　　　503~9297　　　　　1991. 10. 31.

수신　외무부장관

참조　통상국장

제목　UR 협상 정부 실무대표단 파견

　　　'91.10.18 대외협력위원회 결정에 의거 파견되는 UR 협상 정부 실무대표단에 아래와 같이 당부 대표를 추천하오니 필요한 조치를 취하여 주시기 바랍니다.

　　　　　　　　　　- 아　　　　　　래 -

　　　가. 파 견 기 간 : '91.11.2~11.8

　　　나. 파 견 대상국 : 스위스(제네바)

　　　다. 당부대표

직 　 책	성 　 명
관 세 국 장	조 　 건 　 호

　　　라. 협상대책 : 별첨

　　　마. 예산근거 : 관세행정비중 국외여비

　첨부 : 협상대책 1부.　끝.

　　　　　재　무　부

　　　　　　　　　　　　　　　　　　　　　0017

시장접근분야 협상 전망 및 대책

1. 협상현황

- 관세협상은 작년 브랏셀회의 이후 분야별 무세화 및 관세조화협상 중심으로 이루어져 왔으나 현재까지 미·EC의 의견대립으로 타결 여부가 불투명

  o 무 세 화 : 철강·의약품은 타결 가능성이 높음.

  o 관세조화 : 섬유 → 미국이 반대
  　　　　　　 신발 → EC 제안후 실질적 협상이 없는 상태

- 던켈이 제시할 시장접근분야 의정서 초안에는 관세양허의 시행에 관한 사항등 일반적인 사항이 주요 내용이 될 것으로 보여 아국에 민감한 사항은 없을 것임.

2. 쟁점사항 및 아국의 기본입장

가. 관세분야

(1) 몬트리올 관세인하 목표달성 촉구

> - 모든 협상 참가국은 몬트리올 합의목표(33% 관세인하)를 1차적으로 달성하여야 함.

  o 각국의 양허안 평가

　　　　┌ 선진국 : 목표달성
　　　　└ 개도국 : 대부분 목표미달

0018

(2) 분야별 접근방법(무세화, 관세조화)

> - 분야별 접근방법은 몬트리올 합의 목표달성을 위한 보완적
>   수단이지 대체적 수단이 아니며 Punta del Este 선언상의
>   응능부담 원칙에 따라야 함.

  o 무세화 분야 제외시 미국 관세양허계획안(IRP)상의 관세
    인하율은 18%에 불과함.

(3) 고관세(High Tariffs/Tariff Peaks) 인하 · 철폐

> - 고관세가 유지되고 있는 분야에 대한 각국의 우선적인
>   관세인하 노력이 필요하고 이러한 본질적인 사항을 제외
>   하고는 효과적인 협상 진행이 어려움.

  o 관세협상이 무세화등 협상에 치중되어 아국 관심분야인
    섬유 · 신발 등에 대한 선진국의 고관세 인하 · 철폐 노력
    이 소홀히 되고 있음.

나. 비관세분야(NTMs)

> - 비관세 조치의 양허결과 확보를 위한 Binding 및 28조 적용
>   문제는 시장접근협상 그룹의 합의 결과에 따른 것임.

  o NTMs의 Binding에 적극적으로 지지할 입장은 아님

  o 비관세장벽에 관한 관심국간의 양자협상이 진행중임.

다. 천연자원/열대산품

> - 천연자원/열대산품은 이미 아국의 양허안에 반영

  o 자원보유 개도국이 적극성을 보이는데 반해 선진국의 무관심
    으로 실질적인 진전이 거의 없는 상태

0019

3. 무세화 협상

- 대상분야

  전자·철강·건설장비·비철금속·종이·목재·의료기기·의약품·수산물

  o '90 수입액의 30% (209억불)

  o 수출액의 26% (169억불)

- 각국입장

  o E C : 무세화에 반대입장, 다만, 철강·의약품의 무세화에는 동의

  o 여타 선진국 : 무세화에 대체로 동조

  o 개도국 : 참여 대상이 아니거나 부분적 참여대상으로 큰 부담이 없음.

- 아국입장

  o 철강 : 전면 무세화

  o 전자·건설장비 : 부분적 참여

  o 나머지 분야 : 수입일방 분야로 참여불가

- 향후전망

  o EC·미국이 적정수준에서 절충하지 않으면 타결불가

0020

4. 관세조화 협상

┌─────────────┐
│ 기본대응방안 │
└─────────────┘
o 목표세율이 5.5~6.5%인 분야는 참여가능 하나

o 목표세율이 무세인 분야는 참여불가

(1) 미국의 화학제품 관세조화

- 대상분야

> o 유·무기화합물, 염료, 페인트, 화공품, 플라스틱
>   →5.5~6.5%
>
> o 의료용품, 비료, 화장품, 비누 → 0%
>
> o 고무 → 4%

- · '90 수입액의 12% (81억불)
- · 수출액의 6% (40억불)

- 아국입장

> o 상기 기본대응 방안에 따라 대처하되
>
> o 목표세율이 4%인 고무(40류)는 부분 참여

- 협상전망

  o 최근에 미국이 제안하여 타결여부가 불투명

0021

(2) EC 관세조화

- 대상분야

섬유 · 신발 · 석유화학 · 플라스틱

  o '90 수입액의 5% (38억불)

  o '90 수출액의 26% (170억불)

- 현재 진행상황

  o 섬 유 : 미국을 제외한 대부분의 국가가 지지

  o 신 발 : 구체적 논의가 없는 상태

  o 석유화학 · 플라스틱 : 선진국 중심으로 타결예상

- 아국입장

섬유 · 신발은 아국이 경쟁우위분야로 성사 적극 추진

- 향후전망

  o 석유화학/플라스틱은 미국이 보다 광범위한 화학제품 관세
     조화 제안을 제시함에 따라 미 · EC안중 어느 안으로 추진할
     것인지에 대한 논의가 진행중임.

(3) 일본의 화학제품 관세조화('91.10.7 제시)

- 미국의 조화제안과 동일하나 필름이 추가됨.

- 상기 기본대응방안에 따라 대처

0022

5. 향후 협상전망 및 대책

- 던켈 초안은 예상(11월중순)보다 훨씬 늦게 제시될 전망이며 현재 7개 협상그룹 모두 각국의 이해조정이 쉽지 않은 상태임.

- 미·EC간에 미국은 섬유분야의 관세를 인하하고 EC가 어느정도 무세화를 수용하는 선에서 절충 가능성이 점쳐지고 있고 그 시기는 던켈 초안과 무관하여 미·EC가 서둘지는 않는 상황임.

- 아국은 주요 수출품이면서 미국의 고관세유지 분야인 섬유·신발류의 관세인하와, 주요 교역국과의 양자협상을 통해 아국 수출관심 품목의 관세인하에 노력할 것임.

0023

농 림 수 산 부

국협20644- 992   503-7227   1991. 11. 1.

수신 외무부장관
참조 통상국장
제목 UR협상 정부실무교섭단 파견

1. 통조삼 10502-715('91.10.12)와 관련됨

2. '91.10.25 UR대책실무위원회 결정사항에 따라 UR협상 교섭을 위한 정부
실무대표단의 당부대표를 아래와 같이 파견코자 하오니 협조하여 주시기 바랍니다.

- 아 래 -

가. 당부대표단
        O 농업협력통상관 조 일 호
나. 출장기간 : 11.2-11.9
다. 출장지역 : 스위스(제네바), 이태리(로마)
라. 출장목적
        O 던켈총장 초안에 아국입장 반영을 위한 제네바에서의 교섭활동강화
와 주요 협상국과의 공동협력방안 모색

첨부 : 1. 세부출장일정 및 소요경비내역 1부.

                    끝.

농 림 수 산 부 장

0024

1. 세부 출장일정

일 시	조일호 농업협력통상관 일정	비 고
11.2(토) 12:40 17:10 20:00 22:30	0 서 울 출발 ⎤ KE 907 0 런 던 도착 ⎦ 0 런 던 출발 ⎤ SR 837 0 제네바 도착 ⎦	0 EPB 대조실장(단장) 일행과 동행
11.3 - 11.7	0 제네바에서 현지 교섭활동 추진 　- 볼터 농업국장등 GATT관계관 면담 　- 미국,EC,호주등 주요국대표 면담	0 매일 오전 현지에서 UR/대책실무위원회 개최 0 EPB 대조실장은 OECD방문을 위해 11.7 파리향발
11.8(금) 11:05 12:30	0 제네바 출발 ⎤ AZ 411 0 로 마 도착 ⎦	
11.9(토)	0 FAO 총회준비	
11.10(일) 이후	0 장관일행과 합류하여 FAO총회 참석	

0025

2. 소요경비내역

　　가. 국외여비 : $2,219(지변과목 1113-213)

　　○ 항 공 료 : $ 1,144

　　○ 체 계 비 : $ 1,075
　　　　- 일　비 : $ 25 x 8 = $ 200
　　　　- 숙박비 : $ 79 x 7 = $ 553
　　　　- 식　비 : $ 46 x 7 = $ 322

　　○ 합　　계 : $ 2,219

특　허　청

135-784　서울 강남 역삼 823-1　(02) 568-6077　/ 전송　553-9584

문서번호　국협 28140-~~4523~~

시행일자　91. 11. 9　(　)

(경유)

수신　외무부장관

참조　통상국장

선결			지시		
접	일자 시간	91. 11. 12			
수	번호	**37640**	결재·공람		
처리과					
담당자					

제목　UR 정부 실무대표단 파견

　　1. 국협 28140-4387 ('91.10.30) 관련입니다.

　　2. 1991. 11.1(금) 개최된 UR 대책 실무위원회 결정에 따라 UR/TRIPs 분야 정부실무대표단을 아래와 같이 일정을 변경하여 파견하고자 하오니 필요한 조치를 취해 주시기 바랍니다.

아　　　　　래

가. 파 견 자 : 특허청 기획관리관 노 영 욱 (종전과 동일)

나. 파견기간(일정)

　　o 종전 : '91. 11. 2(토) ～ 11. 10(일) (8박 9일)

　　o 변경 : '91. 11.16(토) ～ 11. 24(일) (8박 9일)

첨부　세부여행일정 및 주요 활동내용 1부.　끝.

특　　허　　청

0027

1. 세부여행일정 및 주요활동 내용

일 자	시 간	일 정	비 고
11. 16(토)	12 : 40 17 : 10	서울 발 (KE 907) 런던 착	
17(일)	20 : 05 22 : 30	런던 발 (SR 837) 제네바 착	
18(월) / 22(금)		UR/대책 실무위원회 참가 및 TRIPs 분야 주요인사 면담	
23(토)	10 : 55 12 : 15 13 : 50	제네바 발 (LH 1855) 푸랑크푸르트 착 푸랑크푸르트 발 (KE 916)	
24(일)	10 : 20	서울 착	

0028

외 무 부

110-760 서울 종로구 세종로 77번지 / (02)720-2188 / (02)725-1737

문서번호 통기 20644-

시행일자 1991.11.15.( )

취급		장 관
보존		
국 장	전결	
심의관		
과 장		
기안	조현	협조

수신 내부결재

참조

제목 UR 협상 관련 정부 실무대표단 추가 임명

　　91.11.16(토)-11.25(월)간 파견 예정인 UR 협상 관련 정부 실무대표단에 아래

대표 2명을 추가로 임명코자 하오니 재가하여 주시기 바랍니다.

　　　　　　　　　　- 아　　　　　　　래 -

1. 대표단 (추가)

　　ㅇ 경제기획원 통상조정3과 사무관　　　이병화

　　ㅇ 상 공 부 국제협력관실 사무관　　　김영학

2. 출장기간 : 1991.11.16(토)-24(일)

3. 소요경비 : 소속부처 해당 예산.　　　　　　　끝.

외　무　부　장　관

0029

상 공 부

427-760 경기 과천시 중앙동 1번지 / 전화(02)503 - 9446 / 전송(02)503 - 9496, 3142

문서번호 국협 28143 - 446

시행일자 1991. 11. 14. (   )

선 결			지 시		
접	일자 시간	· · : ·	결 재		
수	번호		·		
처 리 과			공		
담 당 자			람		

수신 외무부 장관

참조

제목 UR 정부 실무 대표단 참가

지난 10.18 개최된 대외협력위원회 결정사항에 따라 UR 분야별 협상 그룹의
의장 초안에 우리 입장을 반영하기 위하여 스위스 제네바에 당부 주관분야 (섬유 및
규범제정 분야) 협상에 참가하기 위하여 다음과 같이 출장코자 하오니 정부대표 임명
등 필요한 조치를 하여 주시기 바랍니다.

= 다   음 =

1. 출장 개요

소 속	직 위	성 명	출 장 기 간	비 고
국제협력관실	국 장	추 준 석	91. 11. 16 (토) ~ 11. 24 (일)	UR 정부 실무 대표단
"	사무관	김 영 학	"	"

2. 예산근거 : 상공부 예산. 끝

상 공 부 장

0030

경 제 기 획 원

우 427-760 / 경기도 과천시 중앙동1 정부제2청사 / 전화 503-9149 / 전송 503-9141

문서번호 통조삼 10502-807

시행일자 1991. 11. 14.

선결			지시	
접수	일자시간	∴	결재·공람	)
	번호			
	처리과			
	담당자			

수신 외무부장관

참조 통상국장
〈통상기구과 조현시기관〉

제목 : UR/정부실무대표단 활동

　　　　제12차 대외협력위원회('91.10.18)의 결정에 따라 스위스 제네바에 파견할
UR/정부실무대표단의 일원으로 다음과 같이 출장코자 하니 협조하여 주시기 바랍니다.

- 다　　　음 -

가. 출장자

소　속	직　위	성　명	비　　　고
경제기획원	대외경제조정실장	김 인 호	수석대표
대외경제조정실	제2협력관	이 윤 재	
	통상조정3과장	하 동 만	
	통상조정3과 사무관	이 병 화	GATT사무국 TPRM관련 질문서 답변자료설명 및 보고서제출 후 현지합류
KIEP	연구위원	박 태 호	자문역

나. 출장기간 : '91.11.16~11.24(9일간)

다. 경비부담 : 당원 및 KIEP

첨부 : 출장일정 1부.

경 제 기 획 원 장 관

0031

出 張 日 程

'91. 11.16(土)　　12:40　　　　서울 발 (KE 907)
　　　　　　　　　17:10　　　　런던 착
　　　　　　　　　20:00　　　　런던 발 (SR 837)
　　　　　　　　　22:30　　　　제네바 착

11.17(日)　┌──────
　~　　　│　　　　UR정부실무대표단 활동
11.22(金)　└──────

11.23(土)　　10:55　　　　제네바 발 (LH 1855)
　　　　　　　12:15　　　　프랑크푸르트 착
　　　　　　　13:50　　　　프랑크푸르트 발 (KE 916)

11.24(日)　　10:20　　　　서울 착

	분류번호	보존기간

발 신 전 보

WGV-1582   911112 1703 BE

번 호 : _____   종별 : _____

수 신 : 주   제네바   대사. 총영사

발 신 : 장 관 (통 기)

제 목 : UR 협상 정부 실무대표단 파견

연 : WGV-1518   일반문서로 재분류(1991.12.31.)

1.   연호 UR 협상 정부 실무대표단이 아래 임명되었음 (괄호안은 출장기간)

     ㅇ 경제기획원   김인호 대외경제조정실장 (단장, 11.16-24)

            - 이윤재 제2협력관 (11.16-24)

            - 하동만 통상조정3과장 (11.16-24)

     ㅇ 외 무 부   김용규 통상국장 (11.16-25)

            - 홍종기 통상기구과장 (11.16-25)

     ㅇ 재 무 부   조건호 관세국장 (11.16-22)

     ㅇ 농림수산부   조일호 농업협력통상관 (11.12-24)

     ㅇ 상 공 부   추준석 국제협력관 (11.16-24)

            - 김영학 국제협력관실 사무관 (11.16-24)

     ㅇ 특 허 청   노영욱 기획관리관 (11.16-24)

     ㅇ 대외경제정책연구원 박태호 연구위원 (자문, 11.16-24)

	보안통제	

앙고재	91년11월18일	통기과	기안자성명 조현	과장	심의관	국장 전결	차관	장관	외신과통제

0033

2. 훈 령   ~~UR협상이 막바지협상단계에 있음을감안,~~

 ○ UR 관련 정부 대표단은 ~~파견기간중~~ GATT 사무국 주요인사 및 주요국 협상
    주요협상분야(특히)
    대표들과 면담, 현지 협상 동향을 파악하고 ~~(농산물등)~~분야에서 우리의 입장을
    정극적인
    반영시켜 나가기 위한 ＾교섭활동을 전개토록 함.

    - UR 협상의 성공적 타결을 위해 각국이 갖고 있는 특수성에 기인한 예외적인
      사항에 대해서는 이를 상호 양해하는 방향으로 협상이 추진되어야 함을
      제의하고 이에 따라 우리의 농산물 분야의 특수성이 반영되도록 집중적인
      교섭 활동을 전개

    - 서비스, 지적재산권, 반덤핑 및 섬유등 우리의 관심분야에 있어서는 그간의
      우리의 협상 기여를 정당하게 평가받고 기존의 입장을 반영시켜 나가는데
      최선의 노력을 경주

 ○ 상기 정부의 기본입장을 효율적으로 반영·설득시켜 나갈 수 있도록 UR 협상과
    관련하여 대외협력위원회에 상정, 결정해야할 주요사항을 제외하고는 귀관을
                                        경상
    비롯한 현지 협상 대표들과 협의하여 ~~타국과의 협의~~에 신축성있게 대처토록 함.

3. 상기 대표단 숙소는 Movenpic Hotel에 ~~~~ 체제기간에 따라 예약바람
   (항공편은 별도 통보 예정).   끝.   (통상국장 김 용 규)

0034

외 무 부

110-760 서울 종로구 세종로 77번지 / (02)720-2188 / (02)725-1737

문서번호 통기 20644- 56378

시행일자 1991.11.15.(   )

수신 수신처 참조

참조

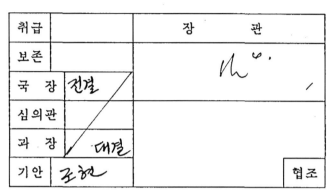

취급		장 관
보존		
국 장	전결	
심의관		
과 장	대결	
기안	조현	협조

제목 UR 협상 관련 정부 실무대표단 임명

   UR 협상과 관련한 정부 실무대표단이 "정부대표 및 특별사절의 임명과 권한에 관한 법률"에 의거 아래 임명 되었음을 통합니다.

- 아   래 -

1. 정부대표단 (괄호안은 출장기간)

   o 경제기획원   김인호 대외경제조정실장 (단장,11.16-24)

                    이윤재 제2협력관 (11.16-24)

                    하동만 통상조정3과장 (11.16-24)

   o 외무부   이병화 통상조정3과 사무관 (11.16-24)

   o 재 무 부   조건호 관세국장 (11.16-22)

   o 농림수산부   조일호 농업협력통상관 (11.12-24)

   o 상 공 부   추준석 국제협력관 (11.16-24)

                    김영학 국제협력관실 사무관 (11.16-24)

   o 특 허 청   노영욱 기획관리관 (11.16-24)

0035

2. 파견 목적

　　ㅇ Dunkel 갓트 사무총장이 11월말경까지 UR 협상의 전분야에서 협상 초안을
　　　작성, 이를 기초로 마무리 협상을 진행하여 UR 협상을 종결짓겠다는
　　　협상 전략을 추진하고 있음에 따라, 동 협상 초안 작성 과정에서 아국
　　　입장을 최대한 반영시키고 현지 협상 대응체제를 강화시킴.

　　ㅇ 각 협상그룹 회의에 참가하고 갓트 사무국 주요인사 및 미국, EC, 일본등
　　　주요협상 참가국 대표와 면담을 통해 우리 입장을 최대한 이해시키도록
　　　교섭함.　　　　　　　　　　　　　　끝.

수신처 : 경제기획원, 재무부, 농림수산부, 상공부장관, 특허청장

외　무　부　장

0036

GATT/UR협상 정부실무대표단 제네바 방문 일정
(김용규 통상국장님)

91. 11.16(토) - 11.24(토)

주 제 네 바 대 표 부

1. 일행 명단

   0 김인호 경제기획원 대외경제 조정실장

     (Kim, In-Ho ; Assistant Minister for International Policy

     Coordination, E. P. B)

   0 이운재 경제기획원 제 2협력관

   0 김용규 외무부 통상국장

   0 조건호 재무부 관세국장

   0 조일호 농림수산부 농업통상협력관

   0 추준석 상공부 국제협력관

   0 노영욱 특허청 기획관리관

   0 하동만 경제기획원 통상조정 3과장

   0 홍종기 외무부 통상기구과장

   0 이병화 경제기획원 통상조정 3과 사무관

   0 박태호 대외경제연구원 연구위원 (계 11명)

2. 숙소

   Movenpick Raddison 호텔(022) 798 75 75

3. 일정

일 시	행 사	비 고
11.16(토) --------- 22:30	0 제네바 도착 (SR 837)	0 경협관, 경협관보외 3-4인 공항 출영
11.17(일) -------- *07:30.* 09:20	0 자유시간 *10:20 — 16:30*	
19:00	0 만찬 *(이 녹자체로 비교)*	

0038

일　　시	행　　　　　사	비　　　　　고
11.18(월)		
10:00	○ 대표부 방문	○ 본부 대표단
11:15	○ Dunkel 총장예방 (사무총장 부속실)	○ 대조실장,김대사,김용규국장, 조일호국장(잠정)
13:00	○ 오찬	
16:00 ~ 17:00	○ UR 담당관과의 간담회(대표부)	○ 본부대표단 및 UR담당관
19:00	○ 만찬	
11.19(화)		
10:00	○ 규범제정 의장과의 개별 협의 (반덤핑 분야)	○ 추준석 국장,강상무관
11:00	○ EC Tran 대사 면담(EC대표부)	○ 대조실장, 김대사, 이운재국장 ⟨김용규국장⟩
13:00	○ 시장접근분야, Denis의장과의 (3) 오찬 (La Reserve 호텔)	○ 대조실장,김대사,이운재국장, 추준석국장,조건호국장, 엄재무관(6인)
		○ Denis의장, Campeas관세국장, Opelz 비관세국장(3인)
17:00	○ 지적재산권, Annel 의장과의 면담(GATT 사무국) 의장도함에 화서	○ 대조실장,김대사,이운재국장, (하동만과장),노영욱국장, 김준규과장 (5인)
19:00	○ 대사주최 만찬(대사관저)	○ 본부대표단
11.20(수)		
13:00	○ 대사주최, USTR Lavorel대사와의 오찬 (Tse-Yang, Noga Hilton)	○ 박대사,대조실장,김용규국장 조일호국장,추준석국장(5인)
13:30		○ Lavorel 대사외 2인
19:00	○ 대조실장 초청 만찬 (우찌노)	○ 박대사,김대사,오참사관, 경협관,재무관,농무관,상무관 이참사관,경협관보(9인)
		○ 본부대표단 (12인)

김국장

일 시	행 사	비 고
11.21(목)		
10:30	○ 서비스, Jaramillo 의장 면담 (콜롬비아 대표부)	○ 대조실장,이운재국장, 하동만과장
13:00	○ 갓트간부 직원과의 오찬 (Hussain사무차장보,Tulloch TPRM국장,Boonekamp참사관)	○ 김대사,김용규국장, 오참사관,홍종기과장, 김봉주서기관
13:00	○ 규범제정분야, Maciel 의장과의 오찬 (Pearl Du Lac) *Perle*	○ 대조실장,이운재국장, 추준석국장,엄재무관, 강상무관(5인)
19:00	○ 만찬	○ Maciel의장,Ramsauer의장 보좌관,WOZNOWSKI 규범 담당국장 (3인)
11.22(금)		
13:00	○ 갓트간부 직원과의 오찬 (Linden 보좌관,Millan참사관)	○ 김국장, 홍과장, 이참사관
19:00	○ 김대사주최 만찬 (차석대사댁)	○ 본부대표단
11.23(토)		
10:55	○ 대조실장 제네바 출발(LH-1855)	○ 경협관,경협관보외 3-4인 공항 출영
11.24(일)		
18:05	○ 제네바 출발(AF - 969)	

0040

발 신 전 보

WGV-1614   911115 1934   FL

번 · 호 : _____   종별 : _____

수 · 신 : 주 제네바 대사. 총영사

발 · 신 : 장 관 (통 기)

제 · 목 : UR 협상 정부 실무대표단

연 : WGV-1582

1. 연호 UR 협상 실무대표단에 경제기획원 통상조정3과 이병화 사무관이 추가로
    임명 되었음.

2. 동 대표단(농수산부 조일호 협력관 제외)은 11.16(토) 22:30 SR-837편 귀지 도착
    예정임.   끝.   (통상국장 김 용 규)

일반문서로 재분류 (1991.12.31.)

			기안자 성명		과 장	심의관	국 장		차 관	장 관
양 고 재	91년 11월 15일	통 기 과	조현				전결			

보 안 통 제	

외신과통제

0041

외 무 부

종 별 :

번 호 : GVW-2362   일 시 : 91 1118 2230

수 신 : 장 관(통기, 경기원, 재무부, 농림수산부, 상공부, 특허청)

발 신 : 주 제네바대사

제 목 : UR 협상 정부 실무대표단 활동(던켈 총장 면담)

대: WGV-1582   일반문서로 재분류(1991 . 12 . 31 .)

김인호 경기원 대조실장 및 실무대표단 일행은 당관 김대사 안내로 11.18(월) 11:20-12:10 간 던켈 갓트 사무총장을 면담하였는바, 요지 아래 보고함.

  1. 김실장 언급 요지

  - 한국정부로서는 UR 협상 연내 타결을 위한 던켈총장의 노력을 적극 지지하며, 이런 차원에서 각 협상 분야별로 각부처 실무책임자로 구성된 대표단이 제네바를 방문, 막바지 실질 협상에 임할 태세를 갖추고 있음.

  - UR 협상에 임하는 한국의 입장은 전협상분야에 걸쳐 균형을 이룬 결과가 이루어져야 한다는 것이며, 아국이 농산물에만 관심을 갖고 있다는 인식은 잘못된 것임.

  - 한국은 UR 협상의 성공을 위해 소위 신분야에 있어 선.개도국간 중간 입장에서 중재자 역할을 수행해오고 있으며, 시장접근 분야에서는 몬트리올 목표를 달성하는 OFFER 를 제시하고 있을 뿐아니라, 규범제정 분야에서도 수출국, 수입국 입장을 감안 융통성있는 입장을 취하고 있음. 농산물분야에서도 브라셀 각료회의 이후 당초의 입장을 대폭 수정, 융통성을 발휘하여 협상에 임하고 있는 점은 평가되어야 함.

  - 제 3 차 APEC 각료회의가 년내 UR 타결을 결의하였는바, 아국의 의장국으로서의 역할이 컸다는 점을 인식해야 함.

  - 아국이 그간 농산물 시장개방을 위해 부단히 노력해왔으며, 이를 계속 추진 예정인바, 농산물 협상에서 일반 국민과 국회가 동의할 수 없는 결과(예외없는 관세화)가 나올 경우에는 앞으로의 농산물 시장개방 노력에도 차질을 초래할 가능성이 있음.

  - 일반국민들이 UR 의 긍정적 요소에 대한 인식이 점차 높아지고 있으며, 이를

통상국 안기부	장관 경기원	차관 재무부	1차보 농수부	2차보 상공부	경제국 특허청	외정실	분석관	청와대

위한 그간의 정부의 설득 노력이 매우 성공적이었다고 보나 농산물분야에서의 아국의 특수사정이 반영되지 않을 경우 정부로서는 이를 받아들일수 없을뿐 아니라 UR 의 긍정적 요소에 대한 국민설득도 수포로 돌아갈 것이므로 이러한 국민적 동의와 국회의 승인을 염두에 두지않은 협상을 정부가 수행하는 것은 불가능함.

- 농산물 분야에서의 관세화 문제는 미국의 WAIVER 문제, EC 의 VARIABLE LEVY, 11 조 2 항(C), NTC 등 모든 문제와 연관지워 CONSENSUS 가 이루어 져야한다고 봄

2. 던켈 총장 언급 요지

- 많은 국가들이 SUB-CABINET LEVEL 대표단을 파견하고 있으며, 금주에 특히 농산물관련 주요국 협상자들이 당지를 방문 예정인바, 한국 대표단이 제네바 파견은 시의적절하다고 봄.

- UR 협상 년내 타결 전략은 TACTIC 이 아니며, 더이상 지연시킬 경우 위기에 처할 가능성이 있고, 아래와 같은 상황 변화가 있어 브랏셀 이전보다 훨씬 협상 타결 가능성이 높다는데서 비롯된 것임.

0 주요 분야의 기술 협상에 실질적 진전이 이루어져 정치적 결단 단계와 와있다는 점

0 UR 타결이 주요국 최고위층의 제 1 우선 순위 과제로 등장하여 정치적 결정을 기대할 수 있다는 점

0 미.이씨 정상회담에서는 상호간 상당부분에 걸쳐 견해차를 좁혔으며 해결해야 할 문제가 어떤것인지를 확인했고, CAIRNS 그룹 각료들도 당지에서 곧 회동예정으로 있음.

0 농산물 이외에 한국이 UR 협상 성공을 위해 전향적있음.

0 농산물 이외에 하인 자세를 보이고 있는점을 이해하며, 모든 분야에서 균형된 결과가 나와야 한다는데에 동감함.

그러나 협상의 관건은 농산물에 있으며, 농산물 협상은 미국.EC 에게도 매우 어려운 과제로서 더이상 현 농산물 교역 체제를 방치할 수 없다는데 이견이 없음.

- 농산물 협상 타결을 위해서는 아래 3 가지 분야에 대한 합의가 이루어져야 한다고 보며, 개혁은 모든 나라에게 부담을 가져올 수 밖에 없음.

(1) 관세화

0 미.이씨간에도 합의가 이루어진 분야로서, 미국의 경우 낙농제품, 설탕, 땅콩등에 관한 WAIVER, EC 의 경우 VARIABLE LEVY SYSTEM 이 관세화와 연결되어

PAGE 2

0043

있는바, 관세화에 예외를 인정할 경우 상기 미.이씨의 현행 제도 개혁이 불가능함.

(2) 수출보조

O 아직 MODALITY 에 대한 구체합의는 없지만 감축원칙에는 합의하고 있음

(3) 시장개방을 하면서 국내보조 차원에서 이를 상쇄하는 조치를 취할 수 있도록 해서는 않됨.(CIRCUMVENTION 방지). 끝

(대사 박수길)

예고:91.12.31. 까지

PAGE 3

0044

관리
번호 91-812

외 무 부

종 별 :

번 호 : GVW-2368

일 시 : 91 1119 2315

수 신 : 장 관(봉기, 경기원, 재무부, 농림수산부, 상공부, 특허청, 경기원)

발 신 : 주 제네바 대사

제 목 : UR 협상 정부 실무대표단 활동(2)

연: GVW-2362

1. 김인호 경기원 대조 실장 및 대표단은 당관 김대사 안내로 11.19(화) 11:00-12:10 간 TRAN 주 제네바 EC 대사를 면담한바 요지 아래임.

가. 아측 언급사항

- UR 협상의 성공적 타결을 중요시하는 아국입장 설명

- 켄센서스가 없는 상황에서의 예외없는 관세화 추구의 위험성 지적

- 던켈 총장의 균형된 협상 초안 제시 필요성과 서비스 분야등에서의 아국 관심사항 설명

나. TRAN 대사 언급 사항

1) 년내 UR 협상 타결 전망

- UR 협상은 반드시 년내에 타결되리라고 보며, 미국과 EC 는 년내에 협상을 종결시킨다는 결심이 확고함.

- EC 가 년내 타결을 확신하는 이유는 아래임.

. 미.EC 정상간에 협상의 년내 타결에 대한 확고한 공감이형성됨.

. 브랏셀 회의시 EC 는 헬스트롬 의장안을 거부하였으나 지금은 이를 기초로 협상하고 있음.

. 부쉬 미 대통령이 국민에게 어려운 국내경제의 돌파구를 제공하기 위해 UR 협상의 성공이 필요함.

. EC 봉합, 미국 선거일정, 동구국가의 경제 재건문제, 개도국문제등을 고려할때 협상 타결을 금년이후로 미룰수 없음.

. 브랏셀 회의시에는 공동 농업정책(CAP)의 개혁 논의가 겨우 시작된 단계였으나 지금은 EC 와 미국이 CAP 의 개혁 방향을 알고 있음.

통상국 안기부	장관 경기원	차관 경기원	1차보 재무부	2차보 농수부	경제국 상공부	외정실 특허청	분석관	청와대

PAGE 1

91.11.20   08:45

외신 2과 통제관 BS

0045

- 농업 분야에서의 미.EC 간에 합의가 이루어질 경우 다른 분야에서의 미결쟁점은 협상 타결의 걸림돌이 되지 않을 것임.

2) 미.EC 간 협상 동향

- 미.EC 정당회담에서 양국 정상은 양측간 합의를 위한 확고한 범위(CONCRETE SCOPE)를 설정했고, 그 범위안에서 실무 절충이 가능할 것으로 봄. 예를 들어 보조금 감축폭(30-35 %), 기준년도(86 년 또는 90 년), 이행기간, 이행방법의 협정 문서화등의 기술적인 미결사항이 남아있으나 이는 양국간 합의 도출의 장애물은 아니라고 봄.

- 농산물 협상이 타결되면 서비스에서의 TWO-TRACK APPROACH (MAXI-MINI), 해운, 봉신, AUDIO-VISUAL, 금융분야 협상등에서의 문제점은 양자 협상으로 해결될수 있으며, 시장접근, 제도등의 분야는 전체 협상 타결에 걸림돌이 되지 않을 것이고, 반덤핑, 보조금, 세이프가드등 합의되지 않는 분야는 최악의 경우 현상 상태대로 두면 될것임.

- 시장접근 분야에서는 거의 의견의 접근을 보이고 있어, 미국의 고관세(TARIFF PEAK) 문제, 분야별 무세화 및 조화문제에 대한 합의를 이룰수 있다고 보는바, 미국이 섬유 분야에서 관세 조화를 할 경우 EC 는 화학제품, 의약품외 몇개 품목의 무세화에 참여할 것임.

- 따라서, 어느날 갑자기 미.EC 간 완전한 타협으로 협상이 급진전될 가능성에 대비해야 할 것이며, 기본적으로 미.EC 간 타협이 다른 개도국의 입장을 반영한 균형된 것이 아니겠지만, 어떠한 형태의 UR 협상 결과도 협상이 실패하여 협정을 만들지 못하는 것보다는 훨씬 나을 것임.

3) 농산물 협상(관세화)과 한국이 취할 입장

- EC 로서도 관세화는 바람직하지 않았고, 일부 EC 회원국에 큰 어려움이 있는 것은 사실이나, UR 협상의 년내 타결을 위하여 관세화를 수용, 강행(STEAM-ROLLING)하지 않을수 없음.

- EC 는 관세화를 통해 국내가격이 하락하면 변동 과징금등 기존 정책 목적수행이 어려울 것이나, 관세화를 전체로서 수락하고, 변동 과징금을 관세로 전환하는 방안을 모색하고 있음.

- 한국의 쌀을 관세화의 예외로 인정할 경우 미국의 낙농제품, 설탕, EC 의 곡물등에 대한 예외도 인정치 않을수 없을 것이며, 이경우 UR 협상은 무산될 것임.

PAGE 2

0046

적어도 앞으로 20-30 년간 국제무역은 GATT 체제하에 있어야 하므로 UR 협상을 무산시킬수 없음.

- 한국이 예외없는 관세화를 수용할수 없다는 입장에서 전혀 융통성을 보이지 않고 있는 것으로 아는바, 결코 예외 인정은 어려울 것이며, 장기간의 이행기간 허용만이 협상 가능하다고 생각함.

- 따라서 미.EC 간 타결이 임박하고 UR 협상 전체의 각국별 핵심 관심사항 반영을 위한 본격적인 협상이 전개가 예견되는 만큼 한국도 농산물 분야에서 융통성을 가지고 실질 협상에 임하는 것이 필요하다고 봄.

2. 한편 본직은 금일 오찬에 HAWES 호주대사 및 AMORIM 브라질 대사를 초치(김용규 외무부 통상국장, 조일호 농림수산부 협력통상관, 홍종기 외무부 통상기구과장 동석) UR 협상 전망에 대해 의견 교환한바, 동대사들은 금주가 농산물 협상의 고비이며, 협상의 년내 타결 가능성은 70 % 정도로 본다고 하고, 한국이 협상의 마지막 단계에서 주요 국가의 협상 결과를 강요당하여 어려운 경우에 처하는 것보다, 지금이라도 협상에 참여하여 이익을 확보하는 노력이 필요하다고 지적함. 동대사들은 또한 농산물 협상과 관련 한국에 대한 예외인정 필요성에는 공감하나, 이러한 예외는 특히 이행기간등에 대한 배려의 형태로만 가능할 것이라는 입장을 보임. 끝.

(대사 박수길-장관)

예고 91.12.31. 까지

외 무 부

종 별 :

번 호 : GVW-2391   일   시 : 91 1120 1950

수 신 : 장관(봉기,경기원,상공부,보사부,문화부,과기처,특허청,경제수석)

발 신 : 주 제네바 대사

제 목 : UR/협상 정부 실무대표단 활동 보고(3)-UR/TRIPS양자 협의

　　11.19(화) 오후 ANELL TIRPS 협상 그룹 의장은 협상의 막바지 단계에서 각국 대표와의 개별면담의 일환으로 아국 대표단(김인호 경기원 대조실장, 김삼훈 차석대사, 김용규 외무부 봉상국장, 이윤재 경기원 제 2협력관, 노영욱 특허청 기획관리관, 김준규 주재관)을 면담 아국 관심사항등에 관한 양자 협의를 가졌는바, 주요 내용 하기 보고함.

　　1. ANELL 의장 언급 요지

　　0 현시점이 TRIPS 협상의 최종단계로 매우 중요하며, 12월중순까지 W/35/REV. 2를 제출하기 위해서는 농산물 협상등 다른 협상 그룹의 진전이 있어야 한다고 전제하고

　　0 TRIPS 협상의 종결을 위해서는 11.20(수)개최되는 10 더하기 10 주요국 비공식회의에서 향후 협상 일정과 협상 방법이 논의될 것이며 향후 협상은 SMALL 그룹별 (3-4 개국 단위) 또는 양자 협의를 봉해 주요 관심사항에 대해 논의할것이며

　　0 협상의 마무리 단계에서 두가지 사항을 문의한다고 하면서 (1) TRIPS 협정이 GATT SYSTEM 내에서 이루어지는 것(GATT ABILITY)에 대한 아측 입장과(2) 아국의 주요관심 분야에 대하여 질문함.

　　2. 아측 설명요지

　　0 TRIPS 협정이 GATT 체제내에서 SINGLE UNDER TAKING 으로 이루어지는 것에 동의 주요 관심사항을 설명함.

　　0 아국 관심사항으로 TEXT 에 반영시켜줄 것을 요청한 사항

　　1) IC 칩의 보호범위 및 선의의 구매자

　　- 아측은 반도체칩의 보호범위에 최종 제품은 제외되어야 하며 선의의 구매자가보상책임을 지는것은 동 분야의 교역과 기술이전을 크게 저해하는 결과를 초래할 것임을 지적하고 특히 최종제품과 관련 ROYALTY 는 침해된 IC 칩에 한해

봉상국	2차보	정와대(2)	보사부	문화부	경기원	상공부	과기처	특허청
		(경제수석)						

지불되어야 한다고 주장하자, ANELL 의장은 ROYALTY 지불은 침해품에 한정되고 최종제품까지는확대되지 않으며, 39조 괄호안에 언급된 내용은 반도체 침해 칩이 사용된 제품의 경우에도 동 칩을 교체하지 않고 동칩에 대한 로얄티만 지불하면 문제를 해결할수 있도록하기 위한 취지이므로 수출국 입장을 보호하기 위한것이라고 설명함.

그러나 아측은 실무협의 과정에서 동 내용이 불명확한점이 있다고 지적 이를 더욱 명확히해야 할 것임을 요청하자 ANELL 의장은 이에대해 검토할 것을 약속함.

2) 국경 조치

- 아측은 국경조치에서 위조 상품 부착품, 저작권 침해품 이외의 특허권 침해품등은 침해 여부 판단이 어려우므로 제외되야 한다고 주장하자 ANELL의장은 아측 설명에 원칙 문제로서는 동감하면서도 각국의 이해와 주장이 상이하여 어려움이 있음을 토로하면서 이경우 더욱 강화된SAFEGUARD (예: 공탁금 제도등)를 마련하면 될것이라고하면서 SAFEGUARD 강화 방안을 강구하겠다고 함.

3) 대여권

- 음반 저작물 컴퓨터 프로그램 등에 관한 대여권의 허가나 금지권은 반대하며,보상 청구권만 인정할 것을 주장하고 특히 영사 저작물(VIDEO)의 대여 금지권을 인정할수 없다고 주장한바 ANELL 의장은 각국의 입장이 대립되고 있는 분야임을 지적하고아측 입장을 TAKE NOTE 하겠다고 함.

4) 영업 비밀

- ANELL 의장은 먼저 영업비밀 보호관련 (1)공공기관에서 비밀을 요하는 자료의공개금지 의무와 (2) 임상실험 자료의 일정기간(5년)보호의무중 어느것에 관심이 있느냐고 질문, 이에대해 아측은 후자에 관심을 갖고 있으며,후제조업자가 제조허가 신청시 임상 실험자료를 원용할수 있어야 한다 주장함.

5) 컴퓨터 프로그램 보호 범위

- 아측은 컴퓨터 프로그램의 보호 범위에 IDEA 는 제외되어야 한다고 주장, 이에대해 ANELL의장은 IDEA 는 포함되지 않을 것임을 명확히 함.

6) 기존 지적 재산권 보호(73조)

- 아측은 협정 발효일 현재 기존 지적 재산권은 보호되어야 하고 소급 보호(PIPELINE PRODUCTS)는 반대한다는 입장을 주장한바, 이에 대해 ANELL의장은 73조는 본 협정의 적용에 있어서 2가지 동시 대상(COEXISTING MATTERS)즉 (1)PUBLIC DOMAIN에 있는 기존 지적재산권 (2) 계류중인 특허(EXISTING PATENT)등을 고려해야

PAGE 2

하며 이에대한 보호는 경과기간과 관련이 있으므로 더 구체적인 토의를 거쳐 DRAFT 할 것이라고함.

7) 경과 기간

- 아측은 협정 이행 준비를 위해서는 충분한 경과기간(최소한 4-5 년)이 필요하다고 주장하자 ANELL 의장은 미.EC 는 단기간을 주장하고있으며, 다른 협상 그룹(농산물, 섬유등)의 경과기간등을 고려하여 결정될 것이라고 함.

3.이상의 협의는 TRIPS 협정을 마무리 하기 위한 의장의 전반적인 활동과 관련되며 타협상 그룹과 관련해서 전체 협상을 마무리 짓기 위한 작업의 일환으로 추진되는 것으로 분석됨. 또한 동 의장은 각국에게 수용시킬 협정의 초안 적성이 가능하다는 낙관적 견해를 표명함. 끝

(대사 박수길-국장)

외 무 부

종 별 :

번 호 : GVW-2403　　　　　　　　　　일 시 : 91 1121 1830

수 신 : 장 관(통기, 경기원, 재무부, 농수부, 상공부, 특허청, 경제수석)

발 신 : 주 제네바 대사

제 목 : UR/협상 정부 실무 대표단 활동 보고(4)

　　김인호 경기원 대조실장은 11.19(화) 오찬에 DENIS시장접근 분야 의장을 초치하여 UR 협상전망에 대해 의견을 교환한바, 그 요지를 아래보고함.

　　(갓트 사무국 관세국장, 비관세국장 및 당관김대사의 관련 본부 대표등 동석)

　　1. 김실장 언급 요지

　　- 한국은 일부 유보 분야를 제외하고는 UR 을전반적으로 수용하려는 입장임.

　　유보분야중 가장 중요한 것은 농산물 분야로서에의없는 관세화는 수용할수 없음.

　　- 시장접근 분야 협상에서는 한국이 이미 MONTREAL중간 평가에서 제시된 관세 감축을 이루었고양허 범위도 81 프로로 높이는 OFFER 를 제시한사실을 높이 평가해야할것임.

　　2. DENIS 의장 언급 요지

　　- 시장접근 분야의 의장으로써 전체적인 협상진전에 맞추어 시장접근 분야의 협상을진전시켜야 하는 부담을 갖고 있으며, 또한 미국과EC 간 주요 관심 분야의 품목별로 실질적인교섭을 지속적으로 추진한 결과 정치적 결정사항이 명확히 정리된 상태이므로 이에 따라 여타국가들을 움직여 협상을 진전시켜야 하는 압력을받고 있음.

　　- <u>12.25 이전에는 협상을 완료할 계획임.</u>

　　- UR 의 관세 감축 수준은 미국과 EC 간의협상에 따라 LARGE PACKAGE 또는 SMALLPACKAGE가 결정되면 이에 따라 결정될 것이며 관세무세화 및 관세 조화 협상도 시장접근 분야협상의 한 부분이며, 이 분야의 협상진전은국가별 양자 협상에 달려 있음.

　　- 무세화 협상에서 FREE-RIDER 문제가 있으나GATT 체제상 MFN 원칙이 적용되어야하는것은 당연함.

　　3. 기타

통상국	장관	차관	1차보	2차보	외정실	청와대(z)	안기부	경기원
재무부	농수부	상공부	특허청			(경제수석)		

PAGE 1　　　　　　　　　　　　　　　　　　　91.11.22　　06:09 FO

　　　　　　　　　　　　　　　　　　　　　외신 1과 통제관

　　　　　　　　　　　　　　　　　　　　　0051

- 한편, 동석한 CAMPEAS 관세국장은 EC 가앞으로 의약품, 철강, 비철금속, 건설장비등분야에서 관세 무세화 협상 참여를 고려할것이라고 예상하였으며, OPELZ 비관세국장은관세 협상이 타결되면 비관세 협상도 타결될것으로 전망하고 비관세 양허 문제는 미국, EC등이 강력히 주장하고 있으나 아직 CONSENSUS 가형성되지 않고 있다고 언급하였음. 끝

(대사 박수길-장관)

원 본

외 무 부

종 별 :

번 호 : GVW-2397

일 시 : 91 1112 1600

수 신 : 장관(봉기,경기원,재무부,농림수산부,상공부,특허청,경제수석)

발 신 : 주 제네바 대사   사본: 주 미, 주EC 대사(본부중계필)

제 목 : UR 협상 정부 실무 대표단 활동 보고(5)

1. 본직과 김인호 대조실장등 대표단은 11.20(수) W. LAVOREL USTR 부대표(UR 협상 총괄 담당)을 오찬에 초치(YERXA 주 제네바 대사, STOLER 공사 동석), UR 협상의 전망과 양국 관심사항에 대해 의견 교환한바 요지 아래임.

가. 아측 언급 사항

- 협상의 TRANSPARENCY 확보 및 미.EC 외 여타 국가들의 의견 수렴 필요성 지적

일반문서로 재분류(1991.12.31.)

- CONSENSUS 없는 관세화 강행의위험성 지적

- 예외없는 농산물 시장 개방에 대한 반대 표명

0 특히 쌀시장 개방이 국내에 미치는 심각한 영향 설명

- 분야별 아국입장 설명

0 일방주의 억제의 필요성

0 반덤핑등 규범 제정분야의 중요성

0 서비스 분야에서의 추가적인 OFFER 어려움 강조

분야간 교차 보복에 대한 원칙적인 유보의사 표명

0 보조금 협정 개도국 세분화 문제에 대한 반대 입장 표명

나. 미측 언급사항

1) 전반적 사항

- 협상의 진전이 꾸준히 이루어지고 있으며, 성탄 휴가전 타결이 이루어질 것으로 봄.

- 미.EC 정상회담 이후 양측은 여러분야에서 협의를 계속하고 있으며, EC 와 극적으로 (DRAMATICALLY)이견을 좁혀 나가고 있음.

0 시장접근, 농산물, 규범제정 분야에서 진전이 있으며, TRIPS 에서는 견해차이가 거의 해소됨.

통상국 청와대	장관 안기부	차관 경기원	1차보 재무부	2차보 농수부	경제국 상공부	외정실 특허청	분석관 중계	청와대

PAGE 1

91.11.22   02:08

외신 2과 통제관 FM

0053

O 농산물 문제는 금주말까지 어떤 결과가 나올 것으로 봄.

- EC 와의 협의외에도 4 국(QUAD) 및 다른 그룹의 국가들과도 협의를 진행하고 있는바, 아직 모든 분야에서 합의를 이룬것은 아니나 견해차가 많이 좁혀졌음.

- 농산물 분야의 합의 초안은 2 주내에 제시될수 있을 것으로 봄.

- 개도국들도 최근 일부 합리적인 협상 태도를 보이는바, 인도, 브라질등이BOP 조항, 부자등 교착 쟁점에서 융통성을 보이고 있음.

- 미국은 관세화 문제, 규범제정등 미국, EC 외에 제 3 국의 이견도 무시할수 없는 분야에 대해 4 국회의 등을 통해 간접적으로 여러형태의 이해 관계를 수렴할수 있다고 보고 있으나, 다자간 협상에서는 각국이 자국 이익의 반영을 위해 스스로 노력해야 함.

2) 분야별 입장

(농산물)

- 관세화의 예외를 인정하면, 일본, 캐나다, 미국(농업조정법)에 대한 예외도 인정해야 할것인바, 이는 불가능함.

- 11 조 2 항(C) 는 18 조(BOP 조항), 19 조(긴급 수입제한 조항) 보다 파급 효과가 큰 조항으로, 이를 인정하기 어렵다고 보나, 전체 협상 결과에 따라 정해질 문제임.

- 관세화를 수용해도 고관세, 특별 세이프가드등을 통해 시장을 보호할수 있음. 일본도 이러한 사실을 인지하고 있으나 표면상으로는 과장된 입장을 보이고 있음.

(반덤핑)

- 반덤핑 관련, 일본, 한국의 입장에 대하여서는 다소 이해가 가나, 홍콩, 싱가폴의 입장은 수용하기 어려운바, 동국들과 동조하면 어려운 입장에 처하게 될 것임.

(일방주의)

- UR 협상에서 일방주의와 관련하여 아무것도 이루어질 것이 없다고 봄.

(SINGLE UNDERTAKING)

- SINGLE UNDERTAKING 이 합의도지 않으면 UR 이 성립할수 없다고 보며, 이경우 미국은 무엇보다 섬유, 반덤핑을 수락치 않을 것임.

(분야간 교차 보복)

- 상품 분야에서의 양보와 서비스 분야에서의 양보가 상호 연계될 수 있듯이,

PAGE 2

60 우루과이라운드 관련 기타 자료

분야간 교차 보복(CROSS RETALIATION) 도 필요함.

- 예를 들어 통신 서비스에서 위법이 있을때, 금융 서비스에서 보복하는것 보다 통신장비(상품) 에서의 보복이 보다 효과적임.

- 보복이라는 표현보다는 양허의 철회(WITHDRAWAL OF CONCESSIONS)가 보다 적절할 것이며, 보복문제가 다자차원에서 처리되므로 개도국에 오히려 유리할 것임.

(선별적 세이프가드)

- EC 의 QUOTA MODULATION 주장의 저의가 불확실함.

(보조금)

- 한국은 수출 보조가 없는 국가인데, 수출 보조와 관련한 개도국 세분화에 적극 반대하는 이유를 이해하기 어려움

2. 농산물 협상은 아직 회의 일정이 제시되고 있지는 않으나 금주중에는 미국, EC 등 주요국 협의가 있고, 내주중 협의가 진행될 것으로 예상됨. 따라서 농수산부 조일호 농업협력 통상관의 추장기간을 우선 12.1 까지 연장조치 바람. 끝

(대사 박수길-장관)

예고 91.12.31. 까지

외 무 부

종 별 :

번 호 : GVW-2411   일 시 : 91 1122 1130

수 신 : 장 관(통기, 경기원, 농수부, 상공부, 특허청, 경제수석)

발 신 : 주 제네바대사

제 목 : UR 농산물 정부실무대표단 활동(6)

　　11.21(목) 김인호 경기원 대조실장 일행은 JARAMILLO GNS 의장과 면담 UR 협상 전반 및 UR/서비스 협상 전망에 대해 의견을 교환한바 그 요지 하기 보고함.

　　1. 김실장 언급 요지

　　- 아국은 UR 협상의 모든 분야에 걸쳐 기여하려고 노력해 왔음.

　　농산물에 있어서 예외인정을 받는 것이 매우 중요한 과제인 것은 사실이나 한국이 UR농산물에만 관심을 기울이고 있는 것처럼 특별히 부각되고 있는 것은 유감스러운일임.

　　한국은 UR에서 농산물은 물론 서비스를 포함한 모든 분야간 균형되게 처리되어야한다는 것이 기본입장이며, 이에 대한 귀하의 이해와 협조를 당부함.

　　- 한국은 UR 서비스 협상에서 그동안 일관되게 협조하여 왔음을 평가하여야 할 것임.

　　- 서비스 협상에서 미국등이 자국 관심분야의 MFN예외를 주장하면서 우리 쌀 예외 주장등 개별국가의 특수한 사정을 인정하지 않는것은 형평에 맞지 않음.

　　- 전반적인 협상 진행 및 전망에 대한 서비스그룹 의장으로서의 견해 및 서비스분야 협상에 대한 의견

　　2. JARAMILLO 의장 언급 요지

　　가. UR 협상 진전상황 및 전망에 관한질문에 대하여

　　- 내년도에 예정된 미 대통령 선거, EC집행위 교체, EC 통합등 여러요소를 고려할때 금년말까지 협상이 완료될수 있을 것으로 봄.

　　- 미. EC 간 협상 결과의 수용 여부는 케언즈그룹을 어느정도 만족시키느냐에 달려 있으나 헤이그 정상회담에서의 EC의 언급내용은 다소 회피적인 것이라고 봄.

　　0 콜롬비아의 경우 반덤핑, 보조금, 세이프가드등에서 아무리 좋은 결과가 나온다

통상국　　2차보　　청와대　　안기부　　경기원　　농수부　　상공부　　특허청

PAGE 1   91.11.23   08:20 WH

하더라도 열대산품 시장접근에 성과가 없으면 국내 동의를 얻을수 없음.

- 케언즈 그룹 은 미.EC 양쪽에 동 그룹의 의사를 전달하고 있으며, 미.EC 가 양국간의 최종합의 결과를 다자간 테이블에 제시하지는 않으리라고 보며 어느정도 이견이 남아있는 상태에 서 제시되어 다자간 협상이 이루어 지리라고 봄.

- UR 타결의 중요 요소로서 <u>농산물</u> 외에는 별다른 것은 없으나, 서비스 분야에서미국이 해운, 기본통신에 대한 MFN의 완전 일탈 문제를 들수 있음.

O 기타 <u>MTO</u> 문제를 들수 있는바, 개인적으로 EC, 캐나다의제안을 훌륭한 것으로평가하고 있음.

- 상품 서비스간 교차 보복문제는 UR을 봉하여 이에 대한 RESOLUTION 등을 도출하기 보다는 뒤로 미루는 (REMAIN SILENT) 것이 최선의 방법이라고 생각하며, 이로써시간도 절약할수 있음.

나. UR/서비스 협상 진전 상황 및 전망에 대한 질문에 대하여

- 서비스 협정은 다음주말 (즉 11월말)까지 괄호가아주적은 CLEAN TEXT 에 가까운 초안이 제출될수 있을 것으로 기대함.

O 그이후 갓트 총회기간동안 각국 정부가 서비스 협정초안 및 UR 전체 묶음에 대하여 평가하는 시간을 가질수 있을 것임.

O 다만, 미국은 농산물에 대한 EC 의 입장변화가 있기 전까지는 MFN 일탈에 대한입장을 바꾸지 않을 것으로 봄.

- 서비스까지 포함한 SINGLE UNDERTAKING은 다음과 같은 이유에서 피하기 어려울것임.

O 많은 개도국들이 농산물등에서 이익을 얻는 댓가로 서비스 분야 협상을 수락하였음.

O SINGLE UNDERTAKING 이 되지 않을 경우 추후 국제교역 체제의 관리가 매우 어렵게 됨

O 서비스 협정만 가지고 새로운 독립 국제기구가 설립되기는 어려우므로 하나의사무국에서 GATT 와GATS 를 함께 담당하는 것이 합리적이며, 이는 MTO 설립과도 연계됨.

- OFFER 를 내지 않는 개도국들도 서비스 협정회원국이 되도록 사무국에서 이들국가와 접촉, 극히 일부 분야에 대한 공통 OFFER 를 제출하는 방안을 강구하고 있음.

PAGE 2

0057

- UR FINAL ACT 작업이 끝나고 각국의 의회 동의기간(약 1년)이 INITIAL COMMITMENT 에 대한 협상기간이 될것이나 1년이 소요되지는 않을 것이며, 약3-4 개월 정도 필요할 것으로 봄.

0 현재 인도를 제외하고 주요국가는 모두 OFFER 를 제출하였기 때문에 INITIAL COMMITMENT 에 대한 윤곽은 나와 있는 상태인바 서비스에 관한한 ECONOMIC PACKAGE 의크기에 너무 큰 비중을 두어서는 안되며, 동 OFFER 들의 시장접근 약속 효과를잠식하는 부분(즉 MFN 일탈)이 어떻게 되느냐하는 것이 보다 중요한 문제임. 끝

(대사 박수길-장관)

PAGE 3

0058

외 무 부

종 별 :

번 호 : GVW-2415   일 시 : 91 1122 1130

수 신 : 장 관(통기,경기원,재무부,농수부,상공부)

발 신 : 주 제네바대사

제 목 : UR 협상 정부실무대표단 활동(7)

김인호 경기원 대조실장은 규범제정 그룹의장인 MACIEL 과 11.21(목) 13:00-16:00까지 면담한바 요지 하기임.(경기원 이윤제 국장, 상공부 추준석국장, 강상무관, 엄재무관 및 RAMSAUER 규범제정 그룹 의장 보좌관, WUJNOWSKI 갓트관세 담당국장 참석)

1. 아측 발언 요지

- UR 협상의 성공적 타결을 중요시하는 아국입장 강조

- 각국의 어려움을 아국은 이해하고, 수용할 용의가 있으며, 다른 나라들도 아국의 특별히 어려운 점을 이해하여야 할 것임.

- UR 에서의 진정한 교역 자유화를 위해서는 명료하고 개선된 규범제정이 대단히 중요하며, 아국은 특히 반덤핑 협상에 큰 관심을 갖고 있음.

- 반덤핑 분야에서는 기존 규범의 현저한 개선이 있을 경우 우회 덤핑문제를 협상할 용의가 있음. 그러나 MINIMUM PACKAGE 는 의미가 없음.

- SAFEGUARD 에 있어서는 EC 가 주장하는 QUOTAMODULATION 은 사실상의 선별조치임으로 받아들일수 없음.

- 보조금 분야에 있어 개도국의 임의적 분류는 수락할수 없음을 강조하고 아국입장을 설명함.

2. MACIEL 의장등 발언 요지

가) UR 전망

- UR 전망에 대해 MACIEL 의장은 속단하기가 대단히 어려우며, CONFUSING 하다고 함.

- 그러나 미국, EC 간 농산물에서 돌파구가 열리고 QUAD GROUP 에서 주요 문제에 대해 합의점이 있을 경우 협상은 급속히 진전될 가능성이 있으므로 'KEEP ALERT' 해야

통상국   2차보   경기원   재무부   농수부   상공부

함.

- RAMSAUER 스위스 공사는 농산물, 섬유가 해결되면 다른 분야는 대세에 밀려 합의된점만 강조하고 미합의된 어려운 분야는 말하지 않음으로써 책임을 상대방에게전가시킬려는 정치적 GAME을 하고 있다고 함.

나) 규범제정 분야

- RAMSUER 공사는 지난 19-21 간 아국을 포함 14개국과 반덤핑에 관한 집중적 협의를 가졌으나 미국, EC와 여타 수출국간의 의견차이가 전혀 좁혀지지 않고 있다고함.

- 따라서 현재로서는 덤핑의 경우 LARGE PACKAGE이거나 NO AGREEMENT 일부밖에없는 상황이라고 하고 그러나 최종단계에서 어떤 결과가 될는지는 예측곤란하다고함.

- 미국, EC 가 주장하는 CIRCUMVENSTION 을 수용할경우 DE MINIMUS 와 SALES, BELOW COST 를 포함시킬수 밖에 없으나 이는 미국, EC가 수용하기 대단히 어려운 문제이며, 특히 시장점유율에 관한 DE MINIMUS 는 미국으로서는 정치적으로 받아들이기가굉장히 곤란한 것이라고 함.

- 반덤핑 경우에도 모든 국가가 WAIT AND SEE 의 자세이며 협상을 할려는 진정한 태도를 보이지 않고 있다고 함.

- 세이프가드에 있어 EC가 QUOTA MODULATION 을끝까지 주장하지는 않을 것이라고WUJNOWSKI국장은 말하고(특히 반덤핑에서 우회덤핑 조항이 적절히 반영되는 경우), 보조금 분야에서는 미국,EC의 기본적인 PERCEPTION의 차이로 진정니 전혀없다고 함.

- 보조금 분야 협상이 농산물 분야 보조금 협상때문에 진전이 않되는 것은 아니라고 동인은 언급함.

3. 평가

- 금번 면담을 봉해 아국이 UR 협상에 갖고 있는 관심분야를 골고루 언급함으로서 UR 에 임하는 아국입장을 골고루 이해시키는데 노력하였음.

- UR 의 전망은 현재로서도 매우 예측하기 어려우나 주요 핵심국가간에 농산물등 핵심잇슈에서 돌파구가 마련될 경우 다른 분야는 쉽게 결말이 날 것으로 보임으로계속적인 관찰과 대응 노력이 필요함. 끝

(대사 박수길-장관)

외 무 부

종 별 :

번 호 : GVW-2427   일 시 : 91 1122 2000

수 신 : 장관(봉기, 경기원, 재무부, 농림수산부, 상공부, 특허청, 경제수석)

발 신 : 주 제네바 대사 사본:주미, EC 대사중계필

제 목 : UR/협상 정부실무대표단 활동(던켈총장 면담)(9)

대: WGV-1669

연: GVW-2410

일반문서로 재분류 (1991. 12. 31.)

   본직은 금 11.22(금) 김인호 대조실장과 함께 12:30-13:10 간 던켈 사무총장을 면담, 11.21. 자 농산물 협상 토의 문서와 관련 협의한바 결과 아래 보고함.

   (김용규 국장, 조일호국장, 오참사관 동석)

   1. 협상 문서 성격 및 제시 배경

   - 던켈총장은 동 PAPER 는 협상의 기초며, 현재 농산물 협상 타결 여부가 각국 정상들의 결단에 달려 있는 상황이므로 이를 위한 기초를 제공하기 위한 것이라함.

   - 동 총장은 8 개국 회의 참석한 각국도 이를 협상의 기초로 하는데 이의가없었다 함.

   2. 아국입장 설명

   - 아측은 동 PAPER 가 예외없는 관세화 개념을 전제로 하고 있음에 강한 우려 표시와 아울러 아국으로서는 이를 수용할 수 없음을 분명히 하고, 아국뿐 아니라 여타 수개국들이 반대 입장을 표명한바 있음에 불구 기정 사실화해서는 안된다는 점을 강조함

   - 던켈총장은 "모든 것에 합의하기 까지는 아무것도 합의되지 않은것" 이라는 전제하에 제시한 것이라고 하면서 시장접근에 있어 관세화는 협상 진전의 필수조건 (PRECONDITION) 일수 밖에 없다고 함.

   - 동 총장은 아국의 어려운 입장을 잘 이해하고 있기 때문에 여타 주요국 대표들과의 개별접촉 과정에서 한국의 어려운 입장을 대변하기 까지 하였으나 협상 참가국들은 예외인정을 도저히 받아들일수 없다는 입장 이었다는 점을 강조하고, 한국의 관심사항이 국내보조에 있어서 GREEN-BOX 부문에 반영되었다고 한바, 김실장은

통상국 안기부	장관 경기원	차관 재무부	1차보 농수부	2차보 상공부	외정실 특허청	분석관 중계	청와대	청와대	

PAGE 1   91.11.23   07:24

외신 2과 통제관 BD

0061

왜 같은 고려가 시장개방 부문에 주어질수 없는가 라고 채차 문제를 제기하였음

- 동 총장은 이제 남은것은 관세화의 문제가 아니라 최소 시장접근 (MINIUMMARKET ACCESS), 현 시장접근(CURRENT ACCESS) 문제라고 하였음.

3. 향후 일정

- 동총장은 11.26(화) 35 개국 협상 그룹회의를 개최, 동 PAPER 에 대한 각국의 입장을 청취 예정이며, 미.EC 간의 정상회담 후속 결과도 알게 될것으로 기대한고 함

- 11.29(금) TNC 회의를 개최 예정이며, 동 회의시 전분야에 걸친 TEXT 가 제시실것임.

- 이를 기초로 협상을 계속하여(12.3-5 간은 갓트 총회 개최) 12.18(수) 까지는 UR 협상 마무리 여부가 결정될 것이라함.

4. 던켈총장은 미국과 EC 가 미결사항에 대해 합의하게 되면 케언즈그룹을 포함, 여타국가들도 이를 받아들일수 밖에 없는 것이 현실이라고 하면서 한국만이 어려움을 겪는 것이 아님을 거듭 강조하고, 자기로서는 한국대표에 대해 최대한의 협의 기회를 제공하였을 뿐 아니라, 타국에 대해 한국 입장을 대변까지한 만큼 HONEST BROKER 의 역할을 다했다고 말함

5. 다른 한편 본직은 WORKING PAPER 출현 배경과 관련, 예외없는 관세화의 개념을 포함하고 있는 동 서류가 8 개국 그룹에서 미리 배포되었고 또 아국의 농산물에 대한 중대한 이해관계 및 아국의 농산물 수입국으로서의 중요성에 비추어볼때 아국이 8 개국 그룹에 포함되지 않은 것은 형평에 맞지 않음을 지적하고 앞으로 아국도 동구그룹회의 참여기회가 제공될 것을 주장했던바 동총장은 아국의 입장을 "TAKE NOTE" 하겠다는 반응을 보이면서도 자기가 8 개국 회의에 아국을 초청치 않은것을 "UNFAIR" 한 것으로 말한데 대하여 불만을 표시함.

6. 금일 18:00 던켈총장실 KUNENALPH 보좌관은 던켈총장이 금일 오후 8 개국 그룹회의에서 한국이 관세화에 대해 심각한 어려움을 갖고 있다는 점을 이들 국가에게 설명했단는 점을 당관에 알려왔음을 참고로 보고함. 끝

(대사 박수길-차관)

예고:91.12.31. 까지

PAGE 2

0062

보관 ①

Lavorel 대사 면담록

1. 개요

- 일시: 1991. 11. 20. 13:00
- 장소: Tse-Yang Noga Hilton
- 참석

  ㅇ 韓(한)側(측): 박대사, 대외식교섭, MOFA 통상국장, MOAF 농산해양 통상국장
  	농수산 국제협력관, EPB 제2협력관

  ㅇ 墺(오)側: Lavorel 대사, Yerxa 대사, Stohler

2. 면담록

La : Slow but progress, not dramatic, intense phase,
12.20 前(전) 돌3 expect

Kim : 제네바에서 협의의 진행되고, 의도계에서 무엇을 해야하는지 얼기설기하
UR steering Committee member가 보등 많음.
UR의 진망과 Hague 정상회담이 나라에 어떤 영향을
비칠는가?

La : 여러 분야의 끝이 제자리으로 맞나고 있음 또한 Dramatically
Differences 를 narrow down하였음. Market Access,
Agriculture, Rule 등에서 이견의 존하지 2~3%으미 특히
TRIPs 에서는 이견의 없음, but 지리적 토시, contrack
right 이 논의되고 다소 이견이 남아있음
아직 모든 분야에서 합리에 도달하지 못했으나 이견이 줄어지고
있음 Quad 만 아니라 Bigger group 과 만나 있음.
농업은 더 시간이 걸릴것이나 이번주의 꼬리가 나올것임.
이것은 미국나 또 정상기간에 Commit에 의리것임
Market Access 는 시간이 걸릴것이나 언제라도 많은 예상

Yer : Quad 안도 이견을 많어 줄였음. Sense of enimism 이
형어졌음.

o. LDC 등도 contain issues 에 대하여 Reasonable 해져감을 보았자, 인도 등이 stumbling block 에서 become more accomodating (BOP 등에서)

Kim : 이러고 상황진전이 가능하기위 elements 무엇인가, 미국과 E C 가 합의되면 여타중소국가의 이익을 어떻게 반영 할것인가

La : necessary but not sufficient Total tariffication 이 합의되었음. 한국은 accomodate 하기 어려운것으로 봄 Antidumping, Rule Making 에서는 Quad 의견을 통하 여러국가들의 의견을 조망하였음. Keep active 하였으며 이런 상황진전을 얻게될것임. 여러국가들을 만나고 있음. 이과정에서 한국가들의 Concern 을 고려해 나가고있음

박대사 : 투명성에 문제가있음. 갑자기 corner 에 몰리는것이 걱정임. corner 에 몰리는것을 방지하기위하 Nordic, Brazil, H K, 한국이 공동노력체계를 준비하고있음.

La : Multi 이므로 자신이 노력하여야함. 프랑스가 農産物 corner 에 몰려, 이제 미국도 corner 에 몰림을 Antidumping 에서 collusion 하여 real bad corner 에 몰릴것임.

박대사 : 한국은 균형된 결과를 찾으려는 것임.

La : 미국이 나쁜대우를 Antidumping 을 당하고있음.

박대사 : 한국은 미국으로부터 농산물 불공평을 당하고있으므로 우리가 concern 을 갖고있음.

La : 일본, 한국은 이해가 되나 H.K., 싱가폴 등 이해 할수없음.

Yer : 정정당당한 거래로 Antidumping 제기는 드문것

La : 모든분야의 negotiation 에서 합의를 원함. We want an agreement on Rules 0064

Kim : Concept of Clean tariffication w/o exception 에 대하 아직 consensus 안되어 있다

GATT §11(2)c, Corrective factor, §4/8, §18(b), NTCs 등이 clean tariffication이 되면 모두 사라져야 하는지 이것이 가능하겠는가?

금: 곧 balance 된 결과인가 (feasible a balanced 한것?)

√ 金: Clean tariffication이 따르고 이유는 경로상에서 예외를 인정하면 균형을 잃게 된다. Japan이 예외를 추구하며 Canada, US도 Section 22에 의하여 예외 조장, 그러나 예외를 들수 없음

√ §11(2)c는 매우 crucial 한것 안 §18, §19 우는 모두 여러분야에 걸쳐 관련 사항으로 §11 처럼 영향이 크지 않음 이부분 subject to confirm rest of the deal

朴대사 : It is unfair 축명차이를 녹시하고 uniform rule을 적용하는것으로, 쌀은 fixture of Korean culture 고로 Distributive Justice point of view 으로서 접근된다.

√ 金: 그런데 안 모든 종류의 §18 Mechanism이 있음 other than GATT mech. 일본도 같은 argument를 하고있고 그러나 실제적인것 보다는 과장됨이 있고 일본과도 연계하여 rice 이야기를 한다.

朴대사: 우리는 쌀을 비상하여도 여러가지 issue가 매우 민감성이 있다.

Kim : Rule에서 마음이 다소 융통성을 보이고있으나 Dispute settlement에 대하여 매우 stingy 하다. UR을 설명하면서 ①restructuring의 의장 ② 통상면으로써의 다각적 해결 방식 1방식이 보다 유리하다고 했다. 곧 야방축의가 없어진다고 설명했다. 만일 이러한 것들이 materialized 안되면, 정도도 여러분 입장이 위하게된다.

La : 여러분도 같은 감정을 동의한다.

Stohler: 77 Group에서 극단적인 입장이 나올것으로 본다

朴대사: 77 Group이 extreme 한 입장을 삼가하는것이 바람직 것이 없다고 advise 하고 77 Group이 GSP, liner code 1등 12을 거론함, extreme argument는 헤쓸소용

La: Unilateralism 에 대하여 아무것도 이 라운드 에서 나온것이 없다

화다사: Antidumping 의 개선, Dispute settlement 의 제도상 강화, Single undertaking 이 안되면 Unilateralism 이 없어지는가

La: Single undertaking 없이는 Round 가 성립되지 않음 미국이 choose 할것임 (textile, ~~Antid~~ Antidumping 등처럼) 어느 쪽을 선택할지 보고 지금상황은 개막 하는 것임

cross retaliation 은 last resort 임

La: 협상 당사자의 negotiation 에 있어서 textile, electronics 를 얻기위해 서비스 분야에 할 통의가 있느냐 ~~한다~~ 마찬가지로 또한 telecom services 에서 violate 하고 그리지 않고있음 또 Banking 분야에 retaliate 하는것보다 통신장비 가 보다 적절함

강성창 : 기본적으로 반대하였으나 앞으로 검토하여 보겠음

이다사: 미국과 equal footing 이 없는 개도국에게 ~~한하는것~~ cross retaliation 하는것은 우려

Stohler : 그러나 상품내에서 cross-retaliation 하는것과 무엇이 다른가?
Yerxa : retaliation 이라는 표현보다 withdrawal of concessions 이 보다 ~~적절~~ 정확

오히려 개도국들이 행사할 leverage 가없는 양허철회 를 한다면 LDC가 오히려 큰피해우려가 많음

La: 협상당사국에서 goods and services 를 서로 개별 협상 가지며 더 cross retaliation 이 안되는가?

김 Km : 한국은 서비스 협상에서 적극기여 하였음 개도국중 2번째로 양허 표를 제출하였고 서비스시장을 점증은 기간내 적극 개방 하였음 또 미국과 지역에서 consultation 을 하였음

화다사: 우리 offer 의 scope 와 내용이 개도국중 충실함

한국의 Request 가 들어오고 있는데 Burdensome 하다느 견해가 있음 Revised offer 제출예정 임

0066

辛a : Service 협상에서 Request를 제출하는 것은 Part of negotiation 임.

한국에서 서비스 의 시장가능성이 많다고 논춤.

辛nara : 한국은 서비스분야에서 ~ 여러 개도국에 비해 개방이 앞에이위에 있는 한국은 것은 나쁨. 너무 Push하려 말기 바람. 쌀수출문제가 해결되지 않으며, 통상불레이드 영향을 미치게됨.

Kim : 지금정부는 시장개방에 대해 대단히 Commit 되어 있음. 만약 지연정당이 쌀수출문제의 신기지의 강대함 개방공책독는 크게 후퇴할것임. (10명→1상)

쌀수시장개방은 정부의 능력 밖이다. 이제기가지 노력을통하여 더하이러 어쩔수 없음. ~ 여러 정부도 쌀쇼크끼과 공화개혁정책을 무시하고 정책눈을 추진할수가 없다. 명심해주기 바란다.

Kim : S/8 의 selectivity 문제의 고의고 EC의 입장이 무엇인가?
辛 : EC가 지금도 Quata Modulation 이야기를 하고있는데 TACkIC 인지 싫게 고산에 있는 북한국민임

Kim : Zero-for-zero에 고고과 EC, EC가 차이기가 뭐인가?
辛 : 제안일 10업하여에서 어머를 축지하고 있음

Stohler : 한국은 export subsidies가 없는데 EC 개도국의 악공동에서 비중을 러위하는가?
辛nara : 개도국 농산물레 는 한반 개도국부독가 줌볼되며 농역산물에서 불레가 생기 쓰로 즘유
La : 농역산물은 농역산물 negotiation 으로 해결될것임.

끝.

MAJOR CONCERNS THE KOREAN DELIGATION EXPRESSED AT A MEETING WITH MR. ARTHUR DUNKEL, THE CHAIRMAN OF THE TNC AND SECRETARY GENERAL OF GATT ON 18 NOVEMBER, 1991

Being Aware of
~~Knowing~~ the importance of the Uruguay Round for the world trading system and its implications for the Korean economy, the Korean government has been fully committed to strengthening the multilateral trading system, and

will continue to ~~actively push~~ strive for successful completion of the ~~trade talks~~ in the final phase of the negotiations by ~~carring~~ fulfilling its share of responsibility in the world economy. However, the Korean Delegation wishes the following points to be reflected in the final package of the Uruguay Round negotiations, stressing the crucial importance of ensuring balanced interests among participants, particularly with due considerations of the peculiarities of individual countries.

level ~~agreed upon~~ set out in the mid-term decision

(1) In   . tariff negotiations, all the participating countries should achieve the ~~precommitted level of~~ tariff reduction, ~~leaving~~ and the negotiations on tariff elimination ~~or~~ tariff harmonization to one's ability.

(2) In textiles and clothing, a minimum one percent annual increase rate should apply to those products with the annual growth rate of less than one percent under the current bilateral agreements.

0068

(3) In agriculture, a principle of gradual and progressive liberalization should be applied with full considerations of individual countries' peculiarities in order to prevent disruption of domestic agricultural base. The following three elements are key to accamplish this fundamental point: *in the course of the reform process.*

(a) With a strict restriction, an exemption of a very few basic foodstuffs should be allowed from tariffication.

(b)   A sufficiently long implementation period for the restructuring of the agricultural sector should be given especially to net agricultural importing as well as agricultural developing countries, which do not provide export subsidies.

(c)   In addition to the relaxation of invocation criteria of GATT Article 11-2-c, quantity restrictions should be allowed as a means of special safeguard measures.

(4) In anti-dumping, criteria and *investigation* procedures for determining the existence of dumping and injury, which have caused a great burden to exporting countries should be strengthened.

nonselectivity

(5)   In safeguards, the ... principle should be adhered as the guiding principle of safeguard measures.

(6)   ~~In dispute settlement system, a firm commitment of restrictive use of unilateral measures by advanced countries should be~~ *by developed* is

In order
~~urged~~ to establish a reinforced, credible and ~~operational~~ *truly multilateral* dispute settlement system, ~~developed~~ *all countries should undertake to denounce the unilateral trade measures.*

(7)   In TRIPs, protection should not be extended to articles incorporating IC chips and border measures should be applied only to counterfeit and pirated goods. Furthermore, prohibition of rental rights on copyright works should not be recognized.

(8) In Services, the final outcome should achieve not only the comprehensive drafting of a general framework agreement as well as sectoral annexes, but also a meaningful initial commitments to liberalize trade in services from the largest possible number of participating countries. In order to achieve the widest participation in the services agreement, the following three principles should be adhered : (a) ~~the guarantee of~~ unconditional MFN principle ; (b) principle of progressive liberalization based on individual countries' economic development status and (c) balanced interests among participants.

3

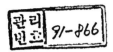

외 무 부

110-760 서울 종로구 세종로 77번지 / (02)720-~~2001~~ / (02)725-1737

문서번호 통계 2064~~44~~-2814

시행일자 1991.11.27.(   )

수신 주 제네바 대사

참조

취급		장 관
보존	·	
국 장		
심의관		
과 장	전 결	
기안	조 현	협조

제목 UR/정부 실무대표단 활동 보고

일반문서로 재분류(19~~81~~ 12. 31.)

　　91.11.16-25간 귀지에 출장한 UR 정부 실무대표단의 활동 보고서를 별첨

송부합니다.

첨 부 : 상기 보고서 1부.　　　　　　끝.

외 무 부 장

0071

UR 協商 관련 政府實務代表団 活動 結果 報告

1991. 11

UR 관련 政府 실무 代表団

< 目 次 >

- 1 -

Ⅰ. 政府實務代表団 活動 槪要

- 「우루과이라운드」 관련 政府實務代表団 (団長 ; 経済 企劃院, 対外 経済調整室長)은 11.18~11.22 까지 協商이 本格進行 되고 있는 스위스 제네바에 派遣되어 現地 駐제네바代表部 와 함께 政府의 訓令에 따라 交渉 활동을 積極 展開 하였음.

- 本實務 代表団은

  ○ 던켈 GATT事務總長 (貿易協商委員会 議長. 農産物·섬유 協商 그룹 議長 兼任)

  ○ 市場接近 (Denis), 知的財産権 (Amel), 서비스 (Jaramillo), 및 規範制度分野 (Maciel) 協商그룹 의장 등을 면담 하고

  ○ 美國 (Lavorel USTR大使), EC (Tran 大使) 및 카나다, 호주, 日本 등 주요국 政府 代表 와 개별적으로 접촉 하였음.

- 상기 面談過程 에서 實務代表団은

  ○ 「우루과이라운드」 협상의 進行狀況 및 앞으로의 展望 에 대한 관련 情報를 서로 交換 하고

  ○ 協商에 임하는 우리 政府의 立場, 특히 農産物分野 에서의 立場을 전체 協商 와 연계 시켜 明確하고 体系 있게 說明 함으로서 우리에 대한 理解 增進을 도모 하였음.

- 이와함께 分野別 協商 에서는

  ○ 知的財産権 分野에서 우리가 反映코자하는 事項을 公式 文書面 의으로 提出 하였으며

  ○ 서비스分野 에서 各國에 대한 開放要求書 (Request List) 를 傳達 하고

  ○ 92.6月로 예정된 貿易政策 評價 (TPRM)와 관련 GATT가 要請한 答弁 및 資料를 提出 하였음.

0074

— 2 —

Ⅱ. 우리의 立場說明과 反응

〈우리 政府의 基本立場 開陣〉

- 전체협상과 관련하여 그동안 우리 政府가 協商의 成功的 終結에 능동적으로 寄與해온 점에 대하여 場待 있게 評價 받아야 하며, 이와같은 우리 政府의 노력이 農業의 特殊性에서 비롯된 일부 주장 때문에 不當하게 歪曲·低評價 되어서는 안된다는 점을 强調하였음.

- 이와 관련하여 우리 政府는 國民說得의 어려움에도 不拘하고 工產음
  ○ 輸出國으로서 先進輸入國의 이해하는 입장에서 섬유, 反덤핑, 緊急輸入制限 措置등 분야에서 伸縮性 있는 입장을 堅持하고 있다는 점.

  ○ 새로운 協商分野인 서비스, 知的財產友 분야에 적극적으로 參加함으로써 先進國과 開發途上國의 中間者的 役割을 효율적으로 수행하여는 점.

  ○ 특히, 브랏셀 會議 이후 모든 나라가 協商 妥結을 위한 努力이 없는 가운데 우리만 유일하게 ② 農產物 協商에서의 신축성 있는 立場 提示, ④ 國內 無稅化 협상에의 참여 ④ 서비스 開放計劃 (offer List) 의 조기 제출을 통하여 구체적으로 協商에 기여하였음을 强調하였음.

- 農產物 協商에서는 既存 우리의 입장을 中心으로 全体協商에서의 各 協商 參加國間의 場待유지 측면, 우리농업의 特殊性 및 國內政治的상황을 들어 集中的인 促得노력을 展開하였음.

0075

○ 먼저 協商의 物流 側面에서는 현재 先進国들이 주장하고 있는
  ① 서비스 交易의 一般原則인 最惠國待遇 (MFN) 일탈 主張
  ② 상규의 체계제도 유지및 自由化에 대한 長期 이행기간의 要求등은

  우리 政府가 農産物 分野에서 提示하고 있는 要求와 하등 차이가 없다는 점을 强調

○ UR 協商의 基本 精神도 協商의 結果로 특정국가의 特定產業이 불리되는 結果를 招来하지 않는데 있으므로 우리는 이점을 考慮하여 農産物 協商에 참여하고 있음을 說明

○ 農村人口의 過重, 農業 構造調整 과정에 있는 나라의 農産物 協商 結果를 이행하는데 充分한 시간이 필요 하다는 뜻을 强調

○ 来年 4回 차례의 선거를 치루어야 하고, 協商 結果의 이행에 国会의 同意 절차를 거쳐야 하는 韓国 政府로서는 協商에 制約이 있음을 說明

— 특히 農産物 協商에서 '90. 21日 提出된 던켈 事務総長의 協商計劃書 (Working paper)에 우리의 関心 사항이 充分히 反映되고 있지 않음을 던켈 事務総長 및 칼라일 事務次長 에게 强力 하게 抗議.

0076

— 4 —

― 이와함께 여타 協商의 合意에 있어서도 우리의 核心
國익 事項을 最大反映을 위한 努力을 傾주

o 國경리下 協商에 있어는 우리가 이미 를본트너를 合意내지
합의한 平均 33% 國경리下 目標를 達成하였음
현강등 일부 분야에서의 國경無관化에 參与하고있기
때문에 運의사항을 運作가 곤란하였음을 周知

o 知的財産权 분야에서 IC 내장 最終 製品에
대한 로양티 支給 및 通關시 유예 조치에 대한
不당성을 指摘

o 그동안 農산물이 農業해온 反덤핑, 보조금投入
制度 (Safeguard) 분야에서, 解决기 수렴제고,
明瞭化를 기初 協商結果의 도출을 强力히 요求

< 각측 代表 및 協商 옵서버들의 反応 >

― 각국 事務總長은 鄧小平이 보여준 UR協商 진전에 대한 寄与을
높이 評価 하면서 今後協商 수부에 대한 懸念과 의견을
제시라 하나 추후 협상 진전 가성화을 위해서는 例外없는
(国)際化 을 불가피한 것을 指摘

○ (例外없는 国)際化 原則 이 지켜지지 않을경우 다음으로 나라로
例外을 要求 (chain effect) 하게됨으로써 協商 진전 저해 됨
(例 : 某国 낙농제품, 설탕, 땅콩, EC 의 가변부과금 제외)

○ 鄧小平이 協商 大勢을 수용치 長期 屬仕 비바에 關係,
농산품쟁 水準이 및 되는시장 개방이 없이 우대 은토를수
없으며 協商力을 尊重 받지 않것을 진구

* EC Tran 大使, 某주 代表등도 같은 要旨의 反応

― 日本, 캐나다등 유州와 差異있는 입장을 받추하고있는
国家들의 代表 들은 「例外없는 国際化」 이 취지으로
거지 않것을 다짐.

○ 日本은 쌀의 国際化 不可 立場을 받추
○ 캐나다 는 Wilson 무역長官시 금주중 제미바 에
出張 라여 国国의 立場을 개진라것으로두것―

― * 대게, 여타 協商상의 代表들은 日本, 캐나다가

(協商) 최종단께에서 어떤 反応을 보일것인지 ● 심각하게
고려 해야 한다는것을 指 지적)

0078

ー 農産物 輸出 에서의 example標準 動向은 앞으로 서비스
부터 에서의 最惠国 待通 及.비 일탈 문제와
연결 되어 매우 복잡한 樣相이 展開될것으로
展望 (Jamamillo 콜롬비아 大使)

Ⅲ. 협상진행 상황 및 앞으로의 전망

1. 「우루과이 라운드」 협상 진행 상황

- 작년말 「브랏셀」 각료회의에서 시한을 정하지 않고 진행되어온 「우루과이 라운드」 협상은 금번 11월 7일 덩컬 사무총장의 연내타결 시한제시와 11월 9일 헤이그에서의 미. EC 정상회담을 계기로 급진전을 보이고 있음.

- 타결의 관건이 되어온 농산물협상에서는

  ○ 미국과 EC 의 농무장관이 FAO 총회가 열린 로마에서 회동한이래 11.20 이후 차관급회담이 제네바에서 비공식 적으로 진행되어 수출보조금 감축등 주요쟁점에 대한 절충이 이루어지고 있으며 금주中 그결과가 제시 될것으로 예상 됨

  ○ 한편 농산물협상에 이해관계가 직접되어 있는 농산물 수출국 모임인 케인즈 그룹과 우리나라를 비롯한 일본 등 농산물 수입국은 미. EC 양자 협의 추이를 주시하면서 교섭 활동을 강화 하고 있음.

  ○ 앞으로 농산물 협상은 ① 미국과 EC 의 합의 ② 4극국가 (미국, EC, 일, 카나다) 이대한 공감대 확산 ③ 8개국 비공식회의를 거쳐 의장초안을 마련할 것이라는 것이 일반적 관측임.

— 8 —

- 농산물을 제비한 여타 협상 분야에 있어서도 각 협상 그룹 의장들은 아직 해결되지 못하고 있는 쟁점을 중심으로 개별국가 또는 복수 국가간 실무협상을 통하여 쟁점을 해소 시켜 나가는 노력을 경주하고 있음.

• 금번 출장기간중 우리 대표단은 규범제정 및 지적재산권 분야 협상 그룹 의장들로 부터 개별접촉요청을 받아 우리의 입장을 명확히 전달하였음.

2. 앞으로의 協商展望 및 評價

- 제네바 현지에서 접촉한 各國 多邊 代表및 GATT 事務局 들의 견해를 종합해 볼때 「우루과이 라운드」 協商의 年內 종결 가능성은 점점 높아지고 있는 것으로 보임

- 이러한 판단 근거 및 事務總長들은 協商 年內 終結을 바라고 낙관 하고 있는 이유는 다음과 같이 설명

  ㅇ 지난 5회에 걸쳐 協商이 中斷되었을 때마다 協商이 中斷 하게 되면 이는 세계경제에 치명적인 악영향을 미치게 될 것이라는 공감대 형성

  ㅇ 각료 브릿셀 會議以後 나타난 협상의 進展이 이루어져 最終妥結의 段階에 와있다는 점.

  ㅇ 92년 선거를 앞둔 美國과 93회 域內 單一市場 統合을 이루어야 하는 EC가 그어느때 보다 例年에 國內體制 整備 등의 年內 終結을 希望하고 있다는 点

- 또한 모든 協商 參加國들은 協商妥結의 직접적 契機로 작용하는 協商 후속이 12月중순 以前에 開示 될 수 있는 것으로 展望

- 이 사간은 약간의 전망이로 不揚하고 던계 사악총장이
抗議하고 동산을 協商 같면 作業書 (working paper)
가 많은 논란의 例를 토방하고 있고 (例 作品書가
있었다 해도 이지 못하는 경우 協商의 전망이 매우
不透明해져 가능성이로것으로 휘기차를 論的

- 協商 전망의 不透明이로 눈주하고 않으려
協商으로

①　協商 논사에 임미라 Et가 숨은 哥비
노력을 적초히 (원回 해했어

②　11月末 ~ 12月初 에 걸쳐 合作에 활동
해는 을 위는 (원회해, 核타(回의 集中적인
協議을 進行 시갔으라써

③　12月 중순 에 合意된 부속을 公式化
해해를
시키기 위는 노력이 양법이하게 이주어진
것으로 (본솔

- リ -

0083

UR(우루과이라운드) 정부 실무대표단 스위스(Geneva) 방문, 1991.11.16-25　89

Ⅳ. 앞으로의 협상대책

- 11월 하순 ~ 12월 중순에 걸쳐 U.R 협상 최종 타결을 위한 집중적인 노력이 전개될 것으로 예상됨

  o 농산물 주요국 비공식회의 (11.25, 11.28, 12월초)
  o GATT 총회 (12.3~4)
  o EC 정상회담 (12.9~10)
  o 농산물 수출국 각료회의 (Cairns 그룹)(12월초)

  * 기타 상황에 따른 각급 협상 담당 고위 관리들의 회의

- 이와 같은 배경하에 12월 초순경에 적절한 시기를 선택하여 금번 경우와 같이 U.R 관련 정부 실무 대표단을 파견 하거나 또는 고위 각료급 대표단을 파견하여 종합적으로 대응할 필요가 있다고 판단됨.

- 12

0084

UR 協商 關聯 政府 實務代表團 活動 報告

1991. 11. 26.

공람	통상기구과	91년 11월 26일	담 당	과 장	심의관	국 장	차관보	차 관	장 관

通 商 機 構 課

0085

1. 代表團 構成 :

o 團   長 : 김인호 經濟企劃院 對外經濟調整室長

o 團   員 : 김용규 外 務 部 通商局長

　　　　　이윤재 經濟企劃院 제2協力官

　　　　　조건호 財 務 部 國際關稅局長

　　　　　조일호 農林水産部 國際協力通商官

　　　　　추준석 商 工 部 國際協力官

　　　　　노영욱 特 許 廳 企劃管理官

　　　　　홍종기 外 務 部 通商機構課長

　　　　　하동만 經濟企劃院 通商3課長

　　　　　이병화 經濟企劃院 通商3과 事務官

o 顧   問 : 박태호 國際經濟政策研究員 研究委員

2. 出張期間 : 1991.11.16-11.25 (外務部 代表)

3. 當部 代表團 活動 日程 :

91.11.16(토)	23:00	代表團 對策 會議
11.17(일)	07:30	代表團 對策 會議
	23:00	代表團 對策 會議
11.28(월)	07:30	代表團 對策 會議
	09:30	주 제네바 代表部 訪問
	11:15-12:10	Dunkel 갓트 事務總長 面談
	14:00-20:00	주 제네바 代表部와의 對策 協議
11.19(화)	07:30	代表團 對策 會議
	11:00-12:10	Tran 주 제네바 EC 大使 面談
	17:30-18:00	Anell TRIPs 協商그룹 議長 面談
	20:00-22:30	주 제네바 大使 主催 晚餐 參席

1

0086

11:20(수)	08:30	代表團 對策 會議
	09:30	주 제네바 代表部와의 業務 協議
	13:00	Lavorel 美國 協商代表 招請 午餐
	17:30	代表團 對策會議
11.21(목)	13:00	Tulloch 갓트 貿易政策局長 招請 午餐
11.22(금)	08:00	代表團 對策會議
	10:30-11:30	Carlisle 갓트 事務次長 面談
	12:30-13:00	Dunkel 갓트 事務總長 面談
	13:00	Linden 갓트 事務總長 顧問, Millan 法律局 參事官 招請 午餐
	15:30	Mathur 前 갓트 事務次長 面談
	16:30	代表團 對策 會議
	19:30	주 제네바 次席 大使 主催 晚餐 參席

4. 主要活動 內容

가. 主要人士에 대해 UR 協商과 關聯한 我國 立場 說明

ㅇ UR 協商 出帆以後 우리 政府가 全體 UR 協商의 成功을 위해 전향적인 기여를 했음을 强調

  - 農産物 協商 立場 緩和, 無税化 協商 參與, 서비스 offer 早期 提出等

ㅇ 다만, 農産物 協商과 관련해서는 均衡된 協商 結果의 重要性과 우리 農業의 特殊性 및 國內政治 日程에 비추어 例外없는 開放의 어려움을 强調

ㅇ 특히, 11.21. Dunkel 總長의 農産物 Draft Working Paper 提示 以後 Dunkel 總長, Carlisle 次長 面談 기회에 우리의 關心事項이 동 paper에 反映되지 않았음을 指摘

2

0087

나. 제네바 代表部와의 對策 協議

○ 農産物을 包含한 UR 協商 目標 達成을 위한 戰略 檢討

- 農水産部長官의 제네바 訪問 또는 Dunkel 總長앞 書翰 송부 方案

○ 農産物 協商外에도 規範制定, 制度分野(一方措置 關聯) 協商의 重要性
確認

5. 主要接觸 對象人士들의 反應 (詳細 別添記錄 參照)

○ 대체로 美·EC 頂上의 政治的 意志 强化로 協商의 年內 妥結 可能性이 커진
것으로 評價

○ Dunkel 總長等 多數 人士가 UR 協商의 目的 達成을 위해 農産物 協商에서
特定國家에 대한 特定 例外 認定은 불가능하다고 主張

○ 例外없는 關稅化 原則은 이미 大勢이므로 韓國이 早速히 實質 協商에 參與,
原則內에서의 利益 反映 方案을 協商할 것을 强力히 종용

○ 대부분이 韓國이 보여준 UR 協商 全般에 대한 寄與를 評價하고, 農産物
協商과 關聯한 우리의 어려움에 理解를 表示 하였으나 一部人士는 韓國이
UR 協商의 失敗를 바라고 있는 것으로 認識

※ Dunkel 總長은 아래 協商 日程 提示

- 11.29 또는 30 TNC 會議에서 全體 協商 現況 點檢(可能하면 모든
分野에서 協商 草案 提示)

- 12.18까지 最終 協商 進行

6. 評 價

○ 11.7. Dunkel 總長의 年內 妥結 日程 提示, 11.9. 美·EC 頂上會談 以後 協商
突破口 마련을 위한 努力이 전분야에 걸쳐 强化, 早期 妥結 展望이 어느때
보다 增大

○ 그러나, 이러한 全般的인 樂觀論과 集中的인 協商 努力에도 불구, 美·EC간
農産物 分野에서의 意見 接近 遲延(基準年度, 減縮幅, rebalancing등)이 協商
全 分野에 걸쳐 걸림돌로 作用

3

0088

o 美國의 國內的인 期待 水準 및 政治 日程, EC의 統合日程에 비추어 명년초까지
  協商 終結를 樂觀할 수 없으며, 갓트 總會(12.3-5)후 성탄 휴가전 2週間이
  協商의 早期 妥結 與否를 가름하는 가장 重要한 時期가 될 것으로 展望
o 앞으로 提示될 協商 草案은 現在의 分野別 協商 現況에 비추어 一括 妥結案이
  아닌 協商 基礎 文書가 될 可能性 尙存

7. 對 策

o 協商의 最終 段階에서 우리의 旣存 立場에 의거 對處
o 韓國이 UR 協商의 失敗를 원한다는 認識을 拂拭하기 위해 農産物 一邊倒의
  立場 表明보다는 協商 全般에 걸친 均衡있는 立場 改進 必要
o 12月初에 主要 分野別 協商代表 現地 派遣

添 附 : 1. Dunkel 갓트 事務總長 面談 要旨 (11.18)

       2. Dunkel 갓트 事務總長 面談 要旨 (11.22)

       3. Carlisle 갓트 事務次長 面談 要旨 (11.22)

       4. Lavorel USTR 副代表 招請 午餐 協議 要旨 (11.20)

       5. Tran 주 제네바 EC 大使 面談 要旨 (11.19)

       6. Linden 갓트 事務總長 特別 顧問 招請 午餐 協議 要旨 (11.22)

       7. 주 제네바 代表部와의 UR 對策 檢討 會議 要旨 (11.18).   끝.

4

첨부 1 : Dunkel 갓트 사무총장 면담 요지 (11.18)

1. 일   시 : 1991.11.18(월) 11:15-12:10

2. 장   소 : 갓트 사무총장 부속실 (Green Room)

3. 아측 참석자 : 김인호 경기원 대조실장
                김용규 외무부 통상국장
                김삼훈 주 제네바 차석 대사
                이윤재 경기원 제2협력관
                조일호 농림수산부 협력통상관
                추준석 상공부 국제협력관

4. 면담내용 :

    가. 아측 언급요지

        o 한국 정부로서는 UR 협상 연내 타결을 위한 던켈 총장의 노력을 적극
          지지

        o UR 협상에 임하는 한국의 입장은 전협상분야에 걸쳐 균형을 이룬 결과가
          이루어져야 한다는 것이며, 아국이 농산물에만 관심을 갖고 있다는
          인식은 잘못된 것임.

        o 한국은 UR 협상의 성공을 위해 신분야에서 중재자 역할을 수행해오고
          있으며, 시장접근 분야에서는 몬트리올 목표를 달성하는 offer를 제시하고
          있을뿐 아니라, 규범제정 분야에서도 융통성있는 입장을 취하고 있음.
          농산물 분야에서도 브랏셀 각료회의 이후 당초의 입장을 대폭 수정,
          융통성을 발휘하여 협상에 임하고 있음.

0090

o 농산물 협상에서 일반 국민과 국회가 동의할 수 없는 결과(예외없는
  관세화)가 나올 경우에는 앞으로의 농산물 시장개방 노력에도 차질을
  초래할 가능성이 있음.

o 농산물 분야에서의 아국의 특수사정이 반영되지 않을 경우 정부로서는
  이를 받아들일 수 없을뿐 아니라 UR의 긍정적 요소에 대한 국민 설득도
  수포로 돌아갈 것이므로 이러한 국민적 동의와 국회의 승인을 염두에
  두지않은 협상을 정부가 수행하는 것은 불가능함.

o 농산물 분야에서의 관세화 문제는 미국의 Waiver 문제, EC의 variable
  levy, 11조 2항(c) NTC등 모든 문제와 연관지워 consensus가 이루어져야
  한다고 봄.

나. 던켈 총장 언급 요지

o UR 협상 년내 타결 전략은 tactic이 아니며, 더이상 지연시킬 경우
  위기에 처할 가능성이 있고, 아래와 같은 상황 변화가 있으 브랏셀
  이전보다 훨씬 협상 타결 가능성이 높다는 데서 비롯된 것임.
  - 주요분야의 기술 협상에 실질적 진전이 이루어져 정치적 결정을
    기대할 수 있다는 점.
  - 미.이씨 정상회담에서는 상호간 상당부분에 걸쳐 견해차를 좁혔으며
    해결해야 할 문제가 어떤 것인지를 확인했고, Cairns 그룹 각료들도
    당지에서 곧 회동 예정으로 있음.

o 농산물 이외에 한국이 UR 협상 성공을 위해 전향적인 자세를 보이고
  있는 점을 이해하며, 모든 분야에서 균형된 결과가 나와야 한다는 데에
  동감함. 그러나 협상의 관건은 농산물에 있으며, 농산물 협상은 미국,
  EC에게도 매우 어려운 과제로서 더이상 현 농산물 교역 체제를 방치할
  수 없다는데 이견이 없음.

o 농산물 협상 타결을 위해서는 아래 3가지 분야에 대한 합의가 이루어져야
  한다고 보며, 개혁은 모든 나라에게 부담을 가져올 수 밖에 없음.

0091

(1) 관세화

   . 미.이씨간에도 합의가 이루어진 분야로서, 미국의 경우 낙농제품,
설탕, 땅콩등에 관한 Waiver, EC의 경우 variable levy system이
관세화와 연결되어 있는바, 관세화에 예외를 인정할 경우 상기
미.이씨의 현행 제도 개혁이 불가능함.

(2) 수출보조

   . 아직 modality에 대한 구체 합의는 없지만 감축 원칙에는
합의하고 있음.

(3) 시장개방을 하면서 국내보조 차원에서 이를 상쇄하는 조치를 취할 수
있도록 해서는 않됨 (circumvention 방지)

0092

첨부 2 : Dunkel 갓트 사무총장 면담 요지 (11.22)

1. 일   시 : 1991.11.22(금) 12:30-13:00

2. 장   소 : 갓트 사무총장 부속실 (Green Room)

3. 아측 참석자 : 박수길 주 제네바 대사
                김인호 경기원 대조실장
                김용규 외무부 통상국장
                조일호 농수산부 협력통상관
                오행겸 주 제네바 대표부 참사관

4. 면담내용 :

가. 협상문서 성격 및 제시 배경

   ○ 던켈 총장은 동 Paper는 협상의 기초며, 현재 농산물 협상 타결 여부가
      각국 정상들의 결단에 달려 있는 상황이므로 이를 위한 기초를 제공하기
      위한 것이라 함.

나. 아국 입장 설명

   ○ 아측은 동 Paper가 예외없는 관세화 개념을 전제로 하고 있음에 강한
      우려 표시와 아울러 아국으로서는 이를 수용할 수 없음을 분명히 하고,
      아국뿐 아니라 여타 수개국들이 반대 입장을 표명한 바 있음에 불구
      기정 사실화해서는 안된다는 점을 강조함.

   ○ 던켈 총장은 "모든 것에 합의하기까지는 아무것도 합의되지 않은것"
      이라는 전제하에 제시한 것이라고 하면서 시장접근에 있어 관세화는
      협상 진전의 전제 조건(Precondition)일수 밖에 없다고 함.

0093

o 동 총장은 아국의 어려운 입장을 잘 이해하고 있기 때문에 여타 주요국
  대표들과의 개별접촉 과정에서 한국의 어려운 입장을 대변하기까지
  하였으나 협상 참여국들은 예외 인정을 도저히 받아들일 수 없다는
  입장 이었다는 점을 강조하고, 한국의 관심사항이 국내보조에 있어서
  green-box 부문에 반영 되었다고 함.

o 동 총장은 이제 남은 것은 관세화의 문제가 아니라 최소 시장접근
  (Minimum Market Access), 현 시장접근(Current Access) 문제라고
  하였음.

다. 향후 일정

o 동 총장은 11.26(화) 35개국 협상그룹 회의를 개최, 동 paper에 대한
  각국의 입장을 청취 예정이며, 미.EC간의 정상회담 후속 결과도 알게
  될 것으로 기대한다고 함.

o 동 총장은 11.29(금) TNC 회의를 개최 예정이며, 동 회의시 전 분야에
  걸친 Text가 제시될 것이며 이를 기초로 협상을 계속하여(12.3-5간은 갓트
  총회 개최) 12.18(수)까지는 UR 협상 마무리 여부가 결정될 것이라 함.

라. 주요 8개국 회의

o 주 제네바 대사는 Working Paper 제시 배경과 관련, 예외없는 관세화의
  개념을 포함하고 있는 동 서류가 8개국 그룹에서 미리 배포되었고
  또 아국의 농산물에 대한 중대한 이해 관계 및 아국의 농산물 수입국
  으로서의 중요성에 비추어 볼때 아국이 8개국 그룹에 포함되지 않은
  것은 형평에 맞지 않음을 지적하고 앞으로 아국도 동구그룹 회의 참여
  기회가 제공될 것을 주장

o 동 총장은 아국의 입장을 "Take note" 하겠다는 반응을 보이면서도
  자기가 8개국 회의에 아국을 초청치 않은 것을 "umfair"한 것으로
  말한데 대하여 불만을 표시함.

0094

첨부 3 : Carlisle 갓트 사무차장 면담 요지

1. 일   시 : 1991.11.22(금) 10:30-11:30

2. 장   소 : 갓트 사무차장실

3. 아측 참석자 : 김인호 경기원 대조실장

    김용규 외무부 통상국장

    김삼훈 주 제네바 차석 대사

    이윤재 경기원 제2협력관

    홍종기 외무부 통상기구과장

4. 면담내용 :

   가. UR 협상 전망

   ㅇ UR 협상이 위기(crisis)에 처했다고 표현할 수 없으나 미국, 케언즈
      그룹과 EC간에 매우 큰 의견 차이가 있는 것은 사실임.

   ㅇ 92년에는 미국등 각국에서 중요한 선거가 치루어지고, EC 집행위
      수뇌부의 이동이 있어 협상을 하거나 협상 결과를 국내에 제시하기에
      매우 좋지 않으므로, 조속히 협상을 종결해야 하나 현재 진전상황으로
      보아 협상은 난관(trouble)에 처해 있음.

   ㅇ 명년초까지 협상이 타결될 전망은 50:50 이라고 봄.

   ㅇ 농산물 분야외에도 문제가 많은바, 금융, 기본통신, 해운, Audio-Visuel등
      서비스 분야와 반덤핑, 보조금등 규법제정 분야가 어려운 분야임.
      TRIPs, 시장접근 분야, 분쟁해결은 비교적 순조로우나, 섬유, 제도분야
      (single undertaking, cross retaliation)에는 어려움이 있음.

   ㅇ 미국내 각종 로비 활동을 감안할때 미국의회가 small package를 수락할
      수 없을 것이며, modest package 조차도 쉽게 수락하지 않을 것임.

0095

나. 농산물 협상

   o 11.21 던켈 총장이 8개국에 제시한 토의문서는 농산물 분야에서 최초로
     최종 협정의 형태로 제시된 것이라는 점에 의미가 있음.

   o 동 문서에 예외없는 관세화와 모든 품목에 대한 최소 시장접근(MMA)이
     상정되어 있으나, 이는 완전한 자유화를 강제하는 것은 아님.

     - 예를 들어 특별한 경우 협상을 통해 정상적인 TE보다 높은 TE를
       부과할 수 있는 길이 열려 있음.

   o 농산물 분야에서 타결이 조속히 이루어지면, 여타 분야에서도 진전을
     이룰 수 있을 것이나, 이를 위하여 농산물 분야에서는 12.20경까지
     주요쟁점을 타결하여야 함.

다. 한국의 대책

   o 한국은 일본과는 달리 한톨의 쌀도 수용할 수 없다는 입장인바, 이는
     너무 극단적이라고 보며 UR 협상 결과에 반영될 수 없을 것으로 봄.

   o 한국이 입장 반영을 위해 일본, 카나다등과 협조할 수 있을 것이나,
     이들의 입장과 관심사항이 한국과 반드시 일치하지 않는다는 점에
     유의하여야 함.

   o 한국이 마지막까지 쌀 수입금지 입장을 고수할 경우 최종순간에 가서
     아무런 운신의 여유도 없이 협상 결과 수락 여부만을 밝혀야 하는
     상황에 처할 것인바, 이보다 미리 협상을 통하여 최소 시장접근의
     조건등 해결책을 강구하는 것이 필요하다고 봄.

0096

첨부 4 : Lavorel USTR 부대표 초청 오찬 협의 요지

1. 일   시 : 1991.11.20(수) 13:00-15:00

2. 장   소 : Tze-yang Restaurant

3. 아측 참석자 : 박수길 주 제네바 대사
   김인호 경기원 대조실장
   김용규 외무부 통상국장
   이윤재 경기원 제2협력관
   추준석 상공부 국제협력관

4. 면담내용 :

   가. 아측 언급사항

   o 협상의 transparency 확보 및 미.EC외 여타국가들의 의견 수렴 필요성 지적

   o consensus 없는 관세화 강행의 위험성 지적

   o 예외없는 농산물 시장개방에 대한 반대 표명

   - 특히 쌀시장 개방이 국내에 미치는 심각한 영향 설명

   o 분야별 아국 입장 설명

   - 일방주의 억제의 필요성

   - 반덤핑등 규범 제정분야의 중요성

   - 서비스 분야에서의 추가적인 offer 어려움 강조

   - 분야간 교차 보복에 대한 원칙적인 유보 의사 표명

   - 보조금 협정 개도국 세분화 문제에 대한 반대 입장 표명

0097

나. 미측 언급사항

1) 전반적 사항

ㅇ 협상의 진전이 꾸준히 이루어지고 있으며 성탄 휴가전 타결이
   이루어 질 것으로 봄.

ㅇ 미.EC 정상회담 이후 양측은 여러분야에서 협의를 계속하고 있으며
   EC와 극적으로(dramatically) 이견을 좁혀 나가고 있음.

   - 시장접근, 농산물, 규범제정 분야에서 진전이 있으며, TRIPs에서는
     견해 차이가 거의 해소됨.

   - 농산물 문제는 금주말까지 어떤 결과가 나올 것으로 봄.

ㅇ EC와의 협의외에도 4국(Quad) 및 더 큰 그룹의 국가들과도 협의를
   진행하고 있는바, 아직 모든 분야에서 합의를 이룬 것은 아니나
   견해차가 많이 좁혀졌음.

ㅇ 농산물 분야의 합의 초안은 2주내에 제시될 수 있을 것으로 봄.

ㅇ 개도국들도 최근 일부 합리적인 협상 태도를 보이는바, 인도,
   브라질등이 BOP 조항, 투자등 교착 쟁점에 융통성을 보이고 있음.

ㅇ 미국은 관세화 문제, 규범제정등 미국, EC 외에 제3국의 이견도
   무시할 수 없는 분야에 대해, 4국회의 등을 통해 간접적으로 여러
   형태의 이해 관계를 수렴할 수 있다고 보고 있으나, 다자간 협상에서는
   각국이 자국 이익의 반영을 위해 스스로 노력해야 함.

2) 분야별 입장

(농산물)

ㅇ 관세화의 예외를 인정하면, 일본, 캐나다, 미국(농업조정법)에 대한
   예외도 인정해야 할 것인바, 이는 불가능함.

ㅇ 11조 2항(c)는 18조(BOP 조항), 19조(긴급 수입제한 조항)보다 파급
   효과가 큰 조항으로, 이를 인정하기 어렵다고 보나, 전체 협상
   결과에 따라 정해질 문제임.

ㅇ 관세화를 수용해도 고관세, 특별 세이프가드 등을 통해 시장을
   보호할 수 있음. 일본도 이러한 사실을 인지하고 있으나 표면상
   으로는 과장된 입장을 보이고 있음.

0098

(반덤핑)

　o 반덤핑 관련, 일본, 한국의 입장에 대하여는 다소 이해가 가나,
　　홍콩, 싱가폴의 입장은 수용하기 어려운바, 동국들과 동조하면
　　어려운 입장에 처하게 될 것임.

(일방주의)

　o UR 협상에서 일방주의와 관련하여 아무것도 이루어질 것이
　　없다고 봄.

(single undertaking)

　o single undertaking이 합의되지 않으면 UR이 성립될 수 없다고
　　보며, 이경우 미국은 무엇보다 섬유, 반덤핑을 수락치 않을 것임.

(분야간 교차 보복)

　o 상품분야에서의 양보와 서비스 분야에서의 양보가 상호 연계될 수
　　있듯이, 분야간 교차 보복(cross retaliation)도 필요함.

　o 예를들어 통신 서비스에서 위법이 있을때, 금융 서비스에서
　　보복하는 것보다 통신장비(상품)에서의 보복이 보다 효과적임.

　o 보복이라는 표현보다는 양허의 철회(withdrawal of concessions)가
　　보다 적절할 것이며 보복문제가 다자 차원에서 처리되므로 개도국에
　　오히려 유리할 것임.

(선별적 세이프가드)

　o EC의 quota modulation 주장의 저의가 불확실함.

(보조금)

　o 한국은 수출보조가 없는 국가인데, 수출보조와 관련한 개도국
　　세분화에 적극 반대하는 이유를 이해하기 어려움.

0099

첨부 5 : Tran 주 제네바 EC 대사 면담 요지

1. 일   시 : 1991.11.19(화) 11:00-12:10

2. 장   소 : 주 제네바 EC 대표부

3. 아측 참석자 : 김인호 경기원 대조실장
                  김용규 외무부 통상국장
                  김삼훈 주 제네바 차석 대사
                  이윤재 경기원 제2협력관
                  홍종기 외무부 통상기구과장

4. 면담내용 :

    가. 아측 언급사항

        o UR 협상의 성공적 타결을 중요시하는 아국 입장 설명

        o 컨센서스가 없는 상황에서의 예외없는 관세화 추구의 위험성 지적

        o 던켈 총장의 균형된 협상 초안 제시 필요성 강조

        o 농산물 분야외에 반덤핑, 일방주의 억제등 규범강화 필요성과 서비스
           분야등에서의 아국 관심사항 설명

    나. Tran 대사 언급사항

        1) 년내 UR 협상 타결 전망

            o UR 협상은 반드시 년내에 타결되리라고 보며, 미국과 EC는 년내에
               협상을 종결시킨다는 결심이 확고함.

            o EC가 년내 타결을 확신하는 이유는 아래임.

                - 미.EC 정상간에 협상의 년내 타결에 대한 확고한 공감이 형성됨.

0100

- 브랏셀 회의시 EC는 헬스트롬 의장안을 거부 하였으나 지금은
  이를 기초로 협상하고 있음.
- 부쉬 미 대통령이 국민에게 어려운 국내 경제의 돌파구를 제공하기
  위해 UR 협상의 성공이 필요함.
- EC 통합, 미국 선거일정, 동구 국가의 경제 재건문제, 개도국
  문제등을 고려할때 협상 타결을 금년 이후로 미룰 수 없음.
- 브랏셀 회의시에는 공동농업정책(CAP)의 개혁 논의가 겨우
  시작된 단계였으나 지금은 EC와 미국이 CAP의 개혁 방향을
  알고 있음.

ㅇ 농업분야에서의 미.EC간에 합의가 이루어질 겨우 다른 분야에서의
  미결 쟁점은 협상 타결의 걸림돌이 되지 않을 것임.

2) 미.EC간 협상 동향

ㅇ 미.EC 정상회담에서 양국 정상은 양측간 합의를 위한 확고한 범위
  (concrete scope)를 설정했고, 그 범위안에서 실무 절충이 가능할
  것으로 봄. 예를들어 보조금 감축폭(30-35%), 기준년도(86년 또는
  90년), 이행기간, 이행방법의 협정 문서화등의 기술적인 미결사항이
  남아 있으나 이는 양국간 합의 도출의 장애물은 아니라고 봄.

ㅇ 농산물 협상이 타결되면 서비스에서의 two-track approach(maxi-mini),
  해운, 통신, audio-visual, 금융분야 협상등에서의 문제점은 양자
  협상으로 해결될 수 있으며, 시장접근, 제도등의 분야는 전체 협상
  타결에 걸림돌이 되지 않을 것이고, 반덤핑, 보조금, 세이프가드등
  합의되지 않는 분야는 최악의 경우 현상태대로 두면 될 것임.

ㅇ 시장접근 분야에서의 거의 의견의 접근을 보이고 있어, 미국의
  고관세(tariff peak) 문제, 분야별 무세화 및 조화문제에 대한
  합의를 이룰 수 있다고 보는바, 미국이 섬유분야에서 관세조화를
  할 경우 EC는 화학제품, 의약품의 몇개 품목의 무세화에 참여할
  것임.

0101

○ 따라서, 어느날 갑자기 미.EC간 완전한 타협으로 협상이 급진전될
  가능성에 대비해야 할 것이며, 기본적으로 미.EC간 타협이 다른
  개도국의 입장을 반영한 균형된 것이 아니겠지만, 어떠한 형태의
  UR 협상 결과도 협상이 실패하여 협정을 만들지 못하는 것보다는
  훨씬 나을 것임.

3) 농산물 협상(관세화)과 한국이 취할 입장

○ EC로서도 관세화는 바람직하지 않았고, 일부 EC 회원국에 큰 어려움이
  있는 것은 사실이나, UR 협상의 년내 타결을 위하여 관세화를
  수용, 강행(steam-rolling)하지 않을 수 없음.

○ EC는 관세화를 통해 국내가격이 하락하면 변동 과징금등 기존 정책
  목적 수행이 어려울 것이나, 관세화를 전체로서 수락하고, 변동
  과징금을 관세로 전환하는 방안을 모색하고 있음.

○ 한국의 쌀을 관세화의 예외로 인정할 경우 미국의 낙농제품, 설탕,
  EC의 곡물등에 대한 예외도 인정치 않을 수 없을 것이며, 이경우
  UR 협상은 무산될 것임. 적어도 앞으로 20-30년간 국제무역은
  GATT 체제하에 있어야 하므로 UR 협상을 무산시킬 수 없음.

○ 한국이 예외없는 관세화를 수용할 수 없다는 입장에서 전혀 융통성을
  보이지 않고 있는 것으로 아는바, 결국 예외 인정은 어려울 것이며
  장기간의 이행기간 허용만이 협상 가능하다고 생각함.

○ 따라서 미.EC간 타결이 임박하고 UR 협상 전체의 각국별 핵심
  관심사항 반영을 위한 본격적인 협상의 전개가 예견되는 만큼
  한국도 농산물 분야에서 융통성을 가지고 실질 협상에 임하는 것이
  필요하다고 봄.

0102

첨부 6 : Linden 갓트 사무총장 특별 고문 초청 오찬 협의 요지

1. 일   시 : 1991.11.22(금) 13:00-15:00

2. 장   소 : Perle du Lac Restaurant

3. 아측 참석자 : ㅇ김용규 통상국장   ㅇLinden 특별 고문
                   ㅇ이성주 주 제네바 참사관   ㅇMillan 법률국 참사관
                   ㅇ홍종기 통상기구과장

4. 협의요지 (Linden 고문 언급사항)

    가. 분쟁해결

    (Non-violation)

    ㅇ EC가 NV 분쟁과 관련한 별도 절차를 고집하는 이유는 분명치 않으나
       구체적 필요성보다는 정치적인 배경이 있는 듯하며 과거 citrus 분쟁에서
       24조와 관련한 NV 분쟁으로 인정받고자 했던 것과 연관이 있는 것으로
       생각함.

    ㅇ EC의 제안이 두차례 완화되어 현재로는 여타국가의 입장에서 크게
       벗어나지 않는 것으로 평가함.

    ㅇ EC가 NV를 당초 시장접근 양허(market access concession)와 결부
       시켰으나, 나중에 신분야와의 연계 가능성을 고려하여 입장을 바꾼
       것으로 인식함.

    (일방주의)

    ㅇ 미국의 301조등 일방주의는 억제되어야 한다는 것이 다수의 생각이나,
       미국은 국내법과의 관계 및 분쟁해결 절차의 자동성, UR 협상 전체의
       성과와 연계시켜 강한 반대 입장을 취하고 있으며, 이에 대해 EC도
       이 문제를 강하게 추구하고 있는것 같지 않음.

0103

나. 최종의정서

(MTO)

o 미국, 개도국들은 MTO는 UR 협상 종료후에 본격적으로 협의되어야
   한다는 것이 기본입장이나 최근에는 EC, 카나다가 공동 제안한 MTO
   설립 조약 초안 협의에는 참여할 수 있다는 태도임. 특히, 인도가
   최근 협상에서 전향적인 입장을 보이고 있음.

o UNCTAD에서 개도국은 국제경제 문제 전반을 포괄하는 새로운 국제무역
   기구 창설을 논의하고 있으나, 갓트내 MTO 협의시에 개도국 취향의
   MTO 기능을 제안할 가능성은 크지 않다고 봄.

0104

첨부7. 주제네바 대표부와의 UR대책검토 협의

----

1. 일시 : 1991.11.18(월) 16:00 - 20:00

2. 장소 : 주제네바 대표부 대회의실

3. 참석자 : UR 협상 정부실무대표단 및 주제네바 대표부 UR협상 담당관 전원

3. 협의 목적

   0 현지 협상 담당자들과의 협상 현황 및 대책에 관한 의견 교환

   0 아국의 협상대책 점검

4. 협의 내용

   (UR 협상 현황과 전망)

   0 오참사관 :

   - 11. 9 미.EC 정상회담의 결과 돌파구가 가시화 되지 못함에 따라
     제내바에서의 11.11 주간 협상이 intensify 되지 못함.

   - 11월말까지 협상타결, 초안제시는 어렵고, 12월 중순경까지 협상
     진행 예상

   - 제시될 협상 초안은 향후 협상을 위한 기초의 형태가 될 가능성이
     있음.

   0 박대사 :

   - 던켈 총장은 각협상 그룹의장이 책임지고 11월말까지 초안제시토록
     요청

   - 동 초안은 미.EC 간 합의에 근거한 최종적인 초안이 될 가능성

   - 한가지 불확실 요소는 개도국의 동향

- 1 -

0105

o 김대사 :

  - 협상의 성공을 위하여는 괄호가 많은 초안이 제시되어서는 않된다는
    점에는 의견이 일치하나, 괄호 없는 초안이 가능한지에 대해서는
    의견 불일치
  - 현재 협상이 급전한다는 분위기는 아님.

(서비스 협상)

  o 이경협관 :

    - 자료에 의한 현황 설명

  o 박대사 :

    - 금융시장의 two-track approach 관련 우리입장 ?
    - 서비스 협상에 선진국의 minimum derogation 주장을 우리의 쌀시장
      개방에 대한 예외 확보를 주장하기 위한 논리로 원용 가능 ?

  o 이윤재 국장 :

    - 금주내 아국의 request 제출 예정
    - 서비스 분야 시장개방에 대한 국내 홍보 필요

(시장접근)

  o 엄재무관 :

    - 현황 설명

  o 추준석 국장 :

    - 무세화 협상관련 국내사정으로 보아 현재의 입장이 최대한의 참여
      가능 수준

- 2 -

0106

O 박대사 :

- 미 .EC 간에 시장접근 분야에서 의견 접근이 이루어졌다고 봐야함.

- 주제네바 협상 담당관의 태도와 관련한 Hills USTR 의 이봉서장관앞 편지에 대하여는 단호한 대응 필요

O 김대사 :

- 아국은 이미 관세인하 목표를 달성 했으므로 무세화 협상요구에 너무 정치적으로 민감히 대응 불요

(섬 유)

O 강상무관 :

- 현황 설명

- 최근 single undertaking 과 관련, 비 MFA 회원국의 처리문제등이 발생, 쟁점분야의 하나로 대두

O 박대사 :

- 규법제정 분야의 중요성을 강조하기 위해, 홍콩, 싱가폴 대사들과 합께 Maciel 의장을 민담할 예정

(규법제정)

O 엄재무관 :

- 보조금 · 상계관세 분야에서 미국은 green category 를 최소화 하겠다는 입장

- 개도국 세분문제 관련 EC 의 아국제안에 대한 반대 입장 강화

O 박대사 :

- 반덤핑은 우리 입장 관철분야로서 중요

- 3 -

0107

(농 산 물)

   0   천농무관 :

     - 현황 설명

   0   박대사 :

     - 목표를 관철하기 위한 strategy 중요

     - 농수산부장관의 Dunkel 총장앞 서한 및 장관급의 제네바 방문을 통한
       아국입장 재확인 교섭 필요여부 검토중

     - 농산물 관련, 일본과 지나치게 입장을 같이하는 것은 바람직 하지 못함.

     - 협상팀 내의 단합이 필요하며, 목표가 같을 경우 다소 접근 방식이
       다르더라도 상호 비난해서는 안됨.

   0   대조실장 :

     - UR 농산물 문제와 관련한 아국의 입장을 설명함에 있어서도 협상
       전체의 차원에서 대응할 필요가 있음.

(제 도)

   0   대조실장 :

     - 301조 관련 우리입장을 명백히 개진할 필요성 있음. 끝.

- 4 -

0108

UR 協商 關聯 제네바 出張 報告

1991. 11. 26.

통 상 국 장 김 용 규

0109

1. 出張期間 : 1991.11.16-11.25

2. 主要日程

   ○ Dunkel 갓트 事務總長(2回) 및 Carlisle 次長 面談

   ○ 美國(Lavorel USTR 副代表), EC, 濠洲, 브라질(주 제네바 大使) 面談
     또는 招請 午餐

   ○ 知的財産權 協商그룹 議長(Annel 스웨덴 大使) 面談

   ○ 갓트 事務局 Linden 總長 고문, Tulloch TPRM 局長 招請 午餐

   ○ 주 제네바 代表部와의 對策 協議

3. 主要活動 內容

   (我國 立場 說明)

   ○ UR 協商 出帆以後 우리 政府가 全體 UR 協商의 成功을 위해 전향적인 기여를
     했음을 强調

     - 農産物 協商 立場 緩和, 無稅化 協商 參與, 서비스 offer 早期 提出等

   ○ 다만, 農産物 協商과 관련해서는 均衡된 協商 結果의 重要性과 우리 農業의
     特殊性 및 國內政治 日程에 비추어 例外없는 開放의 어려움을 强調

   ○ 특히, 11.21. Dunkel 總長의 農産物 Draft Working Paper 提示 以後 Dunkel
     總長, Carlisle 次長 面談 기회에 우리의 關心事項이 동 paper에 反映되지
     않았음을 指摘

   (제네바 代表部와의 對策 協議)

   ○ 農産物을 包含한 UR 協商 目標 達成을 위한 戰略 檢討

     - 農水産部長官의 제네바 訪問 또는 Dunkel 總長앞 書翰 송부 方案

   ○ 農産物 協商外에도 規範制定, 制度分野(一方措置 關聯) 協商의 重要性 確認

1

0110

4. 面談 對象者들의 反應

o 대체로 美.EC 頂上의 政治的 意志 强化로 協商의 年內 妥結 可能性이 커진 것으로 評價

o Dunkel 總長等 多數 人士가 UR 協商의 目的 達成을 위해 農産物 協商에서 特定國家에 대한 特定 例外 認定은 불가능하다고 主張

o 例外없는 關税化 原則은 이미 大勢이므로 韓國이 早速히 實質 協商에 參與, 原則內에서의 利益 反映 方案을 協商할 것을 强力히 종용

o 一部人士는 韓國이 UR 協商의 失敗를 바라고 있는 것으로 認識

※ Dunkel 總長은 아래 協商 日程 提示

- 11.29. TNC 會議에서 全體 協商 現況 點檢(可能하면 모든 分野에서 協商 草案 提示)

- 12.18까지 最終 協商 進行

5. 評 價

o 11.7. Dunkel 總長의 年內 妥結 日程 提示, 11.9. 美.EC 頂上會談 以後 協商 突破口 마련을 위한 努力이 전분야에 걸쳐 强化, 早期 妥結 展望이 어느때보다 增大

o 그러나, 이러한 全般的인 樂觀論과 集中的인 協商 努力에도 불구, 美.EC간 農産物 分野에서의 意見 接近 遲延(基準年度, 減縮幅, rebalancing등)이 協商 全 分野에 걸쳐 걸림돌로 作用

o 美國의 國內的인 期待 水準 및 政治 日程, EC의 統合日程에 비추어 명년초까지 協商 終結를 樂觀할 수 없으며, 갓트 總會(12.3-5)후 성탄 휴가전 2週間이 協商의 早期 妥結 與否를 가름하는 가장 重要한 時期가 될 것으로 展望

o 앞으로 提示될 協商 草案은 現在의 分野別 協商 現況에 비추어 一括 妥結案이 아닌 協商 基礎 文書가 될 可能性 尚存

0111

6. 對策

O 協商의 最終 段階에서 우리의 旣存 立場에 의거 對處

O 韓國이 UR 協商의 失敗를 원한다는 認識을 拂拭하기 위해 農産物 一邊倒의
立場 表明보다는 協商 全般에 걸친 均衡있는 立場 改進 必要

O 12月初에 主要 分野別 協商代表 現地 派遣.   끝.

3

長 官

UR 協商 關聯 제네바 出張 報告

1991. 11. 26.

통 상 국 장 김 용 규

0113

1. 出張期間 : 1991.11.16-11.25

2. 主要日程

   ○ Dunkel 갓트 事務總長(2回) 및 Carlisle 次長 面談

   ○ 美國(Lavorel USTR 副代表), EC, 濠洲, 브라질(주 제네바 大使) 面談
     또는 招請 午餐

   ○ 知的財産權 協商그룹 議長(Annel 스웨덴 大使) 面談

   ○ 갓트 事務局 Linden 總長 고문, Tulloch TPRM 局長 招請 午餐

   ○ 주 제네바 代表部와의 對策 協議

3. 主要活動 內容

   (我國 立場 說明)

   ○ UR 協商 出帆以後 우리 政府가 全體 UR 協商의 成功을 위해 전향적인 기여를
     했음을 强調

     - 農産物 協商 立場 緩和, 無稅化 協商 參與, 서비스 offer 早期 提出等

   ○ 다만, 農産物 協商과 관련해서는 均衡된 協商 結果의 重要性과 우리 農業의
     特殊性 및 國內政治 日程에 비추어 例外없는 開放의 어려움을 强調

   ○ 특히, 11.21. Dunkel 總長의 農産物 Draft Working Paper 提示 以後 Dunkel
     總長, Carlisle 次長 面談 기회에 우리의 關心事項이 동 paper에 反映되지
     않았음을 指摘

   (제네바 代表部와의 對策 協議)

   ○ 農産物을 包含한 UR 協商 目標 達成을 위한 戰略 檢討

     - 農水産部長官의 제네바 訪問 또는 Dunkel 總長앞 書翰 送付 方案

   ○ 農産物 協商外에도 規範制定, 制度分野(一方措置 關聯) 協商의 重要性 確認

1

0114

4. 面談 對象者들의 反應

o 대체로 美.EC 頂上의 政治的 意志 强化로 協商의 年內 妥結 可能性이 커진 것으로 評價

o Dunkel 總長等 多數 人士가 UR 協商의 目的 達成을 위해 農産物 協商에서 特定國家에 대한 特定 例外 認定은 불가능하다고 主張

o 例外없는 關税化 原則은 이미 大勢이므로 韓國이 早速히 實質 協商에 參與, 原則內에서의 利益 反映 方案을 協商할 것을 强力히 종용

o 一部人士는 韓國이 UR 協商의 失敗를 바라고 있는 것으로 認識

　　※ Dunkel 總長은 아래 協商 日程 提示

　　　- 11.29. TNC 會議에서 全體 協商 現況 點檢(可能하면 모든 分野에서 協商 草案 提示)

　　　- 12.18까지 最終 協商 進行

5. 評價

o 11.7. Dunkel 總長의 年內 妥結 日程 提示, 11.9. 美.EC 頂上會談 以後 協商 突破口 마련을 위한 努力이 전분야에 걸쳐 强化, 早期 妥結 展望이 어느때 보다 增大

o 그러나, 이러한 全般的인 樂觀論과 集中的인 協商 努力에도 불구, 美.EC간 農産物 分野에서의 意見 接近 遲延(基準年度, 減縮幅, rebalancing등)이 協商 全 分野에 걸쳐 걸림돌로 作用

o 美國의 國內的인 期待 水準 및 政治 日程, EC의 統合日程에 비추어 명년초까지 協商 終結를 樂觀할 수 없으며, 갓트 總會(12.3-5)후 성탄 휴가전 2週間이 協商의 早期 妥結 與否를 가름하는 가장 重要한 時期가 될 것으로 展望

o 앞으로 提示될 協商 草案은 現在의 分野別 協商 現況에 비추어 一括 妥結案이 아닌 協商 基礎 文書가 될 可能性 尚存

2

0115

6. 對策

○ 協商의 最終 段階에서 우리의 旣存 立場에 의거 對處

○ 韓國이 UR 協商의 失敗를 원한다는 認識을 拂拭하기 위해 農産物 一邊倒의
  立場 表明보다는 協商 全般에 걸친 均衡있는 立場 改進 必要

○ 12月初에 主要 分野別 協商代表 現地 派遣.   끝.

3

정 리 보 존 문 서 목 록

기록물종류	일반공문서철	등록번호	2019090073	등록일자	2019-09-18
분류번호	764.51	국가코드		보존기간	영구
명 칭	UR(우루과이라운드) Cairns(케언즈) 그룹 각료회의 옵서버 참석 검토, 1991				
생 산 과	통상기구과	생산년도	1991~1991	담당그룹	다자통상
내용목차	★ 브라질 정부 대표 초청으로 1991.7.8-10 브라질에서 개최되는 케언즈 그룹 회의에 옵서버 파견을 검토하였으나, 일본, EC 등의 옵서버 불참율 감안하여 대표단을 파견하지 않기로 결정				

0001

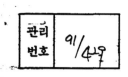

외 무 부

종 별 :

번 호 : GVW-1152
일 시 : 91 0620 1800

수 신 : 장 관(통기,경기원,농림수산부)

발 신 : 주 제네바 대사

제 목 : 케언즈그룹 각료회의 옵서버 파견문제

연: GVW-1089

1. (7.8-10) 일로 예정된 브라질에서의 케언즈그룹 각료회의에는 일본, 이씨,미국등이 정식 옵서버로 초청되었고, 또 폴란드가 케언즈 그룹가입을 강력하게희망하고 있음에 비추어 특별자격으로 초청되었다함.

2. 동 각료회의는 원래 UR 협상의 촉진을 위한 각료회의 개최설이 무산되고또 농업부분 협상이 7 월중 상당히 진척될 것이라는 예상하에서 6.24. 일 제출될 던켈 사무총장의 OPTION PAPER 를 토의하는데 그목적이 있으나 기타 미국, 이씨대표들이 옵서버 자격으로 참석하므로 UR 협상의 진전과 관련 상당한 주목을 받고 있음.

3. 이상에 비추어 본직은 케언즈 그룹대사(카나다, 브라질, 알젠틴)등을 만나 한국의 옵서버 참가 가능성을 비공식적으로 타진 했던바 이들은 아국의 농업문제에 대한 관심에 이해를 표시하고 내주 개최되는 제네바 케언즈그룹 대사 회의에서 아국의 초청문제를 긍정적으로 제기하겠다는 반응을 보였음.

(아국의 정식 참가 요청시)

4. 동 회의 주최국은 브라질이므로 아국의 초청이 결정될 경우에는 브라질이 주최국 자격으로 초청장을 낸다하며 옵서버는 모든 공식회의와 SOCIAL OCCASION 에 참석할 수 있으나 회원국간의 비밀회의에는 참여치 못한다 함.

5. 동 회의가 각료급 회의임에 비추어 미국은 USTR 부대표, 이씨의 경우에는 관례에 따라 주 브라질대사가, 일본의 경우에도 현지 대사가 참석할 예정이라함.

6. 당지에서 농산물 협상에 참여하고 있는 농림수산부 대표들은 동회의의 중요성에 비추어 아국도 미국, 이씨, 일본등과 함께 동 회의에 참여하는 것이 좋겠다는 의견을 갖고 있으므로 본부에서 가급적 아국의 옵서버 참여 필요성을 검토 그 결과를 통보해 주시기 바람. 끝

통상국   차관   1차보   분석관   정와대   안기부   경기원   농수부

PAGE 1

91.06.21   07:38

외신 2과 통제관 BS

0002

(대사 박수길-국장)
예고:91.12.31. 까지

	분류번호	보존기간

발 신 전 보

번 호 : WGV-0825   910625 1901 ED   종별 : 지급

WBR -0269

수 신 : 주   제네바   대사·총영사   (사본 : 주 브라질 대사)

발 신 : 장 관 (통 기)

제 목 : Cairns 그룹 각료회의

대 : GVW-1152

1. 대호, 7.8-10간 브라질에서 개최되는 Cairns 그룹 각료회의에 아국도 옵저버로
   참석하는 것이 좋을 것으로 사료되니 귀지 주재 케언즈그룹 대사들에게 아국의
   옵저버 참석을 정식 요청하고, 결과 보고바람.

2. 아국의 참석자는 EC 및 일본의 예에따라 주 브라질 대사로 하고, 관계부처 직원
   1인을   참석시켜 보좌토록하는 방안을 검토중인 바, 상세 추후 통보 예정임.

끝.   (차관 유종하)

검 토 필(1991. 6. 30.) 3

일반문서로 재분류(1991 . 12. 31.)

앙 고 재	91 년 6 월 일	통통 길과 과	기안자 송봉헌		과 장	심의관	국 장	제2차관보	차 관	장 관		보안통제	외신과통제
									전 결			

0004

발 신 전 보

번 호 : WBR-0270 910625 1902 ED 종별 :

수 신 : 주 브라질 대사·총영사 (사본 주제네바대사) WGV-0826

발 신 : 장 관 (통 기)

제 목 : Cairns그룹 각료회의

일반문서로 재분류(198*1*.*12*.*31*.*)

1. UR/농산물 협상과 관련한 Cairns 그룹(농산물 비보호 수출국가) 각료회의가

   7.8-10간 귀지 마나우스에서 아래와 같이 개최될 예정임.

   가. 회의 목적

      ㅇ 6.24 제시된 농산물 협상에 대한 Dunkel 갓트 사무총장의 option paper 토의

   나. 참 석 국

      ㅇ 케언즈그룹 국가 (14개국)

      ㅇ 미국, EC, 일본(옵서버)

      검 토 필 (1991 6.30) 용

      - 미국은 USTR 부대표, EC, 일본의 경우 브라질 주재 대사 참석

        예정으로 알려져 있음.

      ㅇ 폴랜드(케언즈그룹 가입을 희망, 특별자격으로 참가)

   다. 옵저버의 회의 참석범위

      ㅇ 공식회의 및 행사에만 참석

2. UR/농산물 협상의 중요성과 금번회의가 농산물 협상에 미치는 영향을 감안하여

   아국도 동 회의에 옵서버로 초청받도록 주 제네바 대표부를 통하여 교섭 추진

   중이며, 아국이 초청받는 경우 귀직을 옵서버로 참석토록 하고 관계부처 직원

   1인을 파견하여 보좌토록 할 예정인 바, 확정되는대로 관련사항 통보 예정임.

3. 관련 자료는 파편 송부함.   미주국장   (장관)

앙 고 재	91 년 6 월 일	통 상 국 과	기안자 농병헌	과 장 심디논	국 장	제1차관보	차 관	장 관	보교필	보안통제	외신과통제

0005

경 제 기 획 원

통조이 10520- 나))   (503-9147)   1991.6.26.

수신   외무부장관(봉상국장)

제목   케언즈 그룹 각료회의 옵서버 파견문제

     '91.7.8-10일로 예정된 브라질에서의 케언즈그룹 각료회의
참석문제에 대해서 지난 6월21일 개최된 "UR협상대책 실무위원회"에서
위임된 바에 따라 다음과 같이 관계부처의 의견을 조정하여 봉보하니
양지하시기 바랍니다.

             - 다   음 -

동회의에는 아국에 대한 초청이 있을 것을 전제로 하여 현지대사가 참가
하는 것을 원칙으로 하되 참가시에는 '91.1.9 대외협력위원회에서 기확정
된 UR/농산물협상의 기존방침에 따라 대처하도록 함. 다만 필요할 경우
농림수산부 관계국장 또는 과장이 참석하도록 함. 끝.

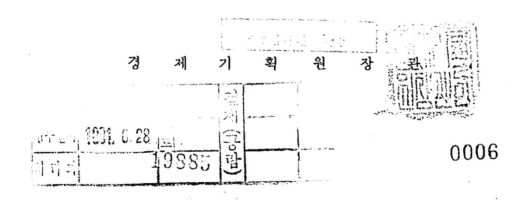

경 제 기 획 원 장 관

0006

케언즈그룹 각료회의 옵서버 파견 문제

　　91.7.8-10로 예정된 브라질에서의 케언즈그룹 각료회의 참석 문제에
대해서 지난 6.21. 개최된 UR 협상 대책 실무위원회에서 위임된 바에 따라
다음과 같이 관계부처의 의견을 조정하여 통보하니 양지하시기 바랍니다.

                    - 다   음 -

　　동 회의에는 아국에 대한 초청이 있는것을 전제로하여 현지 대사가
참가하는 것을 원칙으로 하되 참가시에는 91.1.9. 대외협력위원회에서
기획정된 UR/농산물 협상의 기존 방침에 따라 대처하도록 함. 다만
필요할 경우 농림수산부 관계국장 또는 과장이 참석하도록 함.　　끝.

                                        (기획원 통상조정 2과)

                                                    0007

외 무 부

원 본

종 별 :

번 호 : GVW-1204

수 신 : 장 관(봉기))

발 신 : 주 제네바 대사

제 목 : CAIRNS 그룹 각료회의

일 시 : 91 0627 1900

대: WGV-0826

1. 대호건 6.26(수) 당지 CAIRNS 그룹대사 회의에서 한국의 옵서버 참석에 대하여 아무도 반대의견을 제시하지 않았으며 이를 주최국인 브라질 대사에게 일임, 동 대사가 자국농무장관에게 한국을 EC, 일본과 함께 옵서버로 참석토록 건의키로 함(단 초청여부는 브라질 농무장관이 최종적으로 결정한다 함)

2. 당지 브라질 대사관에 확인한바 금일 오전 상기대사들의 의견을 일단 본국정부에 전달하였다 하며, 브라질의 공식입장은 주 브라질 한국대사관 또는 주제네바 대표부로 통보될 것이라 함.

3. 상기 브라질 입장을 통보받는 대로 즉시 보고하겠음. 끝

(대사 박수길-국장)

예고:91.12.31. 까지

검 토 필(1991. 6. 3) ㅇ

일반문서로 재분류(1991 . 12. 31.)

6.4 농식, 경기원, 주브라질대사관 사본처리

통상국   1차보   2차보

PAGE 1

91.06.28   08:27

외신 2과   통제관 BS
0008

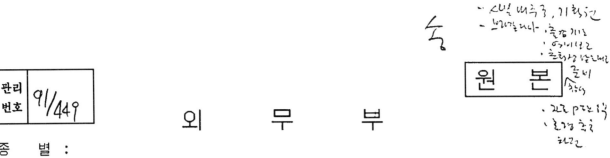

관리 번호	91/449

원 본

외 무 부

종 별 :

번 호 : GVW-1209 일 시 : 91 0628 1530

수 신 : 장관(통기,농림수산부) 사본: 주 브라질대사(본부중계필)

발 신 : 주 제네바 대사

제 목 : 케언즈 그룹 각료회의

대: WGV-826

연: GVW-1204

1. 금 6.28 오전 당지 브라질 대표부 AMARAL 공사는 브라질 정부가 표제회의에 한국을 옵서버로 초청키로 결정하고 금명간 주 브라질 한국대사 앞으로 초청장을 보내기로 하였다 함.

동 회의시 중요성에 비추어 현지대사가 직접 참석함이 좋을 것으로 보임.

2. 금번 동 회의에 아국이 일본.미국.EC 등과 함께 옵서버로 참석하는 것은 농산물 문제에 대한 아국정부의 지대한 관심표명임과 동시에 수입국으로서도 일본과 다른 이해관계 때문이라는 점등을 부각하여 국내홍보에 활용함이 좋을것으로 사료됨을 첨언함. 끝

(대사 박수길-장관)

예고: 91.12.31. 까지

검 토 필 (1991 6.30)

일반문서로 재분류(1991. 12. 31.)

통상국	장관	차관	1차보	2차보	분석관	농수부

분류번호	보존기간

발 신 전 보

번 호 : WBR-0283 910701 1137 BX 종별 :

수 신 : 주 브라질 대사·총영사 (사본 : 주 제네바 대사) WGV -0845

발 신 : 장 관 (통 기)

제 목 : 캐언즈그룹 각료회의

연 : WBR-270

1. 6.28 제네바 주재 브라질 대표부는 브라질 정부가 표제회의에 아국을 옵서버로
    초청키로 결정하고 금명간 귀직 앞으로 초청장을 보낼 예정임을 주 제네바 대표부를
    통해 알려 왔는 바, 동 초청장 접수하는대로 ~~보고바람~~. 귀 주재중에 ~~귀직의~~ 옵서버 참가문등 회의참석
    준비 바람.

2. 귀주재국 관계부서를 접촉, 표제 회의 관련 아래 사항 파악 보고바람.

    가. 회의일정(세부) 및 장소(본부가 파악한 바로는 '마나우스'에서 개최)

    나. 각국별 참석 예정 각료현황

    다. 옵서버의 회의 참석범위(발언 가능 여부 포함)
         활동

3. 귀직의 표제회의 옵서버 참가를 위해 필요한 참고자료를 6.29 정파편 송부
    하였으니 우선 참고 바라며, 농수산부 국제협력담당관을 귀지에 파견하여
    보좌토록 할 예정임.

4. 표제회의 참가를 위해 ~~활동비(본부~~ 관내여비 지원 필요
    여부 (필요시 항공료등 소요내역 포함) 보고바람. 끝.
    출장기간등

    (통상국장 김 삼 훈)

양고재	91년 6월 1일 통상국 통상직 과	기안자	과 장	국 장	차 관	장 관	보안통제	외신과통제
		송병락	심의관	전결				

0010

관리
번호 91/455

외 무 부

종 별 : 지 급

번 호 : BRW-0486

일 시 : 91 0701 1801

수 신 : 장 관(봉기)

발 신 : 주 브라질 대사

제 목 : 케인즈 그룹 각료회의

대: WBR-0283

1. 주재국 농무성은 본직을 표제회의에 옵서버로 초청한다고 7.1 당관에 공식 봉고해 왔으며, 이에 따라 본직 참석을 회신하였음.

2. 대호 2 항 아래 보고함.

가. 회의장소

- 브라질 AMAZONAS 주 MANAUS(HOTEL TROPICAL 회의장)

나. 일정(잠정)

0. 7.7(일)

- 19:00 환영 칵테일(브라질 농업장관 주최)

0. 7.8(월)

- 10:00-11:30 개회및 각국대표 기조연설

- 오후 회의

- 19:00 만찬(브라질 농업장관 주최)

0. 7.9(화)

- 09:00-13:00 회의

- 17:00 폐회

- 18:00 만찬(호주 봉상장관 주최)

다. 참석예정 각료

브라질, 아르헨티나, 호주, 카나다, 콜롬비아, 비율빈, 인니, 말레이지아, 뉴질랜드, 폴랜드, 우루과이등 제국의 관계각료(태국은 차관이 참석)

라. 옵서버 활동범위

(1) 개회시 짧막한 기조연설은 할수있으나 회의에는 참석이 불가능하다 함.

통상국   차관   2차보

PAGE 1

91.07.02   07:23
외신 2과   통제관 BS

0011

(2) 폐회식 참석및 칵테일, 만찬등 사교활동에는 초청된다 함.

3. 상기 개회시 아국입장을 개진할 것인지, 한다면 발언요지 지시바람.

4. 대주재국 정부통고및 HOTEL 예약에 필요하니 표제회의에 파견되는 농수산부 국제협력관 영문직, 성명 회시바람.

5. 아래 출장경비 조치바람.

가. 출장기간: 7.7-7.10(3 박 4 일)

나. 항공료

브라질리아-마나우스 1 등 왕복: 미화 490 불

다. 활동비

끝

(대사 김기수 - 차관)

예고: 91.12.31. 까지

한사람이 지킨질서 모아지면 나라질서

농 림 수 산 부

국협20644-683   (503-7227)   1991.07.02.

수 신   외무부장관
참 조   통상국장
제 목   UR농산물협상 케언즈그룹 각료회의 참석

　　1. 주제네바 대표부의 브라질정부의 표제회의에 아국 옵저버 초청
사실 확인{GVW-1209('91.6.28)} 및 6.27 UR대책 실무회의 결정에 따라
표제회의에 다음과 같이 당부대표를 파견코자 하오니 협조하여 주시기
바랍니다

　　　　　　　　　　　- 다 음 -

　　가. 당부대표 : 농업협력통상관실 국제협력담당관 최용규
　　나. 출 장 지 : 브라질 마나우스
　　다. 출장기간 : '91.7.5 - 7.13(9일간)
　　라. 출장목적 : 케언즈그룹 각료회의 참석
　　　　　- 논의현황 및 향후 협상전망에 관한 정보수집
　　　　　- 공식,비공식 접촉을 통하여 아국입장의 개진과 이해제고
　　마. 소요경비
　　　　- 국외여비 : $4,405

첨부 : 1. 출장일정 및 소요경비 내역
　　　 2. 케언즈그룹 각료회의 참가대책 1부

농 림 수 산 부 장

공람	통상기구과	년	담 당	과 장	심의관	국 장	차관보	차 관	장 관
		인							
		일							

0013

UR농산물협상관련 캐언즈그룹 각료회의 참석대책

1. 캐언즈그룹 각료회의의 의제와 성격

1) '91.7.8 - 10간 개최예정인 표제회의는 던켈의장의 Option Paper에 대한 캐언즈그룹의
   입장을 조정하게 될 것인바

   O '91.3-6월간 UR농산물협상 주요국 비공식회의를 개최, 기술적 쟁점들에 대한 충분한
   협의를 추진하였음에도 불구하고 캐언즈그룹 자체뿐 아니라 미국, EC, 일본등 주요국들의
   입장변화가 없는 상황에서,

   O '91.6.24일 제시된 던켈의장의 Option Paper도 기존의 각국입장을 재확인하는 여러가지의
   선택적 대안을 나열해 놓은 성격을 띠고 있다는 점에서

   O 조속한 Frame Work를 마련할 것을 요구하고 있는 캐언즈그룹 입장에서는 다소 미흡한
   것으로 평가할 것으로 예상되며 따라서 7.29일 개최예정인 TNC회의시까지 보다 진일보된
   협상대안 마련을 촉구할 것으로 전망됨

2) 협상의 조속한 타결을 전제로 할때 하반기 협상은 보다 실질적이고 진전 가능한 고위급
   회의를 포함한 집중적인 협상추진이 요구됨. 캐언즈그룹으로서는 특히 EC와 일본등
   수입국이 입장변화에 중점을 둔 보다 강경한 입장표명도 배제할 수 없음. 그러나

0014

현실적으로 협상을 조속히 타결하기 위해서는 미국과 EC의 태도변화, 수입국의 국내 정치적인 어려움 인정, GATT 11조2항(C)개정, 수출보조감축에 있어서의 형평성 문제, 개도국 우대방안등에 대한 케언즈그룹 내부의 의견대립등 여러가지 여건이 충분히 고려되어야 할것인바 이러한 문제를 어떻게 인식하느냐의 여부가 향후 케언즈그룹의 대책방향에 상당한 영향을 주게 될 것으로 보임

3) 따라서 금차회의는 하반기 케언즈그룹이 UR농산물협상에 어떻게 대처할 것인가에 대한 기본방향을 결정짓는 중요한 의미를 가지는 것으로 이해됨

2. UR농산물 협상에서의 아국과의 관계

O 농산물교역의 완전자유화를 주장하고 있는 케언즈그룹 입장은 농업구조가 취약하고 식량안보등 NTC를 강조하고 있는 아국과 상당 부분에 있어서 입장을 달리하고 있음

0015

〈 UR 농산물협상 주요의제별 입장비교 〉

가. 의견대립 분야

분 야 별	케언즈그룹 입장	아 국 입 장
A. 정치적쟁점		
(1) 기준연도	O 국내보조 : 1988 O 수출보조 : '87-'89평균	O 1986년 (소극적 대응) 또는 최근연도
(2) 이행기간 및 감축폭	O 국내보조 : 10년간 75% O 시장개방 : 모든품목의 관세화, TE의 10년간 무역액 가중평균 75% 감축, 이행기간후 50%의 상한설정 O 수출보조 : 10년간 90%감축	O 10년간 30% O 식량안보 대상품목 및 11조2항(C) 적용품목의 관세화 제외, 관세화대상품목은 T.E를 10년간 30% 감축 O 수출보조의 대폭감축
B. 기술적쟁점		
(1) 국내보조		
가)허용또는 감축대상정책 분류방법	O Amber First	O Green First
나)분류기준	O 생산 및 무역효과를 기준으로 엄격히 분류	O 지원정책의 효과나 정책목표를 기준으로 조건완화
다)AMS활용	O 특정정책 + AMS - 생산통제효과 반영배제	O AMS 생산통제효과 고려
라)규범제정	O 감축약속을 GATT에 양허하고 의무위반시 상계조치 허용	O 농업의 특수성 반영
(2) 시장접근		
가)관세화대상 품목 범위	O 모든 비관세 조치품목 - 예외불인정	O GATT 11조2항(C) 적용품목, 식량안보 대상품목은 관세화 대상에서 제외 - 항구적인 조치로 인정

0016

분 야 별	케언즈그룹 입장	아 국 입 장
나)특별 Safeguard	O 관세화 대상품목에 한하여 이행기간만 운용	O 항구적인 조치로서 농업에 대한 특별 Safeguard설정
다)최소시장접근 보장	O T.E에 상한을 설정하고 일정수준 이하 수입허용품목에 대하여는 국내소비량의 5% 최소시장접근허용	O T.E의 상한설정 반대, 쌀을 제외 하고는 일정수준의 T.Q허용
라)관세협상	O 모든 품목의 GATT 양허 현행관세의 75% 인하	O R/O방식등에 의해 신축적으로 양허
마)규정개정	O 수량규제 조항 폐지	O GATT 11조2항(C) 개선조치 O 식량안보에 관한 GATT 규정 신설
(3) 수출경쟁		
가)감축대상 수출보조정의	O 보조금, 상계관세협정 수용	O 현행 GATT 16조3항하에 감축원칙 설정
나)수출보조 감축방법	O 총재정지출+보조된 수출량+단위당 수출지원액 동시 감축	O 케언즈그룹 입장과 동일

나. 상호 보완가능한 분야

(1) 개도국우대

　　O 감축폭의 축소조정, 장기이행기간 부여, 기타 국내보조의 허용정책 확대등(케언즈그룹 국가중 개도국 입장강화)

(2) 수출보조 감축

　　O 단위당 수출지원액 감축방법의 사용으로 수출보조 감축약속의 확실한 이행 보장수단 확보

　　O 수출보조가 없는 국가에 대한 일정수준의 수출보조 허용(일부 케언즈국가)

0017

3. 케언즈그룹 각료회의 참가대책

가. 기본대책

○ 옵저버 참가국임을 감안 공식회의 및 기타 Social Occasion에 참석

1) 가능한한 다음요지의 아국입장을 개진토록 하고, 다각적인 이해와 설득의 기회로 활용

2) 케언즈그룹 각국별(특히 선.개도국간) 협상의제별 입장과 그배경, 던켈의장의 Option Paper에 대한 평가동향, 향후 협상전망을 어떻게 분석하고 있는지등에 관한 정보의 수집과 분석에 주력

나. 아국입장의 개진방향

1) 던켈의장의 Option Paper에 대한 평가

○ 그동안 협상과는 달리 금년들어 개최된 UR 농산물협상은 각국입장을 예단하지 않는채 협상의 실질적인 문제에 대한 여러대안을 충분히 토론하였으며 정치적인 어려움뿐만 아니라 기술적인 여러가지 어려운 문제들을 충분히 인식

○ 던켈 Option Paper는 이러한 현실적인 관점에서 각국입장을 일단 균형되게 다루려고 노력하였으며 주요한 문제를 광범위하게 포괄하였다는 점에서 긍정적으로 평가

2) UR농산물협상 추진방향과 고려사항

○ UR농산물협상의 조속한 타결 필요성을 공감

○ 향후 협상은 푼타 델 에스테 선언에서 합의한 4년이라는 협상시한을 지키지 못했던 원인의 반성에서 출발해야 함

0018

- 협상결과는 장기적으로 세계 농산물시장의 재편을 의미. 그러나 현실적으로
  각국의 농업구조와 발전수준이 다르고 농업정책 수행이 정치적으로 민감한
  분야라는 점을 감안 단계적으로 농업개혁 목표를 달성해 나가는 방안모색이 중요
- 협상목표 수준설정, 이행방안을 마련하는데 있어서 이러한 현실적인 문제에 대한
  공감대 형성이 선행될 필요

0 그러한 관점에서 선.개도국이 모두 참여하고 있는 케언즈그룹의 역할이 중요하며,
  특히 협상결과의 이익을 모든국가가 고르게 향유하도록 하는 균형된 접근방법을
  모색하여 줄것을 요망

0 한국은 농산물 수입개도국으로서 어느 국가보다도 농산물 수입의존도가 높고 세계
  농산물교역시장에 기여하는바가 큼. 더불어 지속적인 시장개방 조치를 취해오고
  있으며 앞으로도 UR협상결과를 수용, 개방의 폭을 늘려나가게 될것임

0 그러나 여러 수출국과는 달리 비록 농업구조는 영세하나 농업이 차지하는 경제적,정치,
  사회적 비중이 아직도 막중하고 농업의 구조를 개선하는데 있어서도 아직은 초기
  단계로서 막대한 재정투자와 상당한 시일이 소요될수 밖에 없는 단계임. 아울러
  식량 수입국이 항상 염려하고 있는 식량안보문제는 국민적 공감대가 형성되어 있고
  정치적으로도 민감한 문제로서 농업개혁의 체계속에서 전체수준의 개방의 폭은 확대될
  것이므로 최소한 유지해야할 식량안보 문제는 충분히 고려할 수 있을 것임

0019

O 또한 개도국우대 문제와 관련, 특히 국내보조분야에 있어서 충분한 개도국우대 조치가 허용되어야 할 것임. 개도국농업 개발이라는 것은 정부재정 지원과 직결되는 문제로서 재정지원의 효과는 상당부분이 어떠한 형태로든 생산과 무역에 영향을 주게됨. 협상에서의 균형이라는 관점은 정태적으로 볼수 없는 것이며 동태적이고 역사적인 관점에서 농업의 발전수준에 균형을 이루어야 함. UR협상결과가 정말로 개도국 농업경제에 이익이 되도록 하려면 감축폭이나 이행기간에서 우대를 해야함을 물론, 효과기준이 아닌 정책목표 기준의 지원정책이 허용되어야 할 것임

3) 기타 주요 비공식접촉을 통한 아국입장 개진과 이해제고
    O 농산물 교역확대를 위한 아국의 기본입장과 추진실적을 설명하여 이해제고
        - 그동안의 추진실적, '92-'94수입자유화 예시계획 수립등 시장개방 추진현황과 계획
        - 관세인하 실적등
    O 쌀등 식량안보 대상품목의 관세화 예외인정 필요성과 UR농산물협상에서의 신축적인 입장
        - '91. 1. 9 대외협력위원회 결정사항과 입장
        - '91. 6.17 주요국 비공식회의시 식량안보에 관한 제안서
    O 긴밀한 상호이해와 협조기반 마련
        - GATT 11조2항(C) 개선존치(카나다)
        - 개도국우대의 실질적 반영방안(중남미 국가와 아세안 국가)
        - 수출보조의 대폭적인 감축과 확실한 이행보장수단(아국입장 강화의 지렛대로 활용)

0020

케언즈그룹 각료회의 Statement(안)

1. 케언즈그룹 각료회의에 참석하게 된것을 대단히 기쁘게 생각하며 UR농산물협상이 한차원 높은 토의단계로 전환하는 중요한 시점에서 개최되는 이 케언즈그룹 각료회의에 한국정부를 옵저버로 초청해준 브라질정부와 케언즈그룹 회원국 여러분께 사의를 표함

2. UR농산물협상의 결과는 궁극적으로 세계농산물 시장의 재편을 의미함. 그러나 현실적으로 각국의 농업구조와 발전수준이 다르고 농업정책 수행이 정치적으로 민감한 분야라는 점을 감안, 첫째로 농업개혁 목표를 단계적으로 달성해 나가는 방안모색이 중요하며, 둘째로 협상 목표수준과 이행방안을 마련하는데 있어서 제기되고 있는 여러가지의 현실적인 문제를 모든국가가 같이 인식해 나가는것이 필요함. 세째는 농업개혁은 어디까지나 각국이 지향하는 다양한 목표수준을 공통적으로 포괄 시킬 수 있는, 즉 균형된 이익이 보장되는 방향으로 모색되어야 할 것이라는 것임)

3. 이러한 관점에서 그동안의 협상과는 달리 금년들어 추진해온 UR농산물협상 주요국 비공식 회의에서는 각국의 입장을 예단하지 않은채 위와같은 협상의 실질적인 문제에 대한 여러 대안을 충분히 검토하였으며 이러한 과정을 통하여 정치적 어려움뿐만 아니라 기술적인 여러가지 어려운 문제를 충분히 인식할 수 있었고 향후 협상진전의 공감대를 형성할 수 있는 기초를 마련하는 성과가 있었다고 봄

0021

4. 지난 6.24일 제시된 던켈의장의 Option은 이러한 어려운 현실적인 문제를 고려, 각국입장을 일단 균형되게 다루려고 노력한 것으로 평가하며 ~~부분적으로 미흡한 점을 지적할 수도 있겠지만~~ 주요한 문제를 광범위하게 포괄 하였다는 점에서 이 Option Paper는 향후 협상진전의 지침이 될 수 있을 것으로 기대함

5. 협상의 조속한 타결을 전제할때 앞으로의 협상은 첫번째, 모든국가가 수용가능하고 현실적으로 이행가능한 방향으로 상호간의 입장을 신축적으로 조정해 나갈 필요가 있고, 둘째는 실무급회의뿐만 아니라 고위 정치적 결정자급 회의를 보다 집중적으로 개최하여 쟁점이 되고 있는 대안들을 수렴해 나갈 필요가 있음. 이러한 방향으로 하반기 협상이 추진되도록 각국 정부의 깊은 관심과 지원이 있어야 할 것임

6. (이와관련) 한국은 이미 지난1월15일 TNC회의에서 밝힌바와 같이 국내농업의 어려운 여건에도 불구하고 세계 농산물 교역질서 개편이라는 협상목적에 부응해 나가기 위하여 농산물협상에 보다더 신축적인 자세로 참여할 의사가 있음을 밝힌바 있음

  0 한국은 농산물 수입개도국으로서 어느 국가보다도 농산물 수입의존도가 높고 세계 농산물 교역시장에 기여하는바가 큼. 더불어 지속적인 시장개방 조치를 취해오고 있으며 앞으로도 UR협상결과를 수용, 개방의 폭을 늘려나가게 될 것임

7. 다만, 이 기회를 빌어 앞으로의 협상에서 협상결과의 이익균형이라는 관점에서 고려될 필요가 있는 2가지 관심사항을 언급코자 함

  0 첫번째는, 농산물 수입국의 주요 관심사항인 식량안보등 농업의 비교역적인 기능임.
     특히 식량수입국이 항상 염려하고 있는 식량안보 문제는 역사적 경험에 입각한

0022

국민적 공감대가 형성되어 있고 정치적으로도 민감한 문제로서 농업개혁의
체제속에서 전체수준의 개방의 폭은 확대될 것이므로 최소한 수입국이 유지코자
하는 식량안보 문제는 충분히 고려 할 수 있을 것임

0 두번째는, 개도국우대 문제임. 개도국우대 조치는 개도국 관심품목의 개방확대도
고려되어야 하겠지만 특히 국내보조 분야에 있어서 충분한 개도국우대 조치가
허용되어야 할 것임. 협상에서의 균형이라는 관점은 정태적으로 볼수 없는
것이며 동태적이고 역사적인 관점에서 농업의 발전수준에 균형을 이루어야 함.
UR협상 결과가 정말로 개도국 농업경제에 이익이 되도록 하려면 감축폭이나
이행기간에서 우대를 해야함을 물론, 효과기준이 아닌 정책목표 기준의 지원
정책이 허용되어야 할 것임

8. 그동안 논의과정에서 확인된바와 같이 UR농산물협상은 매우 어려운 협상과정임에는 틀림이
없슴. 반면에 반드시 성공적인 결과를 이루어야 한다는 것도 모두가 바라는 바임
따라서 이제는 모든 참여국가가 서로간의 입장을 이해하고 보다더 문제해결 방안에 접근해
나간다는 자세가 중요한 시점임. 이러한 관점에서 UR농산물협상에서의 케언즈그룹의
역할은 지대하며, 금번 케언즈그룹 각료회의가 이러한 방향으로 협상분위기를 전환시키는데
결정적인 계기를 이룰수 있기를 기대함. 마지막으로 거듭 이 중요하고 의미있는 회의에
한국을 초청해 준데 감사드리며, 앞으로도 긴밀한 유대가 지속 되기를 희망함

TO: 통상기구과 송 봉현사무관
  - 농림수산부 국제협력담당관실

Statement by Korean Delegation(Draft)

1.   Mr.Chairman, Your Excellencies, Distinguished
Delegates,ladies and gentlemen, it is my great pleasure to
have an opportunity to participate in the Ministerial
meeting of Cairns group as an observer.   I'd like to
express deep-hearted thanks to Brasilian government and
members of Cairns group who invited Korea to the meeting
which is held in such a critical time.   I personally
believe this meeting will turn Uruguay Round into a new,
positive direction.

2.   As you are well aware of, the successful agricultural
negotiation in Uruguay Round will bring fair and market-
oriented trading system all over the world.   However,
considering that each country has is at differnt stage in
agricultural structure and development, and that agriculture
is so politically sensitive, a few thing should be reminded.
     Firstly, agricultural reform should be pursued in a
gradual manner.   Many countries will raise objections to too
rapid reform.   Secondly, every participating country should
recognize difficulties in reality of reforming agriculture
into a market-oriented trade regime.   I think the last 5
years' bitter experiences in Geneva including Ministerial
meeting in Brussel gave us enough lessons in that respect.
Thirdly, agricultural reform process should be dirercted
towards incorporating various policy goals of different
countries impartially.   Due consideration should be paid
not only to exporting countries' but also to importing
countries'interests.

3.   The technical consultations held since March has been
somewhat successful as various options are discussed without
prejudice to a specific country's position, and through the
process participating countries had an opportunity to confirm
technical difficulties and political differences.

4.   The options paper distributed by Mr. Dunkel tried hard to
reflect differnt views by presenting several options in each
issue.   His efforts should be appreciated in that regard.

5.   Korea has already made it clear in the TNC meeting on
January 15, 1991 that Korea would be more flexible in
negotiation to contribute the long term objective of the
agricultural negotiation to establish a fair and market-
oriented trading system despite many domestic obstacles.
Looking at the food self-sufficiency Korea is a developing
country which imports agricultural products more than any

0024

other one.   Since 1989, Korea continuously has opened her
market, and we promise that trend will continue in
accordance with Uruguay Round reduction commitments.

6.   However, I want to mention a couple of our concerns as a
net food importing country to reach a settlement about
controversial issues.
        Firstly, the appropriate treatment of food security and
other non-trade concerns is an integral part of the
successful conclusion of the negotiations.   Every country is
entitled to maintain a minimum level of agriculture for food
security reasons.   History tells us the importance of food
security in an unexpected situations such as natural
disasters.   Secondly, for developing countries Special and
Differential treatment should be given, and Special and
Differential treatment have to be considered in internal
support as well as border protection.   Lesser reduction
commitment and a larger reform period than developed
countries should be allowed.   Furthermore, some exceptions
based upon qualitative criteria rather than effect-related
should also be permitted.

7.   The last 5 years has shown us without doubt that the
agricultural negotiation is not such an easy task.   At the
same time every participating country fully understand the
successful Uruguay Round is inevitable to build fair and
market-oriented agricultural trading system.   As Cairns
group is one of the dominant players in the negotiation, we
expect the meeting will bring a new momentum to the whole
negotiation.   Once again I sincerely thank you for inviting
us to this important and meaningful meeting and hope the
close relationship between us will continue in future.
        Thank you, Mr. Chairman.

0025

UR(우루과이라운드) Cairns(케언즈) 그룹 각료회의 옵서버 참석 검토, 1991 147

	분류번호	보존기간

발 신 전 보

번 호 : WBR-0289   910702 1846 ED   종별 :

수 신 : 주   브라질   대사·총영사 (사본 : 주 제네바 대사)   WGV-0855

발 신 : 장 관 (통 기)

제 목 : 케언즈그룹 각료회의

대 : BRW-486

1. 대호 2항 개회식때 아측도 기조연설을 ~~본부에서 준비중에~~ 있는 바, 귀지 주재 미국, EC, 일본 대사관을 접촉, 동국(특히, 일본) 옵서버들이 기조 연설을 할 예정인지 파악 보고바람.

2. 최용규 농림수산부 국제협력담당관(Choi Yong Kyu, Director, International Cooperation Div., MAFF)이 귀직을 보좌하기 아래와 같이 귀지 출장하니 귀직 투숙 호텔에 싱글 1실 예약하고, 호텔명 및 전화번호 보고바람.

    가. '마나우스' 도착 : 7. 7(일) 13:30 (RG 204)

    나. '마나우스' 출발 : 7.11(목) 14:30 (RG 204).   끝.

(통상국장 김삼훈)

앙고재	91년6월2일	통상기획과	기안자 송병현	과장 심의관	국장 전결요망	차관 장관	보안통제	외신과통제

0026

외 무 부

종 별 : 지급
번 호 : BRW-0494   일 시 : 91 0703 1700
수 신 : 장 관(통기)
발 신 : 주 브라질 대사
제 목 : 케인즈 그룹 각료회의

대: WBR-0289
1. 대호건 당지 해당공관에 문의한 결과 7.3 현재 반응 아래 보고함.
가. 일본
일본측은 표제회의에 업서버를 파견치 않기로 하고 당지 주 마나우스 총영사가
회의관련 자료수집만 한다함.
난. 미국
대사관측에서 참석치 않음은 물론 워싱본에서도 참석하지 않는것으로 알고있다함.
다.EC 측은 본부로 부터 훈령을 받은바 없으며 브라질 정부의 참석초청은 받았으나
당지 사정상 참석치 않는다함.
2. 본건 본부방침 회시바람.
3. 본직및 최용규 담당관은 회의 개최장인 HOTEL TROPICAL 에
예약하였음.(전화:(092) 238-5757))
끝
(대사 김기수-국장)
예고:91.12.31. 까지

인반문서로 재분류(1991 . 12. 31.)

통상국

PAGE 1   91.07.04   06:32
                                                    외신 2과 통제관 CH
                                                    0027

	분류번호	보존기간

발 신 전 보

번   호 : WJA-3002   910704 1019 FN 종별 : 긴급

WEC -0365

수   신 : 주 일본, EC   대사 · 총영사

발   신 : 장 관 (통 기)

제   목 : 케언즈그룹 각료회의

일반문서로 재분류(1991 . 12. 31.)

1. 케언즈그룹(호주, 카나다등 14개 농산물 수출국으로 구성) 각료회의가 7.8-10

    브라질 마나우스에서 개최되어 6.24. 던켈 갓트 사무총장이 제시한 농산물 협상에

    대한 대안문서(option paper)에 관해 협의 예정임.

    상기회의에 미국, 일본, EC, 폴란드등이 옵서버로 초청 받아 참가 의사를 표명 하였으며, 아국도

2. 아국은 농산물 협상에 대한 관심표명을 위해 아국의 상기 각료회의 옵서버 참가를

    어느 국가에 이의 동의와 참가에 관심을 표명, 브라질 측으로 부터 옵서버 초청을 받음.

    추진, 주최국인 브라질은 아국을 옵서버로 초청함.

3. 한편 7.3. 주 브라질 대사 보고에 의하면 ~~옵서버로 초청한~~ 일본의 경우 옵서버는

    파견치 않고 주 마나우스 총영사관으로 하여금 회의 관련 자료만 수집케 할

    예정이고, EC의 경우 참가 여부에 대한 본부의 별도 지시가 없으며 또한 현지

    사정상 동 대표부에서도 참석치 못할 것이라 함.

4. 상기 관련, 아국의 옵서버 참가 여부 결정에 참고코자 하니 귀주재국이 상기

    각료회의에 본부 또는 현지 대사관 관계관의 옵서버 참가를 계획하고 있는지

    긴급 파악, 보고바람.   끝.   (통상국장   김 삼 훈)

제2차관보 : 2

앙고 재	91 년 월 일 통상 기구 과	기안자 농병헌		과 장	심의관	국 장 전결		차 관	장 관		보안통제	외신과통제

0028

발 신 전 보

번   호 : WGV-0857   910704 1020   FN   종별 : 긴급

수   신 : 주   제네바   대사·총영사

발   신 : 장   관 (통   기)

제   목 : 케언즈그룹 각료회의

1. 표제회의 관련, 관계국가의 옵서버 파견 현황을 주 브라질 대사를 통해 확인한

   바는 아래임.

   ○ 일본 : 옵서버를 파견치 않고 주 마나우스 총영관이 자료 수집만 함.

   ○ 미국 : 현지 대사관에서 참석치 않으며, 본부로부터도 참석 통보 없음.

   ○ E C : 브라질 정부의 참석 초청은 받았으나 현지 사정상 불참함.

2. 귀지 관계국 대표부를 통해 표제 회의 옵서버 파견 관계를 긴급 확인 보고바람.

                                    끝.   (통상국장   김 삼 훈)

제 2차관보 :

앙 고 재	91년 7월 4일 통상 기획 과	기안자 송병헌	과 장	국 장		차 관	장 관	보안통제	외신과통제

0029

전 언 통 신 문

통기 20644-310-60

1991. 7. 4.

수신　농림수산부장관

참조　농업협력통상관

제목　케언즈그룹 각료회의

　　　1.　표제회의에 대한 아국의 참가는 당초 일본, EC등 주요국가가 옵서버 대표단을 파견할 경우 아국도 옵서버로 참가하여 UR 농산물 협상에 대한 아국의 관심도를 표시한다는 차원에서 추진된 것인바, ~~미국~~, EC, 일본이 옵서버를 파견치 않으면 아국도 동 회의에 참가치 않는 것이 좋을 것으로 사료됩니다.

　　　2.　이에따라 당부는 주 브라질 대사의 옵서버 참가 계획을 취소키로 하였으니 귀부 국제협력담당관의 동 회의 출장 계획과 관련하여 참고하시기 바랍니다.　　　끝.

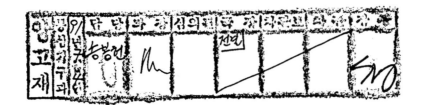

0030

관리 91/
번호 /464

외 무 부

종 별 : 긴 급

번 호 : JAW-3954   일 시 : 91 0704 1453

수 신 : 장관(봉기,아일)

발 신 : 주 일 대사(경제)

제 목 : 케언즈그룹 각료회의

대: WJA-3002

대호, 외무성 담당과에 확인한 결과, 일측으로서는 케언즈 그룹의 입장은 이미 잘알고 있으므로, 상기 회의에 옵서버 참석은 하지 않고, 대신 주마나우스 총영사관에서 정보 및 자료수집등만 하는 선에서 대처한다고 함. 끝

(공사 이한춘-국장)

예고:원본접수처:91.12.31. 일반
사본접수처:91.12.31. 파기

일반문서로 재분류(1991 . 12 . 31 .)

통상국   차관   1차보   2차보   아주국

외　무　부

종　별 : 지　급

번　호 : GVW-1248

일　시 : 91 0704 1200

수　신 : 장관(봉기, 농림수산부)

발　신 : 주 제네바 대사

제　목 : 케언즈그룹 각료회의

대: WGV-0857

1. 대호 표제회의 옵서버 파견관련 당지 관련국 대표부에 확인한바는 아래와 같음.

0 미국: 미국 농무성 FAS(FOREIGN AGRICULTURAL SERVICE)의 SCHROETHER 부처장이 참석 예정임

0 일본: 본국 대표는 파견치 않으며 주브라질대사관 또는 주마나우스 총영사관에서 참석하는 것으로 알고 있으나 참석자의 직급은 모르고 있음.

0 이씨: 본부대표는 파견치 않으며 , 현지 공관직원의 참석여부는 아직 모르고 있음

2. 표제회의 옵서버 파견에 관한 관련국들의 상기 정황에 비추어 아국으로서도 본부대표는 파견치 않고, 다른 옵서버국의 대표수준에 따라 현지에서 적의 참석토록 하는것이 좋을것으로 사료됨. 끝

(대사 박수길-국장)

예고:91.12.31. 까지

일반문서로 재분류(1991 . 12. 31.)

통상국　　2차보　　농수부

91.07.05　　04:42
외신 2과 통제관 DO

0032

관리 번호	91/469

외 무 부

종 별 : 긴 급

번 호 : ECW-0555

일 시 : 91 0705 1730

수 신 : 장관 (봉기)

발 신 : 주 EC 대사

제 목 : 케언즈그룹 각료회의

대: WEC-0365

대호 DG-1 (대외총국) 및 DG-6(농업총국) UR 담당관에 확인한바, EC 는 7.8-10 브라질에서 개최되는 케언즈그룹 각료회의에 본부 또는 현지대표부 관계관의 옵서버 참석을 계획하지 않고 있다 함. 끝

(대사 권동만-국장)

예고: 91.12.31. 까지

일반문서로 재분류(1991 . 12 . 31 .)

통상국   차관   1차보   2차보

91.07.06   03:37

외신 2과 통제관 FI

0033

분류번호	보존기간

발 신 전 보

번 호 : WGV-0861   910705 0936   FN   종별 :

수 신 : 주   제네바   대사 · 총영사

발 신 : 장 관 (통 기)

제 목 : 케언즈그룹 각료회의

일반문서로 재분류(1991 . 12 . 31 .)

대 : GVW-1248

1. 표제회의에 대한 아국의 옵서버 참석은 당초 일본, EC등 주요국가가 대사급의
   옵서버를 파견할 것으로 알려짐에 따라 UR 농산물 협상의 중요성을 감안 아국도
   이에 상응하는 관심을 표시한다는 차원에서 추진된 것임.

2. 케언즈그룹 각료회의에 아국이 최초로 옵서버로 초청된 것은 의미있는 성과로
   평가된바, 금번 회의에 일본, EC등이 케언즈그룹과의 입장 차이와 회의 장소의
   지리적 원격성등을 고려 정식 옵서버로 참석치 않기로 하였음에 비추어, 아국도
   금번에는 일단 회의 참가 초청을 받아 농산물 협상에 대한 아국의 관심을 인정
   받았다는 점에 만족하고, 대표단은 파견치 ~~않는 것이 좋을 것으로 사료됨.~~ 않기로 하였음.

                                    제2라과장 이기주
                        끝.   (장관대리 유종하)

양고재	91년 7월 5일	통상직과	기안자	과 장	국 장	차 관	장 관	보안통제	외신과통제
			송봉헌	심의관	제2차관보				
				곽상희					

분류번호	보존기간

발 신 전 보

번 호 : WBR-0291   910705 0937 FN 종별 : 지급

수 신 : 주 브라질 대사·총영사 (사본 : 주 제네바 대사) WGV-0862

발 신 : 장 관 (통 기)

제 목 : 케언즈그룹 각료회의

일반문서로 재분류(1981. 12. 31.)

대 : BRW-494

연 : WBR-283

1. 표제회의에 대한 아국의 참가는 당초 일본, EC등 주요국가가 대사급의 정식 옵서버 대표단을 파견할 경우 아국도 귀직을 옵서버로 참가토록 하여 기조연설등을 통해 UR 농산물 협상에 대한 아국의 관심도를 표시한다는 차원에서 추진된 것인바, 대호 보고대로 일본, EC가 정식 옵서버 대표단을 파견치 않으면 아측도 동 회의에 참가하지 않는것이 좋을 것으로 사료됨.

2. 따라서 귀직은 브라질측에 아국을 옵서버로 초청해 준 데 대해 사의를 표하고 아측 사정상 금번 회의에는 옵서버 참가가 어려움을 통보바람.

3. 이와관련, 최용규 농림수산부 국제협력담당관도 출장을 취소하였으니 호텔 예약 취소등 필요 조치바람.   끝.   (장관대리 유 종 하)

앙고재	91년 7월 5일 통상국직과	기안자 농병헌	과 장 심의관	국 장 제과차관	차 관	장 관	보안통제	외신과통제

0035

전	F A X	전분번호:	1913

한사람이 지킨질서 모아지면 나라질서

농 림 수 산 부

국협20644-⫟⫟⫟   (503-7227)   1991.07.08.

수 신 외무부장관

참 조 통상국장

제 목 UR 농산물협상 케언즈그룹 각료회의 참석계획 변경

   1. 외무부 동기20644-31090(91.7.5)호와 관련임

   2. 91.7.8-9간 개최될 표제회의에 참석코자 하는 당부대표를 국협
20644-583(91.7.3)호로 추진한바 있으나, 관련호와 같이 현지 여건을 감안
실질적인 성과를 기대하기 이려울 것으로 판단되어 표제회의 대표 파견계획
을 취소코자하니 조치하여 주시기 바랍니다.

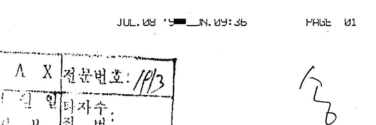

수 산 부 장

외 무 부

종 별 :

번 호 : GVW-1281

일 시 : 91 0710 1700

수 신 : 장관(통기), 경기원, 재무부, 농림수산부, 상공부)

발 신 : 주 제네바 대사

제 목 : UR/ 농산물, 케언즈 그룹 각료회의

1. 브라질에서 7.8-9 기간중 개최된 케언즈 그룹각료회의에서 채택된 선언문을 별첨 FAX송부함.

2. 동 선언문에서 케언즈 그룹은 시장접근분야에서는 예외없는 관세화, 국내 보조의상당폭 삭감, 수출 보조금의 장기적 철폐등을주장하고, 농산물 협상에서 상당한 성과가이루어지지 않으면 UR 협상 전체가 성공적으로 타결될 수 없다는 강한 입장을표명하였음.

첨부: 케언즈 그룹 각료회의 선언문 1부 (GVW(F)-243)

(대사 박수길-국장)

통상국   2차보   경기원   재무부   농수부   상공부

91.07.11   04:59 DF

외신 1과 통제관

0037

CAIRNS GROUP

Gvw(가)-243 107101700
Gvw-1281 외

COMMUNIQUE

MEETING OF CAIRNS GROUP MINISTERS*

MANAUS, BRAZIL, 9 JULY 1991

1. Ministers of the Cairns Group today expressed their deep
concern at the current lack of serious political engagement in
the Uruguay Round negotiations on agriculture. They stressed
once again their disappointment over the failure of the
Brussels Ministerial meeting intended to conclude the Uruguay
Round in December 1990.

2. Cairns Ministers called upon leaders of the major
industrialised countries at their forthcoming London Summit to
exert leadership by facing squarely the political decisions
necessary to fundamentally reform world agricultural production
and trade.

3. Since the Brussels conference agricultural trading tensions
between the major industrial exporters have continued to
intensify, especially through the uncontrolled and aggressive
use of export subsidies. The continuing damage to the
interests of Cairns Group countries caused by the failure of
the multilateral system to deal effectively with the trade
distorting impact of agricultural subsidies underlined the need
for urgent reform. Ministers noted that despite repeated
commitments to reduce support, total transfers to agriculture
by way of direct payments and consumer transfers in OECD
countries had increased by 12 per cent in 1990 to USD 299
billion.

4. Ministers noted that following the Brussels breakdown work
had resumed in Geneva in February this year and welcomed the
agreed objective of specific binding commitments to reduce
trade distorting domestic subsidies, access barriers and export
subsidies. Subsequent technical work has been useful and
should assist the negotiation of reform commitments.

---

* Ministers and representatives of the Cairns Group (Argentina,
Australia, Brazil, Canada, Chile, Colombia, Hungary, Indonesia,
Malaysia, New Zealand, the Philippines, Thailand and Uruguay)
met in Manaus, Brazil 8-9 July 1991. A delegation from the
Republic of Poland participated in the meeting as observers.
An observer from the United States attended the public sessions.

0038

2.

5. Ministers took note of the comprehensive exposition of
negotiating options in the paper recently prepared by GATT
Director-General, Arthur Dunkel, in his capacity as Chairman of
the agriculture negotiations. While welcoming Mr Dunkel's
efforts in focusing initially on achieving consensus on the
instruments to be used for reducing support and protection,
Ministers were concerned that many important political issues
remained to be tackled before even the structure of an outcome
could be settled. They therefore believed it was essential to
move the negotiations to the next important phase when
decisions could be taken on a common framework, with
transparent methodologies, within which to negotiate
substantial and progressive cuts in agricultural support and
protection. Addressing these decisions cannot again be left
until the eleventh hour.

6. Ministers expressed concern that if substantive
negotiations were not engaged as a matter of urgency it would
not be possible to bring the Round to an early successful
conclusion. The experience of 1990 demonstrated that it would
be simply unrealistic and counter-productive to expect complex
agriculture negotiations to be concluded in a few weeks in
order that countries could commit themselves to final results
in other important areas of the Round. In these circumstances
Summit leaders must instruct their negotiators to take the
necessary preparatory decisions at an early enough stage for
the Round to be brought to a successful conclusion.

7. Therefore Cairns Ministers urged Summit Heads of Government
to give new instructions to their negotiators and to commit
themselves, personally, to monitor progress and intercede as
necessary in order to ensure that much needed momentum is
created and maintained. The time is now past for a mere
repetition of good intentions, which regrettably had not been
fulfilled in the past. It is high time for substance to
substitute for words and for meaning to be given to commitments
by Governments to fulfill the objectives established when the
Uruguay Round was launched at Punta del Este in 1986, as
developed at the Mid-Term Review - "to establish a fair and
market oriented trading system"; to achieve the objective of
"progressive and substantial reductions in support and
protection"; and to establish "strengthened and more
operationally effective GATT rules and disciplines". Success
in achieving these objectives rested above all in the exercise
of political will in a liberalising direction by the leaders of
the G7 countries.

8. Cairns Ministers underlined their own continued
preparedness to play their part in advancing the negotiating
process across all areas of the Uruguay Round. On agriculture,
they remain ready to negotiate flexibly, as they have in the

0039

3.

past, and will support efforts to achieve an outcome as soon as possible, provided it is comprehensive in product coverage and equitable. The central concern for the Cairns Group is to secure an irreversible commitment to fundamental change in the policies affecting agricultural trade, paving the way towards the integration of agriculture with generally applicable GATT rules and disciplines.

9.   In the view of Cairns Group Ministers, an acceptable package on agriculture needs to encompass:

-   fundamental reinstrumentation of border protection and removal of country-specific exceptions through clean tariffication, accompanied by commitments to substantial reductions in tariffs and tariff equivalents, and access improvements. Tariffication should estbalish equivalent protection levels - any increase in border protection, such as through re-balancing, would be totally unacceptable

-   substantial annual reductions in trade and production distorting domestic subsidy programs

-   substantial annual reductions in export subsidisation, consistent with the long term goal of its elimination, and the strengthening of interim disciplines - to prevent circumvention of commitments, in particular with regard to food aid and concessional sales; to provide effective remedies from adverse effects of residual subsidisation; to effectively prohibit the extension of export subsidies to new products or markets; and to prohibit practices such as targetting.

-   disciplines on sanitary and phytosanitary measures which ensure that unjustified barriers are not maintained.

10. Additionally, the package must give due recognition to the position of developing countries, including on the one hand faster reduction in market access barriers on products of export interest to them and, on the other, lesser cuts on their access barriers and domestic subsidies over extended timeframes; and exclusion from reduction commitments of those rural and agricultural policies which are an integral part of their national development programs, including those to encourage eradication and diversification away from the growing of illicit narcotic crops.

11. Ministers recognised that much was at stake, over and above the right of competitive agricultural countries to a fair deal on world markets. Agricultural protectionism increasingly hindered economic development, the debt servicing capacity and employment opportunities in developing countries. A serious

0040

4.

consequence also is the pressure on efficient farmers to adopt
practices which are less sustainable environmentally to
compensate for low export returns, resulting in potential
ecological damage. Furthermore, recognition should be given to
the economic reform and market orientation steps put in place
by many developing countries and the economic transformation of
Central and Eastern European economies, which have been
encouraged by the industrialised world, and are seriously
threatened by the lack of fair market opportunities for their
products.

12. Additionally, a failure of the Uruguay Round would risk
continued erosion of the multilateral trading system, the
danger of trading blocs becoming inward looking and of an
intensified resort to unilateral measures to gain negotiating
leverage and thereby force concessions from negotiating
partners. Conversely, a successful Round would strengthen and
widen the multilateral system.

13. In reaffirming their commitment to bring the Uruguay Round
to a successful early conclusion, Ministers expressed the
strength of their resolve that the Round could not and would
not conclude, in whole or in part, without a substantial
outcome on agriculture.

14. In concluding, Ministers expressed their deep appreciation
to Minister Cabrera and the Brazilian Government for their
initiative in hosting the meeting and for the hospitality that
had been accorded to the Cairns Group.

8688G

0041

$\mathcal{K} - \mathcal{K}$

외 무 부

종 별 :

번 호 : BRW-0520

수 신 : 장관(총기)

발 신 : 주 브라질 대사

제 목 : 케인즈 그룹 각료회의

일 시 : 91 0711 1735

연: BRW-0486

주재국 마나우스에서 7.8-9 간 개최된 표제회의는 각국의 농산물 생산및 수출보조를 비난하고, 런던 개최 G-7 정상회의가 세계농산물 교역과 생산에 대한 근본적 개혁을 단행하는 정치적 결단을 내릴것을 촉구한것으로 알려졌는바, 이와관련 요지 아래 보고함.

1. 각국 대표발언

가. 브라질

자국의 비관세 장벽제거, 관세감축계획을 재확인하고 농산물 보조국의 수입농산물에 특별관세 부과법안 제정예정이라고 언급

나. 호주

90 년도 EC, 미국및 전세계의 보조금 증액을 지적, 비난

다. 우루과이

EC 의 쇠고기 수출보조 비난

라. 태국

92 년도 까지 UR 타결이 실패할 경우에 대비, 케인즈 그룹의 자체전략 수립필요성 언급

마. 카나다

카나다 농민들이 사상 처음으로 적자를 보게될것으로 예상한다고 언급

2. 선진국 보호주의 비난

가. 선진국들은 보호주의를 강화시켜 개도국의 발전여건을 해치고 있으며, 케인즈 그룹의 제의에 무관심하다고 지적하고 금번 런던 G-7 정상회의에서 세계 농산물 교역 자유화와 보조금 감소를 공약하라고 언급

통상국   차관   2차보

91.07.12   07:10
외신 2과 통제관 BS
0042

나. 90.12 월 UR 협상 교착이후, 미-EC 간의 농산물 무역전쟁등
국제농산물교역환경이 크게 악화되었다고 지적하고 UR 의 타결은 농산물 보조감축에
달려있다는 입장을 재확인함. 끝.

  (대사 김기수-국장)

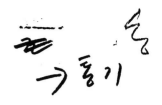

주 브 라 질 대 사 관

브대(경) 20644- 220   1991. 7. 11.

수신 : 장관

참조 : 통상국장

제목 : 케인즈 그룹 각료회의

        연 : BRW - 0520

        연호, 케인즈 그룹 각료회의 종료후 발표된 성명서를 별첨과 같이
숭부합니다.

        첨부 : 성명서 1부. 끝.

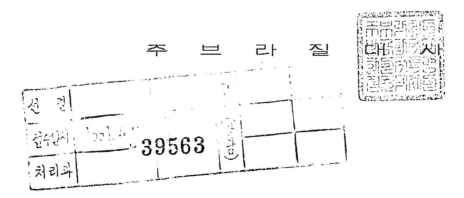

주 브 라 질

39563

0044

COMMUNIQUE   CB4883 1

MEETING OF CAIRNS GROUP MINISTERS*

MANAUS, BRAZIL, 9 JULY 1991

1. MINISTERS OF THE CAIRNS GROUP TODAY EXPRESSED THEIR DEEP CONCERN AT THE CURRENT LACK OF SERIOUS POLITICAL ENGAGEMENT IN THE URUGUAY ROUND NEGOTIATIONS ON AGRICULTURE. THEY STRESSED ONCE AGAIN THEIR DISAPPOINTMENT OVER THE FAILURE OF THE BRUSSELS MINISTERIAL MEETING INTENDED TO CONCLUDE THE URUGUAY ROUND IN DECEMBER 1990.

2. CAIRNS MINISTERS CALLED UPON LEADERS OF THE MAJOR INDUSTRIALISED COUNTRIES AT THEIR FORTHCOMING LONDON SUMMIT TO EXERT LEADERSHIP BY FACING SQUARELY THE POLITICAL DECISIONS NECESSARY TO FUNDAMENTALLY REFORM WORLD AGRICULTURAL PRODUCTION AND TRADE.

3. SINCE THE BRUSSELS CONFERENCE AGRICULTURAL TRADING TENSIONS BETWEEN THE MAJOR INDUSTRIAL EXPORTERS HAVE CONTINUED TO INTENSIFY, ESPECIALLY THROUGH THE UNCONTROLLED AND AGGRESSIVE USE OF EXPORT SUBSIDIES. THE CONTINUING DAMAGE TO THE INTERESTS OF CAIRNS GROUP COUNTRIES CAUSED BY THE FAILURE OF THE MULTILATERAL SYSTEM TO DEAL EFFECTIVELY WITH THE TRADE DISTORTING IMPACT OF AGRICULTURAL SUBSIDIES UNDERLINED THE NEED FOR URGENT REFORM. MINISTERS NOTED THAT DESPITE REPEATED COMMITMENTS TO REDUCE SUPPORT, TOTAL TRANSFER TO AGRICULTURE BY WAY OF DIRECT PAYMENTS AND CONSUMER TRANSFERS IN OECD COUNTRIES HAD INCREASED BY 12 PER CENT IN 1990 TO USD 299 BILLION.

4. MINISTERS NOTED THAT FOLLOWING THE BRUSSELS BREAKDOWN WORK HAD RESUMED IN GENEVA IN FEBRUARY THIS YEAR AND WELCOMED THE AGREED OBJECTIVE OF SPECIFIC BINDING COMMITMENTS TO REDUCE TRADE DISTORTING DOMESTIC SUBSIDIES, ACCESS BARRIERS AND EXPORT SUBSIDIES. SUBSEQUENT TECHNICAL WORK HAS BEEN USEFUL AND SHOULD ASSIST THE NEGOTIATION OF REFORM COMMITMENTS.

*MINISTERS AND REPRESENTATIVES OF THE CAIRNS GROUP (ARGENTINA, AUSTRALIA, BRAZIL, CANADA, CHILE, COLOMBIA, HUNGARY, INDONESIA, MALAYSIA, NEW ZEALAND, THE PHILIPPINES, THAILAND AND URUGUAY) MET IN MANAUS, BRAZIL, 8-9 JULY 1991. A DELEGATION FROM THE REPUBLIC OF POLAND PARTICIPATED IN THE MEETING AS OBSERVERS. AN OBSERVER FROM THE UNITED STATES ATTENDED THE PUBLIC SESSIONS.

0045

5. MINISTERS TOOK NOTE OF THE COMPREHENSIVE EXPOSITION OF
NEGOTIATING OPTIONS IN THE PAPER RECENTLY PREPARED BY GATT
DIRECTOR-GENERAL, ARTHUR DUNKEL, IN HIS CAPACITY AS CHAIRMAN OF
THE AGRICULTURE NEGOTIATIONS. WHILE WELCOMING MR DUNKEL'S
EFFORTS IN FOCUSSING INITIALLY ON ACHIEVING CONSENSUS ON THE
INSTRUMENTS TO BE USED FOR REDUCING SUPPORT AND PROTECTION,
MINISTERS WERE CONCERNED THAT MANY IMPORTANT POLITICAL ISSUES
REMAINED TO BE TACKLED BEFORE EVEN THE STRUCTURE OF AN OUTCOME
COULD BE SETTLED. THEY THEREFORE BELIEVED IT WAS ESSENTIAL TO
MOVE THE NEGOTIATIONS TO THE NEXT IMPORTANT PHASE WHEN
DECISIONS COULD BE TAKEN ON A COMMON FRAMEWORK, WITH
TRANSPARENT METHODOLOGIES, WITHIN WHICH TO NEGOTIATE
SUBSTANTIAL AND PROGRESSIVE CUTS IN AGRICULTURAL SUPPORT AND
PROTECTION. ADDRESSING THESE DECISIONS CANNOT AGAIN BE LEFT
UNTIL THE ELEVENTH HOUR.

6. MINISTERS EXPRESSED CONCERN THAT IF SUBSTANTIVE
NEGOTIATIONS WERE NOT ENGAGED AS A MATTER OF URGENCY IT WOULD
NOT BE POSSIBLE TO BRING THE ROUND TO AN EARLY SUCCESSFUL
CONCLUSION. THE EXPERIENCE OF 1990 DEMONSTRATED THAT IT WOULD
BE SIMPLY UNREALISTIC AND COUNTER-PRODUCTIVE TO EXPECT COMPLEX
AGRICULTURE NEGOTIATIONS TO BE CONCLUDED IN A FEW WEEKS IN
ORDER THAT COUNTRIES COULD COMMIT THEMSELVES TO FINAL RESULTS
IN OTHER IMPORTANT AREAS OF THE ROUND. IN THESE CIRCUMSTANCES
SUMMIT LEADERS MUST INSTRUCT THEIR NEGOTIATORS TO TAKE THE
NECESSARY PREPARATORY DECISIONS AT AN EARLY ENOUGH STAGE FOR
THE ROUND TO BE BROUGHT TO A SUCCESSFUL CONCLUSION.

7. THEREFORE CAIRNS MINISTERS URGED SUMMIT HEADS OF GOVERNMENT
TO GIVE NEW INSTRUCTIONS TO THEIR NEGOTIATORS AND TO COMMIT
THEMSELVES, PERSONALLY, TO MONITOR PROGRESS AND INTERCEDE AS
NECESSARY IN ORDER TO ENSURE THAT MUCH NEEDED MOMENTUM IS
CREATED AND MAINTAINED. THE TIME IS NOW PAST FOR A MERE
REPETITION OF GOOD INTENTIONS, WHICH REGRETTABLY HAD NOT BEEN
FULFILLED IN THE PAST. IT IS HIGH TIME FOR SUBSTANCE TO
SUBSTITUTE FOR WORDS AND FOR MEANING TO BE GIVEN TO COMMITMENTS
BY GOVERNMENTS TO FULFILL THE OBJECTIVES ESTABLISHED WHEN THE
URUGUAY ROUND WAS LAUNCHED AT PUNTA DEL ESTE IN 1986, AS
DEVELOPED AT THE MID-TERM REVIEW - 'TO ESTABLISH A FAIR AND
MARKET ORIENTED TRADING SYSTEM'; TO ACHIEVE THE OBJECTIVE OF
'PROGRESSIVE AND SUBSTANTIAL REDUCTIONS IN SUPPORT AND
PROTECTION'; AND TO ESTABLISH 'STRENGTHENED AND MORE
OPERATIONALLY EFFECTIVE GATT RULES AND DISCIPLINES'. SUCCESS
IN ACHIEVING THESE OBJECTIVES RESTED ABOVE ALL IN THE EXERCISE
OF POLITICAL WILL IN A LIBERALISING DIRECTION BY THE LEADERS OF
THE G7 COUNTRIES.

8. CAIRNS MINISTERS UNDERLINED THEIR OWN CONTINUED
PREPAREDNESS TO PLAY THEIR PART IN ADVANCING THE NEGOTIATING
PROCESS ACROSS ALL AREAS OF THE URUGUAY ROUND. ON AGRICULTURE,
THEY REMAIN READY TO NEGOTIATE FLEXIBLY, AS THEY HAVE IN THE
PAST, AND WILL SUPPORT EFFORTS TO ACHIEVE AN OUTCOME AS SOON AS
POSSIBLE, PROVIDED IT IS COMPREHENSIVE IN PRODUCT COVERAGE AND
EQUITABLE. THE CENTRAL CONCERN FOR THE CAIRNS GROUP IS TO
SECURE AN IRREVERSIBLE COMMITMENT TO FUNDAMENTAL CHANGE IN THE
POLICIES AFFECTING AGRICULTURAL TRADE, PAVING THE WAY TOWARDS
THE INTEGRATION OF AGRICULTURE WITH GENERALLY APPLICABLE GATT
RULES AND DISCIPLINES.

CB4883 2

0046

CB4883 3

9. IN THE VIEW OF CAIRNS GROUP MINISTERS, AN ACCEPTABLE PACKAGE ON AGRICULTURE NEEDS TO ENCOMPASS:

- FUNDAMENTAL REINSTRUMENTATION OF BORDER PROTECTION AND REMOVAL OF COUNTRY-SPECIFIC EXCEPTIONS THROUGH CLEAN TARIFFICATION, ACCOMPANIED BY COMMITMENTS TO SUBSTANTIAL REDUCTIONS IN TARIFFS AND TARIFF EQUIVALENTS, AND ACCESS IMPROVEMENTS. TARIFFICATION, SHOULD ESTABLISH EQUIVALENT PROTECTION LEVELS - ANY INCREASE IN BORDER PROTECTION, SUCH AS THROUGH RE-BALANCING, WOULD BE TOTALLY UNACCEPTABLE

- SUBSTANTIAL ANNUAL REDUCTIONS IN TRADE AND PRODUCTION DISTORTING DOMESTIC SUBSIDY PROGRAMS

- SUBSTANTIAL ANNUAL REDUCTIONS IN EXPORT SUBSIDISATION, CONSISTENT WITH THE LONG TERM GOAL OF ITS ELIMINATION, AND THE STRENGTHENING OF INTERIM DISCIPLINES - TO PREVENT CIRCUMVENTION OF COMMITMENTS, IN PARTICULAR WITH REGARD TO FOOD AID AND CONCESSIONAL SALES; TO PROVIDE EFFECTIVE REMEDIES FROM ADVERSE EFFECTS OF RESIDUAL SUBSIDISATION; TO EFFECTIVELY PROHIBIT THE EXTENSION OF EXPORT SUBSIDIES TO NEW PRODUCTS OR MARKETS; AND TO PROHIBIT PRACTICES SUCH AS TARGETTING.

- DISCIPLINES ON SANITARY AND PHYTOSANITARY MEASURES WHICH ENSURE THAT UNJUSTIFIED BARRIERS ARE NOT MAINTAINED.

10. ADDITIONALLY, THE PACKAGE MUST GIVE DUE RECOGNITION TO THE POSITION OF DEVELOPING COUNTRIES, INCLUDING ON THE ONE HAND FASTER REDUCTION IN MARKET ACCESS BARRIERS ON PRODUCTS OF EXPORT INTEREST TO THEM AND, ON THE OTHER, LESSER CUTS ON THEIR ACCESS BARRIERS AND DOMESTIC SUBSIDIES OVER EXTENDED TIMEFRAMES; AND EXCLUSION FROM REDUCTION COMMITMENTS OF THOSE RURAL AND AGRICULTURAL POLICIES WHICH ARE AN INTEGRAL PART OF THEIR NATIONAL DEVELOPMENT PROGRAMS, INCLUDING THOSE TO ENCOURAGE ERADICATION AND DIVERSIFICATION AWAY FROM THE GROWING OF ILLICIT NARCOTIC CROPS.

11. MINISTERS RECOGNISED THAT MUCH WAS AT STAKE, OVER AND ABOVE THE RIGHT OF COMPETITIVE AGRICULTURAL COUNTRIES TO A FAIR DEAL ON WORLD MARKETS. AGRICULTURAL PROTECTIONISM INCREASINGLY HINDERED ECONOMIC DEVELOPMENT, THE DEBT SERVICING CAPACITY AND EMPLOYMENT OPPORTUNITIES IN DEVELOPING COUNTRIES. A SERIOUS CONSEQUENCE ALSO IS THE PRESSURE ON EFFICIENT FARMERS TO ADOPT PRACTICES WHICH ARE LESS SUSTAINABLE ENVIRONMENTALLY TO COMPENSATE FOR LOW EXPORT RETURNS, RESULTING IN POTENTIAL ECOLOGICAL DAMAGE. FURTHERMORE, RECOGNITION SHOULD BE GIVEN TO THE ECONOMIC REFORM AND MARKET ORIENTATION STEPS PUT IN PLACE BY MANY DEVELOPING COUNTRIES AND THE ECONOMIC TRANSFORMATION OF CENTRAL AND EASTERN EUROPEAN ECONOMIES, WHICH HAVE BEEN ENCOURAGED BY THE INDUSTRIALISED WORLD, AND ARE SERIOUSLY THREATENED BY THE LACK OF FAIR MARKET OPPORTUNITIES FOR THEIR PRODUCTS.

0047

CB4883 4

12. ADDITIONALLY, A FAILURE OF THE URUGUAY ROUND WOULD RISK CONTINUED EROSION OF THE MULTILATERAL TRADING SYSTEM, THE DANGER OF TRADING BLOCS BECOMING INWARD LOOKING AND OF AN INTENSIFIED RESORT TO UNILATERAL MEASURES TO GAIN NEGOTIATING LEVERAGE AND THEREBY FORCE-CONCESSIONS FROM NEGOTIATING PARTNERS.   CONVERSELY, A SUCCESSFUL ROUND WOULD STRENGTHEN AND WIDEN THE MULTILATERAL SYSTEM.

13. IN REAFFIRMING THEIR COMMITMENT TO BRING THE URUGUAY ROUND TO A SUCCESSFUL EARLY CONCLUSION, MINISTERS EXPRESSED THE STRENGTH OF THEIR RESOLVE THAT THE ROUND COULD NOT AND WOULD NOT CONCLUDE, IN WHOLE OR IN PART, WITHOUT A SUBSTANTIAL OUTCOME ON AGRICULTURE.

14. IN CONCLUDING, MINISTERS EXPRESSED THEIR DEEP APPRECIATION TO MINISTER CABRERA AND THE BRAZILIAN GOVERNMENT FOR THEIR INITIATIVE IN HOSTING THE MEETING AND FOR THE HOSPITALITY THAT HAD BEEN ACCORDED TO THE CAIRNS GROUP.

CB4883 4

CB4883

(3)

0048

정 리 보 존 문 서 목 록

기록물종류	일반공문서철	등록번호	2019090042	등록일자	2019-09-09
분류번호	764.51	국가코드	US	보존기간	영구
명 칭	UR(우루과이라운드) 관련 한.미국 양자 협의, 1991				
생 산 과	통상2과	생산년도	1991~1991	담당그룹	
내용목차	★ 5.20. 농산물 Country List 관련 양자협의(Geneva) 　- 최용규 농림수산부 국제협력담당관 / Chattin USTR 부국장 ★ 9월 양자협의 추진				

0001

경 제 기 획 원

봉조삼 10502-ㄴ   503-9149   1991. 1. 3.

수신 수신처참조

제목 UR관련 면담결과 송부

　　　당원은 '90.12.28 주한 미국대사관 UR담당자와의 면담에서 우루과이
라운드에서의 양국 협력방안에 대해 논의하였기 동 내용을 요약송부하니
귀부 업무추진에 참조하시기 바랍니다.

　　　첨부: UR관련 면담결과 1부. 끝.

경 제 기 획 원 장 관

| 제 2협력관 | 전결 |

수신처 : 외무부장관(통상국장), 재무부장관(관세국장, 경제협력국장),
　　　　농림수산부장관(농업협력통상관), 상공부장관(국제협력관).

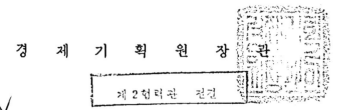

0002

우루과이 라운드 關聯 面談結果

1990. 12

經濟企劃院

0003

駐韓 미대사관 參事官 UR관련 面談結果

1. 面談概要

가. 面談人士

- 我側: 對外經濟調整室長

  배석 ┌ 통상조정1과장
       │ 통상조정3과장
       └ 주순식 사무관

- 美側: Richard Morford

나. 面談日時: '90.12.28, 14:20-15:20

다. 面談場所: 대외경제조정실장실

2. 面談內容

〈美 側〉

- 브랏셀 閣僚會議는 成果가 없었음. 農産物協商에 대한 헬스
  트롬案에 대해 EC, 日本, 韓國이 반대하여 農産物協商이 실패
  하였으며 이제 農産物協商은 틀이 없는 상태임.

- 美國은 UR協商에 대한 韓國의 소극적인 태도를 불만스럽게
  생각하고 있음.

0004

〈我 側〉

- 韓國은 UR協商에 적극적으로 그리고 伸縮的인 協商態度로
  임하고 있음.

- 關稅協商에 있어 관세율 33%이상 인하라는 協商目標를 달성
  하였고 讓許率도 대폭 높였음.

- 브랏셀 閣僚會議에서는 美國이 주장하는 無稅化協商을 긍정적
  으로 검토키로 立場을 변경하였고 首席代表 基調演說에서 同
  意志를 表明하였음.

  ○ 이는 美國을 도와 UR協商을 成功的으로 妥結하기 위함임.

- 非關稅등 市場接近分野, TRIMs, TRIPs, 서비스등 新分野에서
  도 韓國은 伸縮的인 姿勢로 협상에 임하고 있음.

- 韓國은 農産物協商에서 다소 보수적이라 할수 있음.   그러나
  브랏셀 閣僚會議 農産物協商의 決裂이 韓國責任이라는 인식
  은 正確하지 못함.

  ○ 헬스트롬案은 누구책임하에 어떤背景, 어떤節次로 작성
    되었는지 충분한 설명도 없이 會議終了 전날에야 배포
    되었음.   韓國은 農産物協商에서도 신축적으로 대처하려
    하나, 한국의 旣存立場과 내용이 현격히 다른 헬스트롬案
    을 受容하기로 그 같이 짧은 時間에 決定할수는 없는
    노릇임.

  ○ 헬스트롬案에 대한 EC, 日本의 受容意思 表明이 없는
    상황에서 世界 어느나라보다도 農産物市場 開放이 어려운
    韓國이 同 案에 대해 먼저 支持表明을 할수는 없음.

0005

o 農産物協商이 결렬된 것은 韓國등의 反對때문이 아니라
  美國과 EC間에 기본적 合意가 이루어지지 않았기 때문
  이라는 것은 상식에 속함.

- 韓國은 農業構造 調整을 위한 시간적 여유가 필요함.

  o 우리는 農産物交易 自由化에 기본적으로 찬성하나 構造
    調整을 위한 유예기간, 특별고려가 없이 급속한 輸入開放
    이 이루어질 경우 韓國의 農業基盤이 붕괴될 것임.

  o 우리의 最終目標는 GATT規律에 따라 외국에 대해 市場接近
    을 보장하되 우리의 農業生産 基盤이 유지되는 것임.

  o 우리는 農産物分野에서도 美國을 포함한 주요국과 좀더
    신축적이고 實質的인 協商을 할 의향이 있음.

- 韓國은 서비스협상도 伸縮的인 姿勢로 임하고 있음.

  o 韓國은 1월중 Initial Offer List를 提出할 計劃으로 있음.

  o 韓國은 서비스協商에 있어 美國의 立場에 몇가지 問題가
    있음을 지적하지 아니할 수 없음.
    . 美國은 航空, 海運, 基本通信分野는 MFN原則 適用例外를
      주장하는데 MFN原則은 GATT의 가장 基本原則임. 美國이
      GATT基本原則 일탈을 주장하며 EC등 다른나라를 說得할
      수는 없을 것임.
    . 美國은 金融産業에 대해서는 他分野에 비해 조속한 市場
      開放을 주장하는데 他分野 主張과의 관계에서 일관성을
      결여하고 있음.

0006

- 반덤핑, 緊急輸入制限은 한국이 실질적인 이익을 기대하는
  분야로서 美國의 協調를 기대함.

- 其他分野에 있어서의 韓.美間 立場差異는 비교적 미미한
  것으로 妥協이 可能하다고 봄.

- 美國이 農産物協商에서 協商目標를 다소낮추고, 서비스협상
  에서 일관성을 지킬경우 UR協商의 妥結이 가능할 것으로
  보며, 韓國은 UR協商妥結이 조속히 이루어질 것을 가장
  바라고 있는 나라임.

- 이상과 같이 韓國이 UR協商에 비협조적이며 韓國이 반대함
  으로써 農産物協商이 결렬되었다는 美國의 認識은 事實과
  다르다는 것과 UR妥結에 대한 韓國의 意志를 반드시 本國
  政府에 전달하여 주기바람.

〈美 側〉

- 現在로서는 EC가 立場을 변경할 전망이 보이지 않으며,
  EC가 움직이게 하기위해 무언가 이루어져야 함. 美國은
  이런 관점에서 韓國의 도움이 必要함.

- '91年 1月 15日 열리는 TNC協商 일정에 대해서는 아직 아무
  것도 決定된게 없음.

Country List 한.미간 비공식 양자협의 대책 (안)

1991. 4. 29.

농 림 수 산 부

0008

1. 양자협의 추진 배경

　o '91. 4. 5 당부 제2차관보 BOP 예시계획 협의차 미국방문시 미측은 Country List
　　의 내용에 대해 EC, 일본, 한국, 북구, 오지리등 주요국들과의 양자협의를 추진할
　　계획임을 비공식으로 표명

　o 이에따라, 미측은 4.9~12일간 EC를 방문 Country List에 대한 양자협의 완료

　o 또한 미측은 4.15~19일간 농산물그룹 실무회의에 참석중인 아측대표에게 5.18일경
　　제네바에서 아국과의 양자협의를 제의하고, 이를 위해 사전에 질문서를 상호교환할
　　것을 제의

　o 아측은 미측제의에 대해 원칙적으로 이의가 없으나 구체적인 시기와 장소문제는
　　귀국후 본국 정부에서 보고하고 확정 통보할 것이라고 답변
　　- 아측은 서울에서 개최를 제의하였으나 미국은 시간과 여건상 제네바에서 개최할
　　　것을 요청

2. 양자협의 관련 주요 검토과제

　o 미측제의의 수용여부

　o 양자협의 시기와 장소

　o 협의 내용과 범위

　o 미측에 대한 질문내용

　o 양자협의 대표단 구성

　o 국내 홍보 대책

0009

3. 과제별 검토의견

미측 제의에 대한 수용여부

○ C/L협의는 협상의 기초(Platform)가 마련된 뒤에 하는 것이 통상적인 관례임으로 미측이 제의한 C/L비공식협의에 응해야 할 의무는 아직 없음.

○ 그러나 C/L은 이미 작년 10월 GATT에 제출, 각국에 배포되었으며, 단순한 현황자료라는 점에서 관심국이 요청한 기술적 의문사항에 대한 의견교환을 충분한 이유없이 거절 또는 지연하는 것은 불필요한 오해를 유발할 가능성이 있고, 또한 관세, 서비스등 타협상분야에서는 Offer List관련 양자간 협의를 추진한바 있음.

○ 따라서 금번 미측의 농산물분야 Country List관련 비공식 협의를 수용하되 미측 C/L의 문제점을 지적하는 한편, 아측에 대한 관심사항의 강도를 측정하고 아측의 논리를 설득력있게 제시하는 중요한 기회로 활용할 필요가 있음.

0010

비공식 협의시기 및 장소

〈 협의 시기 〉

○ 미측은 협의일정을 5.18(1일간)로 제의

○ 실무적으로 예산작업이 있기는 하나 특별한 업무부담이 없으며 제네바 기술쟁점에
   관한 실무회의(5.13~17)와의 연계성등을 감안할때 미측의 제의를 수용

○ 다만, 협의장소가 서울이 될 경우에는 제네바 실무회의 종료후 별도일정을 마련

〈 협의 장소 〉

○ 양자협의는 미측이 EC와는 Brussel에서 이미 협의를 가졌다는 점을 고려할 때 서울
   에서의 개최를 요청할 수 있으며 서울 개최의 경우 인력등 부담없이 대응이 가능하다
   는 측면이 있음.

○ 그러나 미측이 서울에 오기 어렵다는 입장을 제시하고 있고, 제네바에서의 협의도
   농산물 실무회의와의 연계하여 현지분위기를 보다 정확히 활용할 수 있는 점은 있음.

○ 따라서 일단 미측에 서울개최를 재요청한후 미측 반응을 보아 협의장소를 확정

0011

협의 내용과 범위

ㅇ 금번 양자협의는 C/L 작성배경과 방법, 기준등에 대한 기술적 문제에 국한

ㅇ 다만, 실질내용(Substance)에 대한 문제가 제기될 경우에는 객관, 타당성 있는 논리
  를 정립, 설득력 있게 제시토록 함.

미측과의 질문서 교환

ㅇ 미측과의 질문서 교환은 충분한 사전준비를 취하여 최소한 5. 10이전에 이루어지도록
  함.

양자협의 대표단 구성

ㅇ 양자협의 대표단은 기본적으로 C/L작성에 참여했던 농림수산부 및 농경연의 실무자급
  으로 구성하되 필요시 관계부처 협상담당 요원을 추가.

ㅇ 농림수산부 협의대표 국제협력담당관을 수석대표로하고 국내보조, 국경보호 분야별로
  담당사무관 및 KREI 박사등 C/L 전담요원을 파견(5~6명)

0012

국내 홍보 대책

o 최근 미국의 수입개방 압력에 대한 오해, 주제네바 대사의 쌀 개방 발언파문등 UR 협상에 대한 정치적 분위기를 고려할때 금번 양자협의 시기선택과 대내홍보에 신중을 기할 필요가 있음.

o 동 협의를 하는 경우에 그 성격과 내용을 정확히 알림으로서 불필요한 오해 유발 가능성을 사전에 불식시키는데 관계부처간에 적극적인 협조가 필요함.

o 대표단 출발전 기자설명회를 통해 협의배경과 취지를 알리고 협의종료후 그 결과에 대해 기자설명회를 재개최함.

0013

4. 건의사항

〈 제 1 안 : 서울에서 개최 〉

ㅇ 쌀 개방 발언파문 관련 국내분위기가 한.미간 협의에 대해 오해가 확산되는 점을
  감안할때 서울에서 개최

〈 제 2 안 : 제네바에서 개최 〉

ㅇ C/L협의의 성격과 내용을 충분히 알리고 미측 요청을 수용하여 제네바에서 개최

0014

Country List 비공식 양자협의 추진일정

(제네바에서의 협의에 응할 경우)

추 진 일 정	추 진 내 용	비 고
4. 25 (목)	양자협의 대책반 구성	
4. 27 (토)	대책반 회의	협의대책및 질문서협의
4. 30 (화)	관계부처 실무회의	기본방침 협의
5. 1 (수)	대책반 회의	기본방침및 질문서시안 확정
5. 8 (수)	양자협의 실무대책안 확정	
5. 9 (목)	관계부처 회의	양자협의 대책 확정
5. 11 (토)	대표단 추천 및 훈령조치	
5. 15 (수)	대표단 출발	
5. 16 (목)	제네바 현재 대책회의	최종협의대책 확정
5. 18 (토)	한.미 양자협의	

0015

Country List 관련 한.미 양자협의 대책

1991. 5. 2.
통상기구과

1. 미측 희망일자 및 장소

ㅇ 5.18(토), 제네바

※ 농산물 협상 : 5.13-17

2. 대 책

ㅇ 농산물 협상 참가 대표단이 한.미 양자협의도 참가

- 단, C.L.은 품목별 전문지식이 요구되므로 미측 관심사항을 사전 파악하여
충분한 자료준비 및 대비 필요.　　　　　끝.

외　무　부

관리 번호	91-317

종　별 :

번　호 : GVW-0803   일　시 : 91 0502 1100

수　신 : 장관(통가, 경기원,농림수산부)

발　신 : 주 제네바 대사

제　목 : UR/농산물협상 한미 양자 협의

　　연: GVW-0728

　　1. 표제 한미간 양자 협의 관련 4.30 USTR 관계관 (MARY REVOLT 농무관) 과협의 하였는바, 미측은 5.18(토) 또는 5.20 (월) 양일중 당지에서 협의를 갖기를 희망하고 있으며, 동 양자협의에 미측은 본국에서 2-3 명의 전문가가 참석할 것이라고 하고, 이에 대한 아국의 조속한 회답을 요청하였음.

　　2. 동 협의관련 사전 질문 교환에 대하여 미측은 현재 고려하고 있지 않으나 아측이 적극 요구할 경우 사전 질문 교환도 가능하다고 판단됨. 끝

　　(대사 박수길-국장)

　　예고 : 91. 6.30까지.

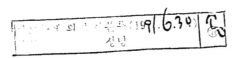

검 토 필 (1991. 6. 30 정

──────────────────────────────

통상국　　1차보　 · 2차보　　경기원　　농수부

PAGE 1   91.05.02　　20:48

분류번호	보존기간

발 신 전 보

번   호 : WGV-0575   910503 1455 FO   종별 :

수   신 : 주   제네바   대사. 총영사   (사본 : 주 미국 대사)

발   신 : 장   관 (통 기)

제   목 : UR/농산물(C/L 한.미 양자협의)

대 : GVW-728, 803

1. 대호, 미측의 UR/농산물 협상 Country List 관련 양자협의 제의에 대한 아측
    입장을 아래 통보하니 미측과 협의하고, 결과 보고바람.

    가. 협의 장소

        o 예산 및 인력 사정상 서울 개최를 선호하나, 미측 사정이 여의치 못할
          경우 제네바 개최를 수락

    검 토 필(1991. 6. 30. [서명])

    나. 협의 일자

        o ~~미측이 제의한 5.18(토)도 무방하다~~ 5.28(월)을 희망/선호

    다. 질문서 사전 교환

        o 충분한 사전 준비를 위해 가급적 5.10(금) 이전 질문서를 상호 교환할
          것을 적극 희망 (아측은 미측에 대한 질문서 준비중)

2. 양자 협의가 제네바에서 개최될 경우 농수부 국제협력담당관, 농경련 연구원등
    C/L 작성에 직접 참여했던 전담요원 5-6명으로 아측 대표단을 구성할 예정이니
    참고바람.   끝.   (통상국장 김 삼 훈)

보안통제	[서명]

앙고재	기안자 성명	과 장	국 장	차 관	장 관
91년 5월 3일 통상기구과 농봉련		[서명]	[서명]		[서명]

외신과통제

0018

관리 번호	91-322

외 무 부

종 별 :

번 호 : GVW-0818   일 시 : 91 0503 1430

수 신 : 장관(통기), 경기원, 농림수산부)

발 신 : 주 제네바 대사

제 목 : UR/농산물(C/L 한미 양자 협의)

대: WGV-0575

1. 표제 국별리스트 한미 양자협의 관련 미측 관계관과 협의한 결과 하기 보고함.

가. 협의일자

- 5.20(월: 당지 공휴일임) 개최키로 함

나. 협의장소

- 동기간 전후하여 미측 대표가 당지에 머물 예정이어서 서울 개최는 불가능하다고 하여 당지(USTR)에서 개최키로 함

다. 질문서 교환

- 아측의 질문서 사전 교환 희망에 대하여 미측은 내주초(5.6-7 일경) 아측에 질문서를 전달할 수 있을 것으로 예상하면서 동 질문서는 아국 주재 미 대사관을 통해서도 직접 전달 할 수 있을것이라고 하였음

2. 미측은 국별 리스트에 관하여 아국과의 협의 전후하여 카나다, 일본, 이씨, 북구제국 및 일부 케언즈 그룹국가들과 당지에서 양자 협의를 개최할 계획이라고 함. 끝

(대사 박수길-국장)

예고: 91.6.30 까지

검 토 필(1991 6.70)

통상국	장관	차관	2차보	정와대	안기부	경기원	농수부

PAGE 1   91.05.04   00:29

외신 2과 통제관 CH

0013

Country List에 대한 한.미 비공식협의 참가대책

1991. 5.10

농업협력통상관실

0020

1. 비공식 양자협의 추진배경

  ○ 미측은 주요국가와의 C/L 양자협의 추진계획을 비공식 의사표명 (4. 5)

  ○ 4. 15~19 농산물 실무회의시 아측에 비공식협의 제의

    - 5. 18일경 제네바 개최, 질문서 사전교환등

  ○ 당부기본 방침확정 (4.29) : 미측제의 원칙적 수용

  ○ 관계부처협의 및 미측에 기본방침 통보 (5. 1)

  ○ 미측으로부터 회신접수

    - 5. 20, 제네바 (USTR 본부)에서 개최

    - 금주중 질문서 상호교환

2. 양자협의 참가대책

 가. 기본방침

    ○ 미측과의 협의결과에 따라 5. 20 제네바 개최에 동의하고 5.10경에 질문서 상호 교환추진

    ○ 협의내용은 C/L 작성배경과 방법, 기준등에 대한 기술적 문제 중심으로 하되, 실질내용에 대한 문제가 제기될 경우에는 객관 타당성 있는 논리를 설득력있게 제시

    ○ 금번협의를 통해 미측의 의도를 간접적으로 확인하고 아국의 관심사항에 대한 강도를 측정함으로써 향후 협상대책 수립에 활용

0021

나. 대표단 파견

1) 대표단 구성

o '90. 10 C/L 작성에 참여했던 당부및 농경연 실무자급을 비공식협의 대표단 구성

구 분	소 속 및 직 위	성 명	비 고
대 표	농림수산부 국제협력담당관	최용규	반 장
	국제협력담당관실 사무관	윤장배	총 괄
자 문	농촌경제연구원 국제농업실장	이재옥	국내보조및 수출보조
	" 국제농업실 책임연구원	최세균	국경보호

2) 파견시기 : 5. 17 ~ 5. 22 (6일간)

3) 소요예산 : $ 5,438 (국외여비 : 1113 - 213)

o 농경연은 소속기관 부담

※ 세부내역 별첨

0022

3. 미국 C/L에 대한 질문서

질문서 작성시 중점고려 사항

ㅇ C/L과 관련된 기술적 사항 위주로 질문서 작성

  - 정치적으로 민감한 쟁점사항에 대한 논의를 가급적 배제

ㅇ 미국이 협상에서 지키고자 하는 진정한 의도를 간접적, 우회적으로 확인

  - 그동안 미국이 UR협상에서 주장해온 입장이 C/L에 일관성 있게 반영됐는지
    여부, '90 Farm Bill과의 연계성등을 중점적으로 검토

  - Waiver등에 의한 미국의 주요 보호품목과 Deficiency Payment, Export Enhan-
    cement Programe등 주요정책과 관련된 사항을 집중적으로 재기

ㅇ 미국의 C/L에 사용한 기초 자료와 여타 농업정책및 재정지출 자료와의 상이성
  지적

  - 정책별 성격과 분류방법, 기준가격및 기준년도, 지원규모등

ㅇ 기타 C/L 작성과정에서 누락된 정책과 보조금, 이해가 어려운 산출방식을
  명확히 규명

※ 미국 Country List 에 대한 질문서 (별첨 : 국.영문)

5. 미측질문에 대한 답변서

가. 답변서 작성 기본방침

o C/L의 성격과 전제조건을 명확히 제시

- C/L은 현황자료임으로 향후협상에 있어서 아국입장을 예단하는 것이 아님.

- C/L은 협상의 기초(Basis)가 확립되지 않는 상태에서 작성된 것임으로 추후 변동상황이 발생할 경우 내용과 계수의 수정 또는 재작성이 가능함.

o 아국 C/L작성의 기본방침에 입각하여 세부 작성기준과 근거자료를 설득력 있게 제시

- 식량안보등 NTC, 11조 2항(C) 관련품목의 관세화 제외, 구조조정등과 관련된 국내정책의 재분류, AMS산출대상 보조의 내용과 범위, TE및 AMS 산출방법과 기준등

o 아국의 주요관심 품목과 관련된 정책위주로 예상질의 답변서 준비

- NTC 중요품목별로 문제 제기사항에 대한 객관, 타당성 있는 논리를 정립

나. 미측예상 질문사항

o 쌀등 주요품목에 대한 가격지지정책 내역

o 구조조정으로 분류된 정책의 내용과 성격

o 허용대상이 되는 일반서비스 정책의 내용

o 유통및 판매촉진 정책의 구체적인 내역

o 지방자치 단체 보조가 감축대상에 포함 유무

0024

ㅇ 품목별로 감축대상이 되는 정책과 그 지원내역

ㅇ AMS 산출불가 품목의 범위와 지원규모

〈 국경보호 〉

ㅇ 관세화 대상에서 제외되는 품목의 유형별 구분
  (식량안보등 NTC, 11조 2항(C) 적용품목등)

ㅇ TE및 TQ에 사용한 국내외 기준가격과 산출방식

ㅇ 관세양허 및 향후 감축대상이 되는 관세기준

〈 수출보조 〉

ㅇ 농산물 수출보조와 관련된 정책내용과 지원규모

다. 답변서 작성

ㅇ 미측의 답변서 도착즉시 구체적인 답변서를 작성, 별도보고 예정

0025

미국의 주요품목별 보조및 보호내역

commodity	Internal support							
	Market price support			Direct payments			Other disciplined	
	quotas	Loan forfeit benefit	other	Deficiency & diversion	Marketing loans	other payment	storage payments	Commodity loans
Corn		x		x			x	x
Sorghum		x		x			x	x
Barley		x		x			x	x
Oats		x		x			x	x
Wheat		x		x			x	x
Rice		x		x	x			x
Rye		x						x
soybeans		x						x
Sugar	x							x
Peanuts	x	x						x
Tobacco								x 1/
Cotton								
- Upland		x		x	x			x
- ELS		x		x				x
- Seed		x						x
Dairy	x					x 2/		
Beef			x 3/					
poultry								
pork								
Honey		x			x			x
Sheep/ wool			x .					
Mohair						x		
others								

1/ Tobacco producers must pay for any losses related to loan program

2/ Dairy indemnity payments, less dairy assessments

3/ Red meat purchases made to offset effects of the dairy herd termenation program

commodity	Export subsidies			Border Protection		
	EEP	CCC Direct Sales	Others	Waiver	Residual	VER 1)
Corn						
Sorghum	x					
Barley	x 1/					
Oats						
Wheat	x 2/					
Rice	x					
Rye						
soybeans	x 3/					
Sugar				x		
Peanuts					x	
Tobacco						
Cotton				x		
- upland						
- ELS						
- Seed						
Dairy	x	x 4/	x 5/	x		
Beef		x				x
poultry	x					
pork		x				
Honey						
Sheep/wool						
Mohair						
others	x 6/					

1) Meat Import Law.

1/ Barley malt 포함

2/ Wheat flowr 포함

3/ Sunflower seed Oil 및 vagetable Oil 포함

4/ butter, Butteroil, cheese, Dairy Cattle, Pork, Non-Fat Drymilk,

5/ Dairy Export incentive programe (Milk Powder)

6/ Mixed Poultry Feed, Semolina, Table eggs

0027

미국 Country List 요약표

	Level of production	Deficiency Payment		Export/ production (%)	Price GAP	Total AMS
		Target Price	Quantity			
	천본	$/본	천본 (Mil $)	%	$/본	Mil. $
Barley	10,320	118.0	5,693 (211.6)	31.7	37.0	310.3 ① CLF ② DP,VP,CP ③ SP,CLIS
Corn	171,965	118.0	149,474 (4,798.8)	30.0	34.1	7,448.0 ① CLF ② DP,VP,CP ③ SP,CLIS
Rye	455		−			0.5 ① CLF ③ CLIS
Sorghum	19,014	112.1	14,303 (462.8)	35.5	35.9	780.1 ① CLF ② DP,VP,CP ③ SP,CLIS
OATS	4,730	109.1	90.9 (18.0)	0.6	20.8	22.4 ① CLF ② DP,VP,CP ③ SP,CLIS
Wheat	54,536	159.1	50,850 (2,647.7)	67.3	55.7	3,403.0 ① CLF ② DP,VP,CP ③ SP,CLIS
Rice	4,536	255.1	5,501 (523.4)	57.5	153.4	797.3 ① CLF ② DP,ML,CP ③ CLIS
Beef	11,018		−			158.1 ① Beef purchases
Cotton	2,896	1,736.5	2,545 (1,111.8)	51.1	465.5	1,358.6 ① CLF ② DP,VP,ML, CP,LDP ③ CLIS

0028

	Level of peokuction	Deficiency Payment		Export/ production (%)	Price GAP	Total AMS AMS /prod. Value
		Target Price	Quantity			
	천본	$/본	천본 (mil $)	%	$/본	Mil. $
Dairy	65,164	(246.1) Support price	(65,164) (7,076.4) 1/		108.7	6,811.5 ① MPS:QUOTA ② Dairy Assessments슴
Honey	97		–			54.6 ① CLF ② ML ③ CLIS
Soybean	49,230		–			98.8 ① CLF ③ CLIS
Mohair	7.5		–			41.6 ② S.P
Penuts	1,708.1	(672.4) Loan rate	(1,244)2/ (405.5)1/		325.9	405.5 ①MPS:Quota CLF ③ CLIS
Sugar	6,330	(480.2) Market stabi- lization price	(6,330)3/ (952.1)1/		250.7	960.9 ① MPS:Quota, CLF ③ CLIS
Tobacco	563					69.0 ③CLIS
Wool	39					78.4 ② SP

① CLF : Commodity Loan forfeit

② DP : Direct Payment, VP : Diversion Payment, CP : Certificate Premium
LDP : Loan Deficieny Payment, SP : Support Payments

③ SP : Storage Payment, CLIS : Commodity loan interst Subsidy.

1/ MPS : price support/quota
2/ Marketing Quota
3/ Raw Production Producer's share (0.6)

0029

한국의 Country List 요약

〈 총 괄 〉

O 아국 C/L은 O/L이 아니며, 향후 협상에 있어 아국입장을 예단하는 것이 아님을 전제

O 아국 C/L에 제시된 내용과 수량은 현시점에 기초한 것으로 추후 변동사항이 발생
   할시 수정 또는 재작성 가능

O 아국은 개도국의 일원으로서 구조조정 단계에 있는 아국농업과 현실여건을 감안,
   NTC에 관한 고려, 개도국 우대등을 기초로 작성, 또한 UR 기본정신에 따른 적절한
   기여방안을 배려

〈 국내보조 〉

O NTC 관련품목에 대한 보조정책은 허용대상으로 분류, 개도국의 구조조정에 필요한
   보조도 허용대상으로 간주하여 일부정책은 OECD 분류방법과 달리 아국실정에 적합
   하도록 재분류

O 총 AMS와 단위당 AMS를 모두 표시했으며, 두가지중 택일이 가능

O 국내보조 정책증 재분류된 부분

   - 재해보상은 생산시설의 복구를 위하여 필요하므로 일반서비스의 재해 복구항목
     으로 분류

   - 작목전환과 농업기계화는 자유화 확대과정에서 불가피하게 수반되는 정책이므로
     구조조정 항목으로 분류

   - 금융지원은 대부분 영세농에 지급되고 생계비 보조적 성격이 강하므로 일반
     서비스로 분류

   - 유봉및 판매촉진은 낙후된 농산물 유봉구조를 개선하기 위한 것으로 생산확대에
     목적이 있는 것이 아님.

   - 지방자치 단체보조 및 조세감면액은 산출이 곤란하여 산출치 않음.

0030

〈 국경보호 〉

O 의장초안은 농산물 수급의 특성과 구조적 차이, 농업의 비교역적 기능 및 개도국
   의 특수사정을 간과하고 있으므로, 아국은 식량안보등 NTC와 GATT, 11조 2항 C
   관련품목(15개)에 대하여는 관세화 불가
   ※ 15개 관세화 예외품목 : 쌀,보리,콩,옥수수,감자,고구마,쇠고기,돼지고기,우유
      및 유제품 고추,참깨,마늘,양파,감귤

O 여타 수입제한 품목은 일부 국내외 가격자료 획득이 곤란한 품목을 제외하고는
   관세상당치를 산출

O MTR에서 푼타델에스테 선언이후의 무역자유화 조치에 대한 실적인정 합의에 따라
   '86~'90년간 개방된 품목은 관세상당치 산출

O 관세에 있어 수입자유화 품목은 양허품목일시 양허세율을, 비양허 품목일시 '86.
   9월 실행세율을 제시했으나, '86. 9월 실행세율이 전부 양허대상은 아니며 향후
   협상합의 여부에 따라 아국이 양허할 권한을 보유함.

〈 수출보조 〉

O 아국은 농산물 수출에 있어 의장초안에 정의된 보조금의 지출은 없으므로 수출보조
   는 제출치 않음.

0031

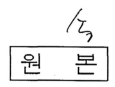

외 무 부

종 별 : 지 급

번 호 : GVW-0863

일 시 : 91 0513 1900

수 신 : 장 관(봉기,경기원,농림수산부)

발 신 : 주 제네바 대사

제 목 : UR/ 농산물(CL 한미협의)

연: GVW-08185.13(월) 표제 한미협의 관련 당지 USTR 관계관으로 부터 입수한 미측의 아측 국별 리스트에 대한 질문서를 별첨 송부함.

첨부: 아국 국별 리스트에 대한 미측 질문서 1부.끝

(대사 박수길-국장)

통상국   2차보   경기원   농수부

PAGE 1

91.05.14 03:44 FN

외신 1과 통제관 0032

UNCLASSIFIED

FAS:ITP:AARE:HOWARD WETZEL
05/09/91   382-1289
STATE STATE:EAP/K:KSRICHARDSON

USDA:FAS:ITP:AARE:JCHILD   USDA:FAS:PAA:SPITCHER
USDA:FAS:ITP:HTPAD:CTHORN   USDA:FAS:ITP:RSCHROETER
STATE:EAP:BCARTER   STATE:EB/OFP:BWATTS
USTR:NADAHS   USTR:LTAKAHASHI
USTR:BCEATTIN   COMMERCE:IDAVIS
TREASURY:JWALLACE

SUBJ: UR COUNTRY LIST CONSULTATIONS IN GENEVA

1. SUMMARY: DURING URUGUAY ROUND TECHNICAL TALKS ON

AGRICULTURE HELD IN GENEVA THE WEEK OF APRIL 15, MAFF

OFFICIALS FROM SEOUL AGREED WITH U.S. REP'S SUGGESTION

TO HOLD A BILATERAL COUNTRY LIST CONSULTATION FOLLOWING

THE MAY TECHNICAL TALKS. EMBASSY IS REQUESTED TO

CONFIRM WITH MAFF THE PROPOSED DATE OF MAY 20 AND TO

DELIVER A TENTATIVE LIST OF U.S. QUESTIONS (ATTACHED)

FOR THAT MEETING. END SUMMARY.

2. DURING URUGUAY ROUND TECHNICAL TALKS ON AGRICULTURE

HELD IN GENEVA THE WEEK OF APRIL 15, MAFF SPECIAL

ASSISTANT TO THE MINISTER FOR GATT AFFAIRS CHOI YOUNG

HAE AND MAFF DIR GEN FOR INTERNATIONAL COOPERATION CHO

IL HO AGREED WITH AG MINCOUNS O'MARA'S SUGGESTION TO

HOLD A BILATERAL COUNTRY LIST CONSULTATION FOLLOWING

THE MAY TECHNICAL TALKS SCHEDULED FOR THE WEEK OF

MAY 13. A DATE OF MAY 18 WAS ORIGINALLY SUGGESTED, BUT

KOREA'S GENEVA REP HAS SUBSEQUENTLY INDICATED A

PREFERENCE FOR MAY 20. (FYI, UR AGRICULTURE "GROUP OF

8" COUNTRY LIST CONSULTATIONS ARE ALSO BEING ARRANGED

DURING THE WEEK OF MAY 20 TO DISCUSS COUNTRY LISTS

0033

PRESENTED BY THE U.S., CANADA, JAPAN AND THE EC. SINCE
IT IS NOT IN THE GROUP OF 8, THE MEETING WITH KOREA
WOULD BE TREATED AS A BILATERAL CONSULTATION AND HELD
IN THE U.S. MISSION.)

3.   EMBASSY IS REQUESTED TO CONFIRM WITH MAFF THAT
KOREA PLANS TO ATTEND THE COUNTRY LIST CONSULTATION ON
MAY 20 AND TO DELIVER A TENTATIVE LIST OF U.S.
QUESTIONS (ATTACHED) FOR THAT MEETING. EMBASSY MAY
WISH TO POINT OUT THAT THE PURPOSE OF THIS CONSULTATION
IS TO EXCHANGE TECHNICAL INFORMATION ABOUT THE POLICIES
INCLUDED IN BOTH THE KOREA AND THE U.S. COUNTRY LISTS
AND THE METHODS USED TO QUANTIFY THE EFFECTS OF THOSE
POLICIES. (COMMENT: FOLLOWING THE KOREA'S NEGATIVE
POSTURING AT THE BRUSSELS MINISTERIAL IN DECEMBER 1990,
THE ROKG INDICATED A WILLINGNESS TO PRESENT TARIFF
EQUIVALENTS FOR SOME ADDITIONAL PRODUCTS. DUE TO THE
TECHNICAL, RATHER THAN POLICY, NATURE OF THE GENEVA
MEETING, THE U.S. WILL NOT PRESSURE AT THIS TIME ROKG
TO PRESENT ADDITIONAL TARIFF EQUIVALENTS, ONLY THE
TECHNICAL DATA WITH WHICH THE CALCULATIONS CAN BE MADE.
END COMMENT.) KOREA WILL PROBABLY WANT TO ASK
QUESTIONS ABOUT THE U.S. COUNTRY LIST AS WELL. IF SO,
EMBASSY SHOULD ENCOURAGE MAFF TO PROVIDE AN REVIEW COPY
OF THEIR QUESTIONS PRIOR TO THE GENEVA MEETING.

0034

4. TENTATIVE LIST OF QUESTIONS ON KOREA'S COUNTRY LIST
FOLLOWS, CATEGORIZED BY THE THREE AREAS IN WHICH POLICY
REFORMS ARE SOUGHT: (A) INTERNAL SUPPORT, (B) BORDER
PROTECTION, AND (C) EXPORT SUBSIDIES.

A. INTERNAL SUPPORT

A-1. THE COUNTRY LIST PRESENTS AMS CALCULATIONS FOR
RICE, BARLEY, SOYBEANS, CORN, BEEF AND VEAL, MILK,
PORK, CHICKEN MEAT AND EGGS. HOWEVER, THE U.S.
BELIEVES THAT KOREA MAY ALSO SUPPORT, THROUGH
GOVERNMENT PURCHASES, INPUT SUBSIDIES AND OTHER SUPPORT
MEASURES, PRODUCTION OF OTHER AGRICULTURAL ITEMS AT
PRICES SEVERAL TIMES THE WORLD LEVEL, INCLUDING
TOBACCO, PEANUTS, ORANGES, RED PEPPER, GARLIC, ONIONS,
POTATOES AND SESAME SEED. KOREA IS REQUESTED TO
CLARIFY THE NATURE AND DEGREE OF SUPPORT MEASURES WHICH
ENCOURAGE PRODUCTION OF THESE COMMODITIES.

A-2. THE COUNTRY LIST PROVIDES AN EXPLANATION ONLY FOR
THE METHOD BY WHICH MARKET PRICE SUPPORT WAS
CALCULATED, NOT FOR METHODS USED TO QUANTIFY SUPPORT
COMING FROM OTHER AMS ELEMENTS, SUCH AS REDUCTION OF
INPUT COSTS, GENERAL SERVICES, ETC. KOREA IS REQUESTED
TO PROVIDE EXPLANATIONS OF HOW THE OTHER AMS ELEMENTS
WERE QUANTIFIED. PLEASE DESCRIBE THE AMOUNT OF SUPPORT
COMING FROM EACH POLICY MEASURE. PLEASE DESCRIBE THE
METHOD FOR ALLOCATING TO SPECIFIC PRODUCTS THE SUPPORT
FROM GENERAL PROGRAMS APPLYING TO SEVERAL PRODUCTS.

P-3

0035

A-3. THE COUNTRY LIST DOES NOT SPECIFY YEARS USED FOR
PRICE DATA. KOREA IS REQUESTED TO IDENTIFY THE YEARS
USED. (IT WOULD APPEAR THAT THE CALCULATIONS MAY HAVE
USED 1988 EXTERNAL REFERENCE PRICES ONLY, RATHER THAN
AN AVERAGE OF 1986-88 PRICES REQUESTED.)

A-4. PLEASE EXPLAIN THE SOURCE OF "WORLD PRICE" DATA
FOR ALL AMS CALCULATIONS: DO THEY INCLUDE ADJUSTMENT
FOR TRANSPORTATION COSTS TO KOREA? IF NOT, COULD KOREA
PROVIDE AN ESTIMATE OF THOSE COSTS?

A-5. KOREA CLASSIFIED MOST OF ITS INTERNAL SUPPORT
POLICIES, INCLUDING MARKET PRICE SUPPORT AND INPUT
SUBSIDIES, AS NOT SUBJECT TO REDUCTION. DOCUMENTATION
OF HOW THESE POLICY MEASURES ARE ADMINISTERED FOR THE
PRODUCTS LISTED IN PARAGRAPH A-1 IS REQUESTED,
INCLUDING THE LEVEL OF COMMODITY SPECIFICITY AT WHICH
SUPPORT IS APPLIED, TERMS OF PRODUCER AND PRODUCT
ELIGIBILITY FOR THE SUPPORT, AMOUNT OF ROKG BUDGETARY
OUTLAYS ASSOCIATED WITH EACH MEASURE, THE DEGREE TO
WHICH PRODUCTION IS AFFECTED BY THE POLICY MEASURE,
ETC.

A-6. PART B OF THE COUNTRY LIST'S INTERNAL SUPPORT
SECTION NOTES THE VALUES OF INPUT COST REDUCTIONS
(SUBSIDIES) FOR FRUITS AND VEGETABLES. HOWEVER, NO
FURTHER ITEMIZATION IS PROVIDED, EITHER BY THE TYPE OF
POLICY OR BY THE TYPE OF PRODUCT. KOREA IS REQUESTED
TO ITEMIZE INPUT SUBSIDY MEASURES APPLIED TO FRUITS AND
VEGETABLES BY TYPE OF POLICY AND PRODUCT.

A-7. FOR BEEF, PLEASE EXPLAIN THE CALCULATION OF TOTAL
SUPPORT. IN PARTICULAR, WHAT DOES THE QUANTITY 130,000
TONS DESCRIBE? CARCASS OR BONELESS BEEF PRODUCTION?
ARE PRICES USED FOR THE AMS CALCULATION ON THE SAME
BASIS?

A-8. FOR MILK, PLEASE EXPLAIN THE RATIONALE BEHIND THE
AMS CALCULATION. TO WHICH DAIRY PRODUCT DO THE PRICES
AND PRODUCTION FIGURES USED IN THE CALCULATION APPLY?
ARE OTHER DAIRY PRODUCTS INCLUDED IN THE AMS
CALCULATION? HOW AND TO WHAT EXTENT? PLEASE EXPLAIN
THE METHODS BY WHICH FLUID MILK AND MANUFACTURED DAIRY
PRODUCT PRICES ARE SUPPORTED IN KOREA, INCLUDING
SUPPORT PRICES AND QUANTITIES ELIGIBLE FOR SUPPORT
PROGRAMS.

A-9. FOR PORK, HOW WAS THE DOMESTIC PRICE DERIVED? IS
IT A CARCASS PRICE? FOR WHAT YEAR?

A-10. FOR RICE, BARLEY, SOYBEANS AND CORN, DOMESTIC
PRICES USED TO CALCULATE AMS WERE A WEIGHTED AVERAGE OF
GOVERNMENT PURCHASE PRICES AND PRICES RECEIVED BY
FARMERS. TO WHAT EXTENT DO GOVERNMENT PURCHASES OF
THESE PRODUCTS MAINTAIN OTHER PRICES RECEIVED BY
FARMERS ABOVE THE LEVELS THAT WOULD OTHERWISE PREVAIL?
WHAT QUANTITIES OF EACH PRODUCT WERE ELIGIBLE FOR
GOVERNMENT PURCHASE DURING THE REFERENCE PERIOD?

P-5

B. BORDER PROTECTION

B-1. KOREA OMITTED FROM ITS COUNTRY LIST TARIFF
EQUIVALENTS FOR THE FOLLOWING 15 KEY COMMODITIES WHICH
TOGETHER ACCOUNT FOR 71 PERCENT OF THE VALUE OF KOREA
AGRICULTURAL PRODUCTION: RICE, BARLEY, CORN, BEEF,
PORK, CHICKEN MEAT, DAIRY PRODUCTS, SOYBEANS, RED
PEPPER, GARLIC, ONIONS, POTATOES, SWEET POTATOES,
ORANGES/TANGERINES AND SESAME SEED. ALL PRODUCTS
APPEAR TO BE SUBJECT TO QUANTITATIVE IMPORT
RESTRICTIONS, IN MOST CASES RESTRICTIVE IMPORT
LICENSING OR IMPORT QUOTAS. KOREA IS REQUESTED TO
PROVIDE DOMESTIC WHOLESALE AND CIF IMPORT PRICES FOR
THE PRODUCTS MENTIONED ABOVE, PLUS ORANGE JUICE, GRAPE
JUICE AND APPLE JUICE, WHICH ARE ALSO LACKING TARIFF
EQUIVALENTS.

B-2. KOREA USES A VARIETY OF WORLD PRICES IN ITS
CALCULATION OF TARIFF EQUIVALENTS. SOME ARE WHOLESALE
U.S. PRICES, WHILE OTHERS ARE CIF JAPAN, U.S. FUTURES
MARKET PRICES PLUS 10 PERCENT OR FOB CANADA. IT WOULD
APPEAR THAT KOREA GENERALLY DID NOT INCLUDE IN ITS
WORLD PRICES A FACTOR TO REFLECT FREIGHT COSTS. IS
THAT CORRECT? IF SO, KOREA IS REQUESTED TO PROVIDE AN
ESTIMATE OF CIF KOREA PRICES FOR PRODUCTS WHERE FOB,
WHOLESALE OR FUTURES MARKET PRICES WERE USED TO
CALCULATE TARIFF EQUIVALENTS.

P-6

0038

B-3. FOR BEEF (HS 0201), "IMPORT LICENSING" IS THE
ONLY NON-TARIFF BORDER MEASURE MENTIONED (IN COLUMN 3
OF THE BORDER PROTECTION TABLE). KOREA IS REQUESTED TO
EXPLAIN LPMO'S PROCEDURES FOR IMPORTING AND
DISTRIBUTING FROZEN BEEF. IN PARTICULAR, WHAT MARGINS
DOES LPMO ADD ONTO THE COST OF IMPORTED BEEF AND WHAT
RESTRICTIONS APPLY TO WHOLESALE AND RETAIL SALES OF
IMPORTED BEEF? HOW ARE IMPORTED BEEF PRICES SET IN
RELATION TO DOMESTIC PRICES?

B-4. FOR CHICKEN MEAT (HS 0207), IT APPEARS THAT A
TARIFF EQUIVALENT HAS BEEN CALCULATED (43 PERCENT FOR
1986-88) AND APPLIED TO FRESH AND CHILLED CHICKEN MEAT,
FROZEN CHICKEN OFFALS AND FROZEN TURKEY MEAT, BUT NOT
TO FROZEN WHOLE CHICKENS OR FROZEN CHICKEN PARTS. IS
THAT CORRECT? IF SO, CAN IT BE ASSUMED THAT THE SAME
DOMESTIC AND WORLD PRICES WOULD BE USED TO CALCULATE A
TARIFF EQUIVALENT FOR FROZEN CHICKEN MEAT?

B-5. FOR FRESH GRAPES (HS 0806), WHAT IS THE SOURCE OF
DOMESTIC PRICES USED TO CALCULATE THE TARIFF
EQUIVALENT? IF A SERIES OF MONTHLY PRICES WAS USED,
WAS ANY EFFORT MADE TO WEIGHT THE MONTHLY PRICES BY
PRODUCTION? PLEASE EXPLAIN THE RATIONALE BEHIND THE
SELECTION OF WORLD PRICES IN THE TARIFF EQUIVALENT
CALCULATION. WHAT, IF ANY, ADJUSTMENT WAS MADE FOR
QUALITY DIFFERENCES?

B-6. FOR APPLES (HS 0808), PLEASE EXPLAIN THE RATIONALE BEHIND SELECTING FRENCH EXPORT PRICES AS THE WORLD PRICE IN THE TARIFF EQUIVALENT CALCULATION. WHAT, IF ANY, ADJUSTMENT WAS MADE FOR QUALITY DIFFERENCES? (IN WHAT RESPECTS ARE FRENCH APPLES SIMILAR TO THOSE CONSUMED IN KOREA?) HOW WERE DOMESTIC APPLE PRICES DERIVED FOR USE IN CALCULATING THE TARIFF EQUIVALENT?

B-7. FOR CORN (HS 1005) AND SOYBEANS (HS 1201), PLEASE EXPLAIN HOW THE SIZE OF IMPORT QUOTAS IS DETERMINED. HOW ARE CORN AND SOYBEAN QUOTAS ALLOCATED? (ONLY TO LICENSED FEED MILLS? TO WHAT EXTENT DO RESTRICTIVE FEED MILL LICENSING AND REQUIREMENTS TO PURCHASE DOMESTIC SOYBEANS AND CORN DRIVE UP THE PRICE OF FEED, THEREBY DAMPENING DEMAND AND RESULTING IN SMALLER IMPORT QUOTAS?)

B-8. FOR ORANGE JUICE (HS 2009.10), "IMPORT LICENSING" IS THE ONLY NON-TARIFF BORDER MEASURE MENTIONED (IN COLUMN 3 OF THE BORDER PROTECTION TABLE). KOREA IS REQUESTED TO EXPLAIN THE OPERATION OF ITS QUOTA ALLOCATION PROCESS. IN PARTICULAR, HOW ARE ORANGE JUICE IMPORT QUOTA ALLOCATIONS PRO-RATED BY THE PROCESSOR'S SHARE OF DOMESTIC ORANGE JUICE PURCHASES?

B-9. FOR TOBACCO (HS 2401), PLEASE EXPLAIN THE RATIONALE BEHIND SELECTING THE PRICE OF ARGENTINE TOBACCO AS THE WORLD PRICE IN THE TARIFF EQUIVALENT CALCULATION. IN WHAT RESPECTS IS IT SIMILAR TO THE 3RD

0040

P-8

GRADE PRODUCTS CHOSEN FOR DOMESTIC PRICES? WHAT, IF

ANY, ADJUSTMENT WAS MADE FOR QUALITY DIFFERENCES? WHY

DID KOREA CHOOSE 3RD GRADE TOBACCO AS THE REFERENCE

GRADE FOR CALCULATING A TARIFF EQUIVALENT? PLEASE

PROVIDE DOMESTIC PRICES AND A DESCRIPTION OF QUALITY

FOR THE GRADES OF TOBACCO MOST COMMONLY CONSUMED IN

KOREA.

C. EXPORT SUBSIDIES

C-1. THE COUNTRY LIST DOES NOT REFER TO EXPORT

ASSISTANCE MEASURES, EVEN THOUGH THE MONOPOLY KOREA

TOBACCO AND GINSENG CORPORATION ROUTINELY EXPORTS

TOBACCO LEAF AND GINSENG PRODUCTS AT PRICES

SIGNIFICANTLY LOWER THAN PRICES PAID TO KOREA GROWERS.

CAN THE ROKG EXPLAIN ITS RATIONALE FOR OMITTING FROM

ITS COUNTRY LIST EXPORT ASSISTANCE? CAN KOREA PROVIDE

DOMESTIC PURCHASE AND EXPORT PRICES FOR THE GRADES OF

TOBACCO MOST COMMONLY EXPORTED SINCE 1986? FOR THE

MAJOR GINSENG PRODUCTS EXPORTED?

WGV(F) — 112.   DATE : 1014 1700.

수신 : 주 제네바 대사

발신 : 장   관 (통 기)

제목 : 미국 CL에 대한 아측 질문서

<table>
<tr><td>보안
통제</td><td></td></tr>
</table>

　　5.20. UR/농산물 협상 CL 관련 한·미 양자협의시 아측이 제기할
미국 CL에 대한 질문(국·영문)을 별첨 송부하니 미측에 전달 바람.

　　첨　부 : 상기 질문서.　　　끝.

　　　　　　　　　　　　　　　　　　(통상국장　김 삼훈)

　　　　　　　　　　　　　　　　　　　(총 21 매)

0042

미국 Country List에 대한 질문서

I. C/L 전반에 대한 질문

1. Deficiency Payment및 Tariff Equivalent의 산출시 동일한 reference Price를 사용하였는가? 각각 다른 가격을 사용하였다면 그 이유는? Reference Price의 적용년도는 marketing year인가? fiscal year 또는 Calendar year 인가?

〈참고 1 : 기준가격의 적용 예〉

◊ Deficiency Payment 계측 :

- 가격차 계산시 Target Price 또는 생산자 가격과 '86~'88평균 참조가격를 사용하였으나 그 근거를 명확히 제시 않고 있음.

◊ Tariff Equivatent 계측

- 국내가격에 특별한 언급이 없으며, 국제가격은 USDA, FAS, Agricultural Marketing Service, commodity Outlook등 다양한 근거를 사용

품목명	구분	국 제 가 격	국 내 가 격
Penuts	AMS	중국,알젠틴,미국산 Penuts의 로텔담가격	Loan Rate
	T E	로텔담시장의 안젠틴및 중국산Penuts가격	로텔담가격 - 운송비용
Cotton	AMS	'86~'88평균 참조가격	Target Price
	T E	세계 시장가격을 품질맞 거리에 따라조정	Average U.S Price

0043

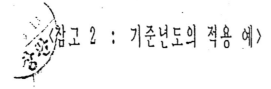

〈참고 2 : 기준년도의 적용 예〉

◊ Marketing Year ('88 유통년도의 경우) : 품목 특정적인 정책

　- 밀, 보리 ('88.6~'89.5), 쌀 ('88.8~'89.7), 옥수수, 콩('88.10~
　　'89.9)
　- 돼지고기, 닭고기, 계란 ('88.12 ~ '89.11)

◊ Fiscal Year ('88 재정년도의 경우) : 품목 불특정인 정책

　- 연방정부 ('87.10 ~ '88.9), 주정부 ('87. 7 ~ '88. 6)

◊ Calendar Year ('88. 1 ~ '88. 12)

　- 쇠고기, 양고기, 낙농품, 양모, 꿀등

0044

2. 총생산량중 수출물량에 대한 가격지지나 직접보조를 국내보조에 포함하고 있으나 쌀과 면화의 Marketing Loan은 수출과 직접관련됨으로 수출보조에 포함하는 것이 맞지않는가? 또한 Marketing Loan의 임의적용(discretionary) 대상 품목인 feed grains, wheat, soybeans의 경우, Marketing Loan을 '86~ '88 기간중 적용한 적이 없는가?

※ 〈Marketing Loan 제도〉

o 국제가격이 Loan Rate 이하로 하락했을 경우 그 하락폭만큼 CCC보유 현물을 수출업자에 지급하므로서 국제가격 등락과 관계없이 수출이 가능하게 함. ('86. 4부터 실시)

o 농민은 Loan Rate보다 낮은 가격으로 융자금 상환이 가능함으로 추가적인 재정부담이 발생하나 수출업자는 국제가격 수준에서 수출물량 확보가능.

※ MINIMUM LOAN REPAYMENT RATES

o Feedgrains   70 percent of Basic Loan Rate
  What, Rice   70 percent of Basic Loan Rate
o Cotton   80 percent of Loan Rate or World Market Price

3. 미국 C/L은 국내보조가 역사적으로 가장 높았던 '86 ~ '88을 기준으로 작성하였는바, Target Price는 최고수준인 반면, 국제가격은 최저수준의 가격을 적용하였음.
   따라서 '86~'88 평균가격과 보조수준을 기준하여 '91/'92부터 감축하는 것은 이미 상당폭 감축된 현행.보조수준('90 Farm Bill기준시 '86보다 약 75%감소)을 실제금액보다 과대 평가하는 것이 아닌가?

< FARM POLICY SETTING, 1990 VS. 1985 >

Year	Financial stress	Fam program costs	Output surpluses	Export competi-tiveness	Environ-mental
1985	Over 200,000farms considered vulnerable	$25.8billion for FY 1986	Grain carry over stocks at 69% of use for 1985/86	U.S agricultural exports $26billion for FY 1986	Zero acres in Conservation Reserve Program
1990	About 100,000farms considered vulnerable	S 6.5billon for FY 1990	Grain carry over stocks at 30% of use for 1990/91	U.S. agricultural exports $40billion for FY 1990	34 million acres Conservation Reserve Program

0046

II. 국내보조

List 1-A : U.S. Internal Support

Part A-1 : Products for which AMS can be calculated : Commodity specific
AMS components for 1986~'88 average

Part A-2 : Products for which AMS can be calculated : Generally available
support (Permitted/Disciplined)

---

4. 총 AMS 계측시 Commodity-specific policy와 Generally Available Policiy
로 구분하였는데 Commodity specific과 Non-commodity specific policy의 구분
근거는 무엇이며, 특히 Generally avaliable support가 과연 품목별로 배분하
는 것이 불가능하다고 보는가?

※ 미국은 Offer List에서 commodity Specific한 보조금은 10년간 75% 감축,
Generally Available한 보조금 (Single, Sector-wide AMS)은 10년간 30%
감축을 주장하고 있음.

5. 미국의 AMS에는 주정부의 보조금이 계상되었는가? 계상되었다면 구체적인
사례를 통해 설명하여 주기 바람.

o 미국 C/L의 Explanatory Note (첫 Page)에는 주정부 회계년도 ('87.7~
'88.6)를 표시하고 있으나 국내보조금 산출내용에는 State Credit
Programme이외에는 주정부 보조계상에 대한 언급이 없음.

0047

ANNEX 1 : Other Disciplined Programs Generally Available : Input and
marketing cost reduction

6. Agricultural Credit,Bu eau of Reclamation Irrigation, and Grazing fees
만을 제시하였는데, 미국에 있어서는 nondurable input subsidy
(e.g. fertilizer, pesticide)는 존재치 않는가?

7. Agricultrural Credit, Irrigation은 Fiscal Year를 기준으로 산출하였는데
Grazing Fees도 Fiscal Year를 적용하였는가? 다른 기준년도를 사용하였다면
그 이유는?

8. Agricultural Credit중에는 품목별 (Commodity Specific)지원의 성격을 가진
것은 없는가?

9. Irrigation 보조금은 Footnote 5에서 관개면적을 기준하여 품목별 상당액에
따라 할당하였다고 부기하고 있음에도 generally available한 보조금으로
분류한 이유는?

10. 또한 Livestock Grazing Fees (감축대상)과 Dairy Termination programe
(허용대상)은 Commodity Specific한 성격을 갖고 있는 것으로 보는데
generally available한 보조금으로 분류한 이유는?

11. 미국의 농업부문은 One of the most capitalized sector로서 농업투자는
미국의 조세정책에 의하여 크게 좌우되어 왔음. 불특정 정책사업중 Tax
exemption for investment, tax deductibility of depreciation등이 포함되지
않는 이유는?

0048

ANNEX 2 Permitted Programs Generally Available : Not subject to Reduction

---

12. Tennessee Valley Authority(TVA)의 National Fertilizer Development 관련된
    보조가 '86~'88 평균 52.6 백만달러로 제시되어 있다. 상기 지원조치의
    구체적 내역과 세부내역중 Input cost Reduction 성격의 보조는 없는가?

13. Office of Transportation에서 Marketing function과 관련, 수출업자의 운송
    문제 해결을 위한 보조를 수출보조로 보지 않는 이유는?

14. Packers & Stockyard Administration에서 불공정 무역거래로부터 생산자
    보호를 위해 지원하는 것은 수출보조와 관련이 없는가?

15. Agricultural Stabilization & Conservation Service(ASCS)는 정부의 소득
    및 가격지지 정책을 관리하는 기능을 동시에 갖고 있는데 동기능 수행을 위한
    보조를 허용대상으로 분류한 이유는?

    ※ 참고 : Lipton & Pollack, A Glossary of Food and Agricyltural Policy
         Terms, Agricultural Information Bulletin Number 573, ERS, USDA, 1989

16. 허용대상으로 분류된 Conservation Reserve Program등을 통한 경작지 보존
    이나 곡물경작을 채소류로 전환하는 것이 허용대상의 요건인 현재 또는 미래
    생산에 영향을 주지 않는다고 보는가?

17. Food Security항목에 보조금액을 명시하지 않은 이유는? 밀의 Farmer-
    Owned-Reserve(FOR)만이 Food Security에 포함된 이유는? FOR하의 다른곡물
    에 대한 보조와는 어떠한 관계가 있는가? FOR은 농산물가격 안정과 곡물 과잉
    재고의 감소를 목적으로 농민에게 Storage payment와 loan Interest를 면제
    하는데 이사업을 감축대상에서 제외한 이유는?

18. "농업생산과 직접적인 관계가 없는 국내보조는 감축대상과 허용대상 양자 모두
    로부터 제외되었다"(Annex 2, page 4, 주 1)과 관련하여 Regional development
    를 not applicable for agricultural support로 구분하였는데, 지역개발이
    농업및 농업생산과 전연 관련이 없다고 보는가?   0049

19. 품목별 AMS를 계측하기 위하여 사용한 각종가격 및 재정지출 자료는 무엇이며, 공식통계에 나타난 수치들로부터 어떻게 Commodity Specific AMS가 계산되었는지 설명하시오.

20. Commodity loan forfeit의 의미는 무엇이며, 특히 Negative(-) loan forfeit (예 : Barley, Cotton)는 무엇을 의미하는가? 또한 loan forfeit, Loan deficiency payment (예 : Cotton), Loan interest Subsidy의 차이점은?

21. Estimated price gap를 계측하기 위한 reference price는 시장가격이 loan rate보다 높은 경우는 시장가격, 시장가격이 loan rate보다 낮을 경우 loan rate를 적용하는 것으로 알고있음. 그러나 미국 C/L에서 Reference price는 Average price for 0-50/92 and payment로 정의하였는데 Average price는 무엇이며 어떻게 계산되었는가?

   ※ 0/92 : Wheat, Feed Grains,   50/92 : rice, Cotton

22. Direct payment는 현금과 현물보조(payment-in-kind)로 구성되었는데, PIK 계획하에서 CCC를 통한 직접보조가 계측되었는가? 계측되었다면 이를 분리하여 설명하고, 공식통계와의 연계성을 제시하시오.

<Agricultural Outlook (Jan-Feb, 1991)>

(Unit : $ Bil)

	'86	'87	'88
○ Direct Gorernment Payments	11.8	16.7	14.5
- Cash Payment	8.1	6.1	7.1
- Value of PIK commodities	3.7	10.1	7.4

0050

23. Market price support는 품목별로 상이한 방법으로 계측하고 있음.

① 즉 Waiver등 비관세 조치로 보호하고 있는 품목중 Dairy, Peanuts, Sugar는 국경보호 효과를 포함하였으나, Beef/Veal, Cotton은 TE가 산출 되었는데도 국경보호 부분을 MPS에 계상하지 않은 이유는 무엇인가?

② Peanuts의 생산량을 실제생산량이 아닌 farmer's stock Basis로 계산한 이유와 Marketing Quota만을 MPS에 계산한 이유는? 또한 Sugar의 경우, Raw Production을 기준으로 MPS를 계산한 이유는?

③ peanuts의 경우, 생산자 수취가격보다 높은 loan rate를 사용한 이유와 Dairy에서 Price Gap을 (시장가격-국제가격)이 아닌 (지지가격-107.033) 으로 한 이유는?

④ Sugar의 경우, Producer's share를 60%로 보고 MPS의 60%만 감축대상으로 한 이유는? 또한 Sugar의 경우만 FOB Price를 이용한 이유는?

24. Direct payment와 관련하여,

① 이미 집행이 완료된 '86~'88년의 Deficiency Payment를 계측하는데, 조정 계수로서 payment Limits and underplanting을 사용한 이유와 그 구책적인 산출의 근거는?

② 쌀의 경우, Deficiency payment 대상물량(5.5mil M/T)이 총생산량(4.5mil M/T)보다 많은 이유는?

③ Dairy의 경우, Dairy Assessment가 negative(-)로 표시된 이유는?

0051

Ⅲ. 수출경쟁

25. 국내보조는 정책사업별 세부보조 내역을 제시하였는데 반하여, 수출보조의 경우, Dairy Export Incentive Program, Sunflowerseed Oil Assistance Program, Export Enhancement Program, CCC Direct Sales이외의 정책사업은 없다고 보는가?

(예) Targeted Export Assistmce Programe(TEA), Marketing Loan, Transportation Assistance등

26. Export Enhancement Program은 수출업자에 대한 bonus를 모두 포함하고 있는가? 계측되었는가? (예로서 Part A의 EEP는 360 million $로 제시하고 있으나 1989년도 EEP하에서 수출업자에 지불된 보너스 약 $2.3 billion임)

※ 참조 : The Basic Mechanisms of U.S. Farm Policy, ERS, Miscellaneous publication Number 1479, January, 1990.

27. 수출촉진을 위한 Export Credit Guarantee Program(GSM-102)와 Intermediate Export Credit Guarantee Program (GSM-103)의 Credit/Guarantees에 의한 수출지원이 포함되었는가?

〈수출신용 및 수출신용 보증 계획에 의한 지원실적〉

(단위 : 백만불)

회 계 년 도	GSM - 102	GSM - 103	계
1986	2,522.41	12.65	2,535.06
1987	2,622.33	250.35	2,872.88
1988	4,141.42	362.90	4,504.32
1989	4,769.78	425.53	5,192.31

자료 : Karen Z. Ackeerman, and Mark E. Smith, 「Agricultural Export Programs」, 1990.

28. Foreign Market Development (예, 한국에 있는 미국대두협회 지원)이 포함되지 않은 이유는?

0052

Ⅳ. 국경보호

29. 품목별 TE 산출에 적용한 External Price 및 Internal Price의 구체적인 출처
와 선정 이유를 설명하여 주기바람.

　　※ 참 고 : Dairy Product의 경우

　　　　◦ External Price (World Price)

　　　　　- USDA, FAS, World Dairy Situation등을 참고하여 산출

　　　　◦ Internal Price (U.S. Price) :

　　　　　- USDA, AMS, Dairy Market Statistics등을 참고하여 산출

30. Dry Milk, Butter, Cheese, Sugar, Cotten의경우,수입실적이 있으므로 Actual
cif 가격 사용이 가능함에도 불구하고 fob가격을 기준으로 계산한 이유는?

31. Cotton의 국제가격은 Adjusted World price(AWP)를 사용하고 AWP 계산을 위해
품질 (quality)과 지역 (location)을 고려하였다는데 어떻게 고려하였는가?

32. Raw Sugar, Peanut, Beef의 국제가격 적용 근거와 자료출처(Source)는 무엇
인가?

33. Domestic Price의 기준은 무엇인가? 예를들면 소매가격, 도매가격, 농가수취
가격, 정부개입 가격등을 구체적으로 제시하여 주기 바람.

34. Sugar, Cotton, Beef의 국내가격에 대한 자료출처 (Source)는 무엇인가?

0053

35. Sheep Meat 관세상당액 (TE)를 0/kg으로 표기하고 산출근거를 제시하지 않은 이유는?

36. Dairy Duty와 Sugar Duty는 세번별 TE를 숫자로 표시하지 않고 추후에 제시 하겠다고만 되어있는데 어느 기준에 의해 관세상당액을 산출하여 제시할 것인가?

37. Cheese중 분류번호 99041033의 TE는 119.3(page44) 제시되었으나 HTS에 의한 TE 계산(Page 38)에서는 111.9로 되어 있는데 이와같이 TE가 상이한 이유는?

    ※ 99041033 : 미국형 치즈

38. Cheese의 분류번호 99041033,99041057의 TE는 어떻게 계산되었는가?

    ※ 99041057 : 유지방이 0.5% 이하인 치즈,
       99041030 : 체다치즈,

39. Beef의 국제가격은 Constructed price를 사용하였으나 Cotton은 adjusted price를 사용하고 있는데, 그 차이점은 무엇인가?

40. Cotton의 경우, Prevailing world market Price는 구체적으로 무엇을 의미 하는가?

41. Peanuts의 외부참조 가격은 왜 Roterdam Cif 가격을 사용하는가?

0054

Questionaire Relating to the U.S. Country List

I. Overall Questions

1. In the calculations of AMS and TE, were the same reference prices used?

   If not, what's the rationale using different prices?

   Among the marketing, fiscal and calender year, which one was used?

2. In the country list of U.S., the price supports and direct payments to exported

   quantities out of total production are included in internal support. According to

   Para. 20(b) of Chairman's Draft Text, payments to producer of product being exported

   are regarded as an export subsidy. In this context, wouldn't it be resonable that

   the marketing loans for rice and cotton be dealt as that of the export subsidies?

   Are there any other marketing loans for the discretionary items such as feed grains,

   wheat and soybeans during '86~'88?

3. In the calculation of AMS, the U.S. uses the years of 1986-88 as base year, which

   recorded historically high level of supports.

   In this context, if the reduction commitment based on '86~'88 data is implemented

   from 1991 and thereafter, does the use of average reference prices of 1986-1988 tend

   to overestimate the current level of support compared with the actural budget outlays?

II. Internal Supports

List 1-A : Agriculture Negotiations Country Lists : Internal Support for the U.S.

Part A-1 : Products for which AMS can be calculated : Commodity specific AMS components

      for 1986-88 av erage

Part A-2 : Products for which AMS can be calculated : Generally available support.

4. In addition, what are the criteria to classify the policies into commodity specscific and non-commodity specific policies? is there no way to allocate the generally available support included in the total AMS to the specific commodity?

5. Are the supports provided by state governments included in the AMS calculation? If so, please illustrate them by using concrete examples.

ANNEX 1. Other Disciplined Programs Generally available : Input and marketing cost reduction.

---

6. In the input and marketing cost reduction, are there any other subsidies for non-durable inputs(e.g. fertilizer, pesticide) besides the agricultural credit, irrigation and grazing fees?

7. The supports for both Agricultural Credit and Irrigation are calculated based on fiscal year. Are Grazing Fees also calculated on the basis of fiscal year data? If not, what is the reason?

8. Is there any support of commodity specific nature in the Agricultural Credit?

9. It is suggested in the footnote 5 that the support for irrigation is "allocated to individual crops in proportion to share of value of production on irrigated acreage" Nevertheless, the support for irrigation is classified as generally available support. Why?

10. In addition, the supports for Livestock Grazing Fees and Dairy Termination Programme also seem to be commodity specific. Nevertheless, why are they classified as a generally available support?

0056

11. It is generally recognized that agricultural sector is one of the most capitalized one among the U.S. industries. In addition, the investment in agriculture is known to be heavily dependant upon the tax policy. What's the reason that some generally available programs like investment tax credit and tax deductibility of depreciation are excluded in the AMS calculation?

ANNEX 2. Permitted Programs Generally Available : Not Subject to Reduction

---

12. As one of "the permitted programs generally available"(Annex II), the '86-'88 average outlays to the National Fertilizer Development (NFD) of Tennessee Valley Authority (TVA), is shown to be 52,601 thousand dollars. Please explain the details of the TVA support Programs. Are there any Input Cost Reduction components which are subject to be disciplined?

13. What are the assistances to "exporters to deal with problems" relating to marketing function which included in the outlays of the office of transportation? Should they be dealt in the same manner as applied to export subsidies?

14. Are there any export subsidy effects resulting from "protection of producers from unfair practices" included in the Packers & Stockyard Administration?

15. It is generally said that "Agricultural Stabilization & Conservation Services(ASCS) is also responsible for administrating farm price and income-support programs besides some conservation cost-sharing programmes such as envirnmental protection. However, there is no reference on the price and income support programs in the ASCS, Why?

0057

16. According to the offer list of U.S. and the draft text by chairman [MTN/GNG/NG5/W/170] the policies to be excluded from reduction commitment should meet some criteria including that "it must not be linked to current or future levels of production...." However, in the Conservation Reserve Programme, are the land conservation and the diversion programme of grain into vegetables in accordance with the above-mentioned condition?

17. Does the U.S. consider wheat as the only product for food security concerns covered by Farmer-Owned Reserve (FOR)? Are there no other grains under the FOR?

However, monetary amount allocated for Food Security are not tabled in Annex 2 of List 1 : A, wh y?

The FOR is aimed at stabilizing agricultural price and reducing grain stocks by providing storage payment and loan interest subsidy. In this context, why is the FOR excluded from the list of programmes subject to reduction?

18. The footnote on page 4, Annex 2 is saying that "outlays were excluded from both permitted and disciplined program groups if not related directly to internal support of agriculture production" and that the Regional development/income safety-net were regarded as not-applicable for agricultural support. In fact, are there no relation-ships between regional development programs and agriculture or agricltural production? Explain the reason by using concrete examples.

ANNEX 3. AMS commodity specific components

---

19. What are the data sources used for the calculation of commodity specific AMS? How is the commodity specific AMS calculated from the data?

0058

20. What is meant by commodity loan forfeit? What does the negative value of commodity loan forfeit of barley and cotton imply? And clarify the differences between loan forefeit, loan dificiency payment and loan interest subsidy?

21. In the calculation of deficiency payment for the specific U.S. commodities, average prices for 0-50/92 and payments were used as 1986-88 reference prices. Asumming that price gap is derived from the difference between target price and loan rate or market price whichever is high, please explain the specific average prices and payments applied in the U.S. List.

22. Direct payment is divided into two components such as cash payment and PIK (payment-in-in-kind). Is direct support through CCC under the PIK program included in the measurement of direct payment? If so, what is the proportion of PIK out of total direct payment in the Country List?

23. It seems that the calculation fo market price supports lacks consistency in terms of the following points.

① The protection effects of non-tariff border measures is considered in the calculation of market price support for dairy, peanuts, and sugar. However, in the case of beef/veal and cotton, such effects are not considered. Why?

② In the calculation of price support for penuts, why does the U.S. use the farmer's stock insetead of actual production as a production base? And what is the background that marketing quota was only calculated in the measurement of its MPS? In the case of dairy and sugar, what's the reason the calculation of MPS was based on raw production?

0059

③ In the case of peanuts, the loan rate which is higher than the price received by producers is used for the calculation of market price support. Market price support for dairy is based on the price gap between the support price and specific value (i.e., 107,033), rather than the price gap between the market price and the external price. Why?

④ In the case of sugar, the producer's share is assumed to be 60% of the support calculated from the price gap and production level. Why? Is there any particular reason for using FOB other than CIF prices as reference prices for sugar only?

24. Concerning direct payment,

① In the calculation of Deficiency Payment, "adjustment has been made for payment limit and under-planting". Since actual payment data is believed to be available for the period '86-'88, why is the adjustment necessary for already implemented payments?

② In the case of rice, why is the quantity eligible for dificiency payment larger than total production of rice. Is there any reason for calculation of Direct Payment for rice on the milled equivalent basis in contrast with other grains?

③ Why is the support payment for dairy assessment in Direct Payment negative?

III. Export Competition

25. The U.S. tabled four export support programs i.e., Dairy Export Incentive Program, Sunflower seed Oil Assistance Program, Export Enhancement Program, and CCC Direct Sales, in the Country List. Are there any other support programs linked to export promotion besides them?

0060

26. The amount of 1989 bonus given to the exporters from the Export Enhancement Program indicates 360 million dollars. However, other source, such as the Basic Mechanisams of U.S. Farm Policy, ERS, Jan. 1990, shows that some $2.3 billion was awarded to exporters in 1989. Why is it so different?

27. There is no specific mention about the export credit guarantee programm (GSM-102) and the intermediate export credit guarantee program (GSM-103). How is it dealt in the Country List.

28. The foreign market development program such as subsidies for American Soybean Association outside the U.S. is not included in the export subsidy program. Why?

IV. Border Protection

29. Guidelines for tariffication indicate that f.o.b. prices of an appropriate major exporter would be converted into c.i.f. prices. In the case of dry milk, butter, cheese, and cotton, the appropriate major exporter is not clarified. What are the external reference prices for those products?

30. Actual c.i.f. prices for the importing country would, in general, represent external prices. Where actual c.i.f. prices are neigher available nor appropriate, estimated c.i.f. price from f.o.b. prices would be used as a substitute. For those products imported such as dry milk, butter, cheese, sugar, and cotton, why does the U.S. use the estimated c.i.f. prices insted of actual c.i.f. prices?

31. The adjusted world price(AWP) is used as the external price of cotton. Coefficients for quality and location are applied to derive the AWP from the prevailing world price. What are the adjustment coefficients for quality and location?

0061

32. Sources for the external price of raw suger, peanuts, and beef are not specified. What are they?

33. In the U.S. Country List, it is not clearly indicated which kind of domestic prices are used to calculate tariff equivalents(TE). Are they ratail price, wholesale price, producer price, or government intervention price?

34. Sources for the domestic price of sugar, cotton, and beef are not provided. Please indicate the sources more specifically.

35. There are no relevant data for the calculation of the tariff equivallent of sheep meat. What are the data used and why is the TE of sheep meat zero?

36. Dairy Duty and Sugar Duty are remained to be worked out to provide precise TE for each corresponding tariff line. What methodology will be applied to calculate those TEs?

37. In the case of cheese, is the TE for the tariff line 99041033 119.3 or 111.9? Why is it so different?

38. TEs for other cheeses are derived from the TE for cheddar cheese by appling appropriate price ratios. However, the price ratios for the tariff lines 99041054, and 99041057 are not clarified. What are the price ratios? Are there any other methods to estimate TEs for those products?

39. In the case of beef, the constructed price is used as a reference price. On the other hand, adjusted price for penuts is used as a reference price. What's the difference between them and why?

40. What does the prevailing world market price of cotton imply?

41. Why the c.i.f. price of peanuts to Rotterdam is used as an external price of peanut?

0062

미국의 아국 CL에 대한 질문서 요지

1991. 5.15.
통상기구과

1. 국내보조

   o CL에서 제외된 여타품목에 대한 보조 현황

     - 담배, 땅콩, 오렌지, 고추, 마늘, 양파, 감자, 참깨등

   o CL에 포함된 9개품목의 경우 시장가격 지지 이외의 여타 보조현황

     - 투입요소 보조, general service 보조등

   o 과일, 채소에 대한 투입요소 보조현황 세분화

   o 기   타

     - 가격기준 년도, 세계시장 가격 산출출처, 품목별 보조지급 체계,
       품목별 실제 정부예산등

2. 국경조치

   o TE를 산출치 않은 15개 NTC 품목, 오렌지쥬스, 포도쥬스, 사과쥬스

     - 국내 도매가격 및 CIF 기준 수입가격

   o TE를 산출한 품목별 국내.외 가격 기준, 쿼타 운용 현황등

3. 수출 보조

   o 담배 및 인삼에 대한 수출보조 현황

     - 국내가격 및 수출가격.   끝.

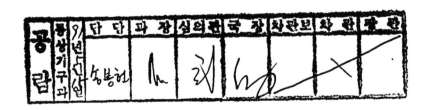

0063

기 안 용 지

분류기호 문서번호	통기 20644-	(전화 : 720 - 2188)	시 행 상 특별취급

보존기간	영구 . 준영구 10. 5. 3. 1.

장   관

수 신 처 보존기간	
시행일자	1991. 5.14.

보 조 기 관	국 장	전 결	협 조 기 관		문 서 통 제
	심의관				
	과 장				
기안책임자		송 봉 헌			발 송 인

경 수 참	유 신 조	건 의	발 신 명 의		

제 목	UR/농산물 협상 CL 관련 한.미 양자협의 정부대표

5.20. 스위스 제네바에서 개최되는 UR/농산물 협상 CL 관련

한.미 양자협의에 참가할 정부대표를 "정부대표 및 특별사절의

임명과 권한에 관한 법률"에 의거 아래와 같이 임명할 것을 건의하오니

재가하여 주시기 바랍니다.

- 아   래 -

/뒷면 계속/   0064

1. 회 의 명 : UR/농산물 협상 CL 관련 한.미 양자협의

2. 회의기간 및 장소 : 1991. 5.20(월), 스위스 제네바

3. 정부대표

　　　o 농림수산부 국제협력담당관　　　　최용규

　　　o 농림수산부 국제협력과 사무관　　　윤장배

　　　o 주 제네바 대표부 관계관

　（자　　문）

　　　o 농촌경제연구원 국제농업실장　　　이재옥

　　　o 농촌경제연구원 연구원　　　　　　최세균

3. 출장기간 : 1991. 5.17-22

4. 소요예산 : 소속부처 소관예산

5. 훈령(안) : 별 첨

첨 부 : 훈령(안).　　　　　끝.

0065

훈 령 (안)

1. 기본방향

    O 협의내용은 CL 작성 배경과 방법, 기준등에 대한 기술적 문제 중심으로
      하되, 실질내용에 대한 문제가 제기될 경우에는 객관 타당성이 있는 논리를
      설득력있게 제시

    O 금번 협의를 통해 미측의 의도를 간접적으로 확인하고 아국 관심사항에
      대한 반응을 측정함으로써 향후 협상대책 수립에 활용

2. 세부입장

    가. 미국 CL에 대한 질문서 작성시 중점 고려사항

        O 기술적 사항 위주로 질문서 작성

          - 정치적으로 민감한 쟁점사항에 대한 논의를 가급적 배제

        O 미국이 협상에서 지키고자 하는 진정한 의도를 간접적, 우회적으로 확인

          - 그동안 미국이 UR 협상에서 주장해온 입장이 CL에 일관성 있게
            반영됐는지 여부, '90 Farm Bill과의 연계성등을 중점적으로 검토
          - Waiver등에 의한 미국의 주요 보호품목과 Deficiency Payment,
            Export Enhancement Programe등 주요정책과 관련한 사항을
            집중적으로 제기

        O 미국의 CL에 사용한 기초자료와 여타 농업정책 및 재정지출 자료와의
          상이성 지적

          - 정책별 성격과 분류방법, 기준가격 및 기준년도, 지원규모등

0066

o 기타 CL 작성 과정에서 누락된 정책과 보조금, 이해가 어려운 산출방식을
  명확히 규명

나. 아국 CL에 대한 답변서 작성시 기본지침

o CL의 성격과 전제조건을 명확히 제시
  - CL은 현황자료이므로 향후 협상에 있어서 아국 입장을 예단하는
    것이 아니며, CL은 협상의 기초가 확립되지 않은 상태에서 작성된
    것이므로 추후 변동상황이 발생할 경우 내용과 계수의 수정 또는
    재작성이 가능.   끝.

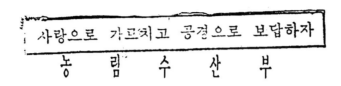

농 림 수 산 부

국협20644- 4|7   503-7227   1991. 5. 14.

수신 외무부장관
참조 통상국장
제목 Country List에 대한 한.미 비공식회의 참가

1. '91.4.15-4.19간 농산물실무회의시 미국측이 제의해온 Country List에 대한 한.미간 비공식양자협의를 5.20 제네바에서 개최키로 합의한바 있습니다.

2. 이에따라 동협의에서는 C/L작성배경과 방법, 기준등에 대한 기술적문제를 중심으로 논의가 이루어질 것으로 예상됨으로 아측의 입장을 설득력 있게 제시하는 동시에 미측의 관심사항과 의도를 확인함으로서 향후 협상대책 수립에 활용하기 위하여 다음과 같이 당부대표단을 파견코져 하오니 협조하여 주시기 바랍니다.

- 다 음 -

가. 당부대표단

구 분	소 속	직 위	성 명	비 고
대 표	농업협력통상관실	국제협력담당관	최용규	
	"	행정사무관	윤장배	
자 문	한국농촌경제연구원	국제농업실장	이재옥	소요경비는 소속기관 부담
	"	책임연구원	최세균	

나. 출장기간 : '91.5.17-5.22(6일간)
다. 출 장 지 : 스위스(제네바)
라. 출장목적 : Country List에 대한 한.미간 비공식협의 추진
마. 소요경비
   0 국외여비 : $5,438(1113-213)

0068

국협20644-   503-7227   1991. 5. 14.

3. 아울러 동협의 개최에 앞서 양국간에 질문서를 사전 교환키로 하였는바,
   미국 Country List에 대한 질문서를 별첨 송부하오니, 주제네바대표부 및
   주미대사관에 지급 송부토록 조치하여 주시기 바랍니다.

첨부 : 1. 출장일정 및 소요경비 내역 1부.
      2. Country List에 대한 한국의 비공식협의 참가대책 및 미측에 대한
         질문서 각1부.

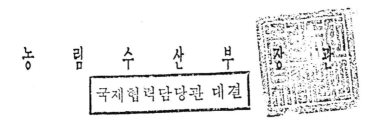

농 림 수 산 부
국제협력담당관 대결

0069

출장일정 및 소요예산 내역

<출장일정>

출 장 일 정	주 요 내 용	비 고
5. 17 (금)	12:40 서울발 (KE 901) 19:10 파리착 20:45 파리발 (SR729) 21:45 제네바 착	
5. 18 (토) 5. 19 (일)	C/L 양자협의 사전대책 회의	
5. 20 (월)	한.미 C/L 양자협의	
5. 21 (화)	17:35 제네바 발 (BA 739) 18:10 런던착 20:30 런던발 (KE 908)	
5. 22 (수)	17:30 서울착	

<소요예산>

ㅇ 국외여비 : $ 5438   (예산과목 1113-213)

	국제협력담당관	온장배 사무관
항 공 료	$ 2,125	$ 2,125
일 비	$20 × 6 = $ 120	$20 × 6 = $120
숙 막 비	$66 × 4 = $ 264	$66 × 4 = $264
식 비	$42 × 5 = $ 210	$42 × 5 = $210
소 계	$ 594	$ 594
합 계	$ 2,719	$ 2,719

0070

경 제 기 획 원

봉조이 10520-?ᴵᴵ   (503-9147)   1991.5.15.

수신: 외부부장관

참조: 봉상국장

제목: UR/농산물협상관련 한.미 양자협의 참가

　　　스위스 제네바에서 개최되는 UR/농산물협상관련 한.미양자협의
('91.5.20)에 아래와 같이 참가코자 하오니 해외출장에 필요한 조치를
취하여 주시기 바랍니다.

- 아   래 -

가. 출장자:

소 속	직 위	성 명
대외경제조정실 통상조정2과 GATT Division, int'l policy coordination office, E.P.B	사무관 Assistant Director	정무경 Jung Moo Kyung

나. 출장지: 스위스 제네바 및 일본

다. 출장기간: '91.5.17 - 5.24

라. 출장목적: UR/농산물협상관련 한.미 양자협의참가 및 자료조사

마. 여행경비: 당원부담

경 제 기 획 원 장

0071

230H

기 안 용 지

(전화 : 720 - 2188)

분류기호 문서번호	통기 20644-		시 행 상 특별취급	
보존기간	영구 . 준영구 10. 5. 3. 1.	장	관	
수 신 처 보존기간				
시행일자	1991. 5.14.			

보 조 기 관	국 장		협 조 기 관		문 서 통 제
	심의관				1991. 5. 1
	과 장	전 결			
기안책임자	송 봉 헌			발 송 인

경 유 수 신 참 조	농림수산부장관	발 신 명 의	

제 목	UR/농산물 협상 CL 관련 한.미 양자협의 정부대표

5.20. 스위스 제네바에서 개최되는 UR/농산물 협상 CL 관련

한.미 양자협의에 참가할 정부대표가 "정부대표 및 특별사절의

임명과 권한에 관한 법률"에 의거 아래와 같이 임명 되었음을

알려 드립니다.

- 아 래 -

/뒷면 계속/   0072

1. 회 의 명 : UR/농산물 협상 CL 관련 한.미 양자협의

2. 회의기간 및 장소 : 1991. 5.20(월), 스위스 제네바

3. 정부대표

    ○ 농림수산부 국제협력담당관   최용규

    ○ 농림수산부 국제협력과 사무관   윤장배

    ○ 주 제네바 대표부 관계관

    (자   문)

    ○ 농촌경제연구원 국제농업실장   이재옥

    ○ 농촌경제연구원 연구원   최세균

3. 출장기간 : 1991. 5.17-22

4. 소요예산 : 소속부처 소관예산

5. 출장 결과 보고 : 귀국후 20일이내.   끝.

0073

발 신 전 보

분류번호	보존기간

번 호 : WGV-0623   910514 1659 FO   종별: 암호방신

수 신 : 주   제네바   대사. 총영사

발 신 : 장 관 (통 기)

제 목 : UR/농산물 협상 CL 관련 한.미 양자협의

본부

1. 5.20. 귀지에서 개최되는 UR/농산물 협상 CL 관련 한.미 양자협의에 아래 대표를
   파견하니 귀관 관계관과 함께 참석토록 조치바람.
   ㅇ 농림수산부 국제협력담당관   최용규
   ㅇ 농림수산부 국제협력과 사무관   윤장배
   (자   문)
   ㅇ 농촌경제연구원 국제농업실장   이재옥
   ㅇ 농촌경제연구원 연구원   최세균

2. 금번 양자협의에는 아래 기본입장 및 본부대표가 지참하는 자료에 따라 적의
   대처바람.

   가. 기본방향
       ㅇ 협의내용은 CL 작성 배경과 방법, 기준등에 대한 기술적 문제 중심으로
          하되, 실질내용에 대한 문제가 제기될 경우에는 객관 타당성이 있는
          논리를 설득력있게 제시

보안통제	(서명)

앙고재	91년 5월 14일	통상기구과	기안자 성명 송봉헌	과 장 심의관	국 장	차 관	장 관	외신과통제

0074

ㅇ 금번 협의를 통해 미측의 의도를 간접적으로 확인하고 아국 관심사항에
   대한 반응을 측정함으로써 향후 협상대책 수립에 활용

나. 세부입장

1) 미국 CL에 대한 질문서 작성시 중점 고려사항

   ㅇ 기술적 사항 위주로 질문서 작성

      - 정치적으로 민감한 쟁점사항에 대한 논의를 가급적 배제

   ㅇ 미국이 협상에서 지키고자 하는 진정한 의도를 간접적, 우회적으로
      확인

      - 그동안 미국이 UR 협상에서 주장해온 입장이 CL에 일관성 있게
        반영됐는지 여부, '90 Farm Bill과의 연계성등을 중점적으로 검토

      - Waiver등에 의한 미국의 주요 보호품목과 Deficiency Payment,
        Export Enhancement Programe등 주요정책과 관련한 사항을
        집중적으로 제기

   ㅇ 미국의 CL에 사용한 기초자료와 여타 농업정책 및 재정지출 자료와의
      상이성 지적

      - 정책별 성격과 분류방법, 기준가격 및 기준년도, 지원규모등

   ㅇ 기타 CL 작성 과정에서 누락된 정책과 보조금, 이해가 어려운
      산출방식을 명확히 규명

2) 아국 CL에 대한 답변서 작성시 기본지침

   ㅇ CL의 성격과 전제조건을 명확히 제시

      - CL은 현황자료이므로 향후 협상에 있어서 아국 입장을 예단하는
        것이 아니며, CL은 협상의 기초가 확립되지 않은 상태에서
        작성된 것이므로 추후 변동상황이 발생할 경우 내용과 계수의
        수정 또는 재작성이 가능.   끝.

                           (통상국장 김 삼 훈)

0075

발 신 전 보

번   호 : WGV-0633   910516 1351 FL   종별 : _____

수   신 : 주   제네바   대사. 총영사

발   신 : 장 관 (통 기)

제   목 : UR/농산물 협상

5.20. UR/농산물 협상 CL 관련 한.미 양자협의 참관차 경기원 통상조정2과 정무경 사무관이 귀지 출장하니 참고바람.   끝.   (통상국장 김 삼 훈)

보안통제	~

앙고재	91년 5월 16일	통상기획과	기안자성명 송병천		과장	심의관	국장		차관	장관	외신과통제

0076

관리 번호	91-361

원 본

외 무 부

종   별 :

번   호 : GVW-0929

일   시 : 91 0522 1130

수   신 : 장관(봉기, 경기원, 재무부, 농수부, 상공부)

발   신 : 주 제네바 대사

제   목 : UR/농산물/(C/L 한.미 양자 협의)

검 토 필 (1991. 6. 30.) ⑧

5.20(월) 개최된 국별 리스트에 관한 한미 양자 협의 요지 하기 보고함.

1. 회의 개요

- 참석자

0 아측: 최용규 농림수산부 국제협력과장, 윤장배 농림수산부 사무관, 정무경 경제기획원 사무관, 이재옥 농경연 수석 연구원, 최세균 농경연 책임 연구원, 김종진 농무관보 등 6 명)

0 미측: BARBARA CHATTIN, MARY REVELT(USTR), HOWARD WETZEL, SPITGER(USDA, FAS), LARRY DEATON CAROL GOODLOW(USDA, ERS), 등 6 명 참석

- 회의 진행: 오전중에는 국별 리스트에 대한 미측 질문서에 대하여 아측이 답변하였고, 오후에는 아측 질문서에 대하여 미측이 답변하였으며, 필요한 경우 보충질문 답변이 있었음.

2. 아국 국별리스트 협의 요지

가. 아측은 답변에 앞서 국별 리스트 작성당시 합의된 규범이 없었던 점, 시간적 제약, 경험 부족등 어려움이 많았으나, 아국 협상 입장을 토대로 사무국이 제시한 지침에 가능한 합치시키면서 내용에 충실을 기하도록 노력했다고 전제하고, 그러나 작정상의 오류가 발견되면 수정할 것이며, 협상의 진전상황에 따라 보완토록 할것임을 밝혔음. 또한 금일 토의가 아국 협상 입장을 예단하는 것이 아님을 전제하였음.

나. 국내 보조 부분

- 미측의 서면질문에 대하여 항목별로 사전 준비된 답변자료에 따라 답변하였음. 미측의 보충 질문 사항 및 특기사항을 하기 함.

0 미측은 아국의 수매 비축사업에 관심을 갖고 해당품목이 무엇이며, 구체적 운영은 어떻게 되며, 효과가 어떠한지 질문하였음.

통상국	장관	차관	1차보	2차보	정와대	안기부	경기원	재무부
농수부	상공부							

91.05.22   21:08

외신 2과 통제관 CF

0077

아측은 답변에서 고추, 마늘, 양파등의 수매 비축 사업은 가격 또는 소득 보조 성격이 아니고 가격의 불안정성을 완화하는데 그 목적이 있으며, 기본적으로 시장 가격으로 수매, 방출하고 있다고 하였음.

0 미측은 감귤류의 쿼타제 운영방식, 담배인삼의 수매비율, 고추 마늘 양파등에 대한 부입요소 보조유무, 농기계 보조의 성격을 추가 질문하였음.

0 아측은 답변에서 담배, 감귤은 정부수매가 없으며, 땅콩은 가끔하고 있고, 참깨의 경우는 수매가격이 시장가보다 낮아 수매가 잘되지 않고 있다고 하였음. 감귤류 쿼타는 기업의 수요를 감안 설정하고 있으며, 농기계 보조는 품목 특정성이 없어 구조조정 부문에 분류되었다고 답변함.

- 미측은 부입 요소 보조에 비료보조외에는 없는지, 품목 특정성은 없는지를 질문하였음.

0 아측은 답변에서 정부가 비료회사(국영)에 직접 보조하여 농민에 싸게 공급 되도록하고 있다고 하고, AMS 는 재정 지출기준으로 계산했다고 답함.

- 미측은 재해구조, 구조 조정 정책, 유통개선 정책 및 기타 정책의 구체적내용이 무엇이며, 어떻게 운영되는지를 질문하였음.

0 재해구조의 경우 홍수등 자연 재해 발생시 피해액의 일부를 농가에 보조하고 있고 품목 특정성이 없으며, 농업보험과는 다르다고 설명하였고, 구조조정은 개방화 시대를 맞아 농업하부구조 개선, 기계화등 경쟁력 향상을 위한 정책이 포함되어 있다고 답함.

- 미측은 AMS 계측 기초자료 제시를 요구한바, 품목별 국제가격 자료와 출처를 제공하였음. 미측은 아측의 농업 예산 규모에 대한 자료를 요청한바 추후 검토 하겠다고 답함.

- 미측이 제기한 쇠고기 및 돼지고기 가격자료에 대하여 아측은 작성상의 오류가 있었음을 밝히고 시정할 것이라고 답함.

0 특히 쇠고기 및 돼지고기 AMS 산출에 사용된 품질 등급에 관심을 표명하고, 우유등 기타 품목에 대하여도 품질차 조정을 위한 품질 계수를 사용했는지 문의 하였음.

- 쌀에 대하여는 수매시기, 수매방법, 수매비율등에 대하여 관심을 표명하였음.

,, 이하 다. 국경조치 부터는 GVW-0930 으로 계속됨.

PAGE 2

0078

외 무 부

관리 번호 91-362

종   별 :

번   호 : GVW-0930   일   시 : 91 0522 1130

수   신 : 장관(통기, 경기원, 재무부, 농림수산부, 상공부)

발   신 : 주 제네바대사

제   목 : UR/농산물(C/L 한.미 양자협의)

검 토 필 (1991. 6. 30)

다. 국경조치

- 아측은 15개 NTC 품목의 TE 는 정치적 이유에서 제시하지 않았으나 협상결과에 따를 것임을 밝혔음.

- LPMO 의 수입절차, 감귤류 쿼타 설정방법등의 질문에 대하여는 국별리스트 협의와 직접적 관련이 없으므로 다른 기회에 논의하자고 하였음.

0 특히 LPMO 관계사항은 수차 관계전문가 협의가 있었던점, 현재 공동 조사단이 활동하고 있다는 점을 상기시킴

0 미측은 의회, 이해단체등에 설명하기 위해 알 필요가 있다고 언급하고 사료 쿼타 설정방법, 사료공장의 허가제 여부등을 추가 질문함.

- 미측은 TE 산출 기초자료 특히 국제가격 자료의 출처 및 계산방법에 대해 문의함

라. 수출보조

- 담배 인삼공사의 담배 및 인삼 수매방법, 정부의 국내보조 또는 수출보조지급 여부, 품질등급, 가격자료의 출처등에 대한 질문에 대하여 아측은 담배 인삼공사는 기본적으로 정부와 독립된 기업이며, 동기업의 경영방침에 따라 수매. 수출등이 결정되고, 수출가가 수매가보다 낮을 경우 발생하는 손실은 기업의 판매 이익에서 충당하고, 정부의 직접적인 보조가 없다고 답변하였으며, 담배의 대표 등급 질문에는 기업 비밀이라고 하였음. 인삼은 수출가가 국내가 보다 높다고 답변함.

- 미측은 담배 인삼공사가 카나다 또는 호주의 MARKETING BOARD 와 같은 역할을 수행하는지에 관심을 가진것으로 보임.

- 동 문제와 관련 미측은 축협. 농협의 수매.수출 운영방식을 질문하고 정부가 FUND 를 지급하는지 문의함

- 또한 돼지고기 수출과 관련 수출이유와 보조유무의 확인을 요청하였는바 내용을

통상국   장관   차관   1차보   2차보   청와대   안기부   경기원   재무부
농수부   상공부

PAGE 1

파악 추후 답변하겠다고 하였음.

3. 미국 국별리스트에 대한 협의 요지

가. 미측은 국별리스트에 일부 오류가 있으며 시정이 필요하다고 하고, 협상틀 (FRAMEWORK) 에 대한 합의가 있으면 보완해야 (987)것이라고 함

나. 국내보조 부문

- 아측의 AMS 대상품목 질문에 대하여 면화는 TE 가 없는대신 대부분 국내보조를 통해 보호하고 있고, 유제품, 쇠고기, 땅콩등이 대상이 된다고 함.

- TE 와 가격자료가 같은지에 대한 질문에 대하여 기본적으로 AMS 와 같은 가격 자료에 기초하였으나, 산출기간이 다른바, TE 는 역년별, AMS 는 작물년도 별로 계산됐다고 함.

0 특히 TE 계산시 국내가격은 기본적으로 생산자 가격을 이용하되 없는 경우는 도매가격을 의제했다고 하였고, AMS 계산서는 생산자가격 대신 정부의 보조 가격을 사용했다고 함.(LOAN RATE 등)

- 영농자금과 같은 것은 정부가 총량만을 규제할수 있고 품목별 할당은 사전적으로 할수 없으므로 단일 AMS(SINGLE SECTOR-WIDE AMS) 로 계산했다고 함.

- MARKETING LOAN 의 적용대상품목 질문에 대하여 미측은 현재 콩과 식량곡물의 경우 적용되지 않고 있으나 90 년 농업법에는 적용대상으로 하고 있다고 함.

- MARKETING LOAN 의 적용대상품목 질문에 대하여 미측은 현재 콩과 식량곡물의 경우 적용되지 않고 있으나 90 년 농업법에는 적용대상으로 하고 있다고 함.

0 동 보조는 국제가 이하로 국내가가 떨어졌을때 작용하므로 수출보조 성격이 없으며 따라서 국내보조에 분류했다고 하고, 드쮸의 의장합의 초안 수출보조 B 항은 이러한 점에서 반대한다고 밝힘.

- 기준년도 문제는 AMS 와 TE 계산이 동일하여야 한다는 점과 단일 년도 사용 보다는 평균사용이 대표성이 있다는 점에서 86-88 평균을 사용했다고 함.

- GRAZING FEE 와 용수사업 보조성격에 대한 질문에 대하여 품목특정성이 없다는 점을 강조하고 일반적으로 이용할수 있는 보조라고 답함.

0 아측은 비록 그런 성격이 있더라도 특정품목에 집중적으로 사용될 경우 품목 특정성이 있는 것은 아니냐고 질문하였음

- 지방정부의 직접 보조는 우유에만 있으며, 기타는 유통개선, 지도, 연구사업등으로서 허용정책으로 분류되었으며 주정부가 예산총액만 보고하므로 항목별

PAGE 2

분류가 어렵다고 답함.

- 식량안보 관련 정책은 80 년 대소곡물 금수조치 이후 밀에만 해당된다고, 하고 농가보유저장(FARMER-OWNED RESERVES) 정책에 대해 저장비용 지급과 융자를 하고 있는바 동정책은 밀외에 옥수수등도 해당되나 별도 항목을 설정하지 않았다고 하고 LOAN RATE 와 관련한 제도의 운영방식은 카나다와의 FTA 부표에 자세히 나타나 있는바, 참고로 동 자료를 워싱톤(주미 대사관)을 통해 제공하겠다고 함.

- 소득 안전대 사업(INCOME SAFETY-NET PROGRAM)은 현재 시행하고 있지 않다고 하였으며, 지역개발정책에는 농촌주택 개선사업, 도로, 하수도 유지관리 비용등이 포함되어 있다고 함

- 우유의 국내가격 자료는 잘못 표기된 것으로서 시정하겠다고 함.

- 쌀의 경우 생산량보다 결손지불 대상량이 많은 이유는 결손지불을 계산할때 실생산단수가 아닌 과거 평균단수에 의하기 때문이라고 설명함

(GVW-0931 로 계속됨)

관리번호 91-363

원 본

외 무 부

종 별 :

번 호 : GVW-0931

일 시 : 91 0522 1140

수 신 : 장관(봉기, 경기원, 재무부, 농림수산부, 상공부)

발 신 : 주 제네바 대사

제 목 : GVW-0930 호의 계속

검 토 필 (1991. 6. 30.)

다. 수출 보조

- 수출시장 개척 보조는 드쮸의장 합(281)문안에 제시되지 않았기 때문에 포함되지 않았으나 FAS COOPERATIVE PROGRAM 등은 국별 리스트의 어느 부분엔가는 들어가야 할것으로 본다고 답함.

- 수출신용 보증(EXPORT CREDIT GUARANTEE)은 드쮸 합의문안에 제시되지 않았기 때문에 포함되지 않았는바, 협상의 대상이라고 답함

라. 국경조치

- 우유, 면화, 쇠고기등의 가격자료 출처에 대한 질문에 대하여 출처와 자료 사본을 제시함.

- DAIRY DUTY 내용에 대한 질문에 대하여 유지방과 우유의 고형성분으로 분류, 각각의 비율에 따른 세금 부과를 고려하고 있다고 답함.

- 체다 치즈의 TE 계산수치는 표기상 오류가 있었다고 밝힘.

- 땅콩의 경우 수입되고 있는데도 CIF 가격을 사용하지 않은것은 수입량이 극히 적어 대표성이 없기 때문이라고 답함.

4. 관찰 및 평가

가. 동협의는 시종 우호적 분위기에서 진행되었으며, 협상입장을 전제하지 않고 기술적 문제에 대하여 전문적으로 논의를 진행하여 큰 논란이 없었음. 특히 미측은 아국은 NTC 품목에 대한 자료제시등을 강하게 주장하지 않았음. 또한 미측의 국별 리스트에 대한 관련 자료를 워싱턴을 통해 아측에 제공하기로 하는등 국별 리스트 명확화를 위해 계속 협조해 나가기로 하였음. 아측도 이와 관련 미측이 추가 제기한 문제에 대하여 검토하여 그 결과를 현지 대사관을 통해 알려줄 필요가 있다고 사료됨.

나. 미측 참석자중 H. WETZEL, L. DEATON 등 아국 농업에 대한 전문가가 참석

통상국 농수부	장관 상공부	차관	1차보	2차보	청와대	안기부	경기원	재무부

PAGE 1

91.05.23 01:00

외신 2과 통제관 CF

0082

하였으며, 아측의 AMS 및 TE 계산에 사용한 가격자료 사본(농업 봉계월보등)을 가지고 있었는바, 미측은 아측의 AMS 및 TE 를 자체적으로 별도 계산하여 아측 자료와 검증을 하고 있는 것으로 보임.

　다. 미측은 국별 리스트에서 나타난 기술적 문제를 농산물 협상에서 제기함으로서 연계시킬 것으로 보이며, 특히 국제기준 가격 자료 획득 및 사용상 애로점을 부각시켜 추후 농산물 협상시 공통된 가격기준 제시등을 주장할 가능성이 있을 것으로 보임. 끝

　(대사 박수길-국장)

　예고 91.12.31. 까지

PAGE 2

0083

한·미 Country List 비공식 양자협의 결과

1991. 5

농 림 수 산 부
농업협력통상관실

0084

한·미 Country List 비공식 양자협의 결과

1991. 5

농 림 수 산 부
농업협력통상관실

0085

목   차

I. 비공식 양자협의 개요

1. 추진배경

○ 미측은 주요국가와의 C/L 양자협의 추진계획을 비공식 의사표명
                                                        (4.5)

○ 4.15~19 농산물 실무회의시 아측에 비공식협의 제의

ー 5.18 일경 제네바 개최, 질문서 사전교환등

○ 당부 기본방침확정 (4.29) : 미측제의 원칙적 수용

○ 관계부처협의 및 미측에 기본방침 통보 (5.1)

○ 미측으로부터 회신접수

ー 5.20 , 제네바 (USTR 본부) 에서 개최, 5.15 일경 양측질문서

상호교환

2. 협의일시 및 장소 : 1991. 5.20(월) , 주제네바 USTR 대표부

○ 10:30~12:30 (2 시간) : 미측질문에 대한 아측답변

○ 14:30~17:30 (3 시간) : 아측질문에 대한 미측답변

3. 협의참석자 : 양측에서 각각 6명씩 참석

○ 아 측 : 농림수산부 최용규 국제협력담당관(수석대표) 및 사무관,
농경연 이재옥 국제농업실장외 1명, 경제기획원, 주제네바
대표부에서 각각 1명참석

○ 미 측 : USTR Chattin 부국장(수석대표) 및 USDA에서 Wetzel
부과장등 4명, 주제네바대표부에서 1명 참석

4. 협의진행

○ 양국간 사전에 교환된 질문서에 대한 답변형식으로 진행하되
추가적, 보충적 질문에 대해서도 協의

― 국내보조, 국경보호, 수출보조등 3개분야에 걸쳐 미국은 21개,
아국은 41개 질문을 제시한 바 있음.

○ Country List에 대한 구체적인 작성방법과 기준등 기술적
사항을 중점적으로 설명하되, 정치적 쟁점사항에 대한 논의는 배제

○ 질문 답변과정에서 미흡하거나 미비한 사항에 대하여는 추후
보완 설명자료를 교환

― 4 ―

Ⅱ. 한국 **Country List**에 대한 미측 질문

A. 국내보조 (Internal Support)

〈 질문 : **A-1** 〉

○ 한국의 C/L은 9개 품목에 대해서만 AMS를 제시하고 있음.

○ 그러나 담배, 땅콩, 오렌지, 고추, 마늘, 양파, 감자, 참깨등에 대해서도 정부수매, 생산요소보조, 기타 보조정책을 시행하고 있는 것으로 알고 있음.

○ 이와같은 품목의 생산을 촉진하기 위한 정부지지 정책의 성격과 내역을 설명하기 바람.

〈 답 변 〉

○ 한국 CL상에 제시된 AMS산출품목 (9개)은 국내에서 생산이 되고 세계적으로 교역량이 큰 품목을 중심으로 선정하였음.

○ 미국의 질문중 고추, 마늘, 양파, 참깨, 땅콩은 일시적인 과잉공급으로 가격이 폭락할 경우에 정부가 일시수매 비축하고 있으나 이는 채소류 일반에 적용되는 정책이며, 특히 시가구매 시가방출을 원칙으로 운용되므로 실제 지원효과는 극히 미미하여 산출대상에서 제외되었음.

○ 담배, 감귤에 대한 정부수매는 없으며 생산농가와 담배인삼공사, 제조업체등에 의해 계약수매하고 있음.

※ OECD PSE산출품목

소맥, 대맥, 옥수수, 귀리, 호밀, 쌀, 설탕, 콩, 유채, 해바라기씨, 우유 및 유제품, 쇠고기, 돼지고기, 양고기, 닭고기, 계란, 양모등

〈 질문 : A-2 〉

○ 한국의 C/L은 Market Price Support에 대한 계산방법만을 제시하고 있음. 요소비용감축, 일반서비스등과 같은 여타 보조의 AMS산출방법과 내역을 설명하여 주기 바람.

○ 몇개 품목에 일반적으로 적용되는 보조를 특정품목별로 배분하는 방법을 제시하여 주기 바람.

〈 답 변 〉

○ 요소비용감축은 비료보조뿐이며 이는 정부가 농민에 비료를 저가 공급하는데 따른 비료회사의 결손을 보전하는 것이며 품목을 특정적으로 지원하는 것임.

○ 일반서비스에는 연구, 자문, 훈련검사, 재해복구, 구조조정, 유통등을 판매촉진, 기타등의 정책이 포함되어 있는데 이들 정책은 품목 불특정적으로 운용되고 있음. 특히 재해구조의 경우 홍수등 자연재해발생시 피해액의 일부를 농가에 보조하는 것으로 농업보험과는 다름.

O 이같은 품목불특정하거나 또는 다수품목과 관련되는 사업은
  Budget Outlays를 기준으로 총 보조액을 계산하여 각 품목별
  생산액 비중에 따라, 품목별로 배분하였음.

O 구조조정은 자유화 확대과정에서 불가피하게 수반되는 농업
  구조개선, 기계화등 경쟁력 향상을 위한 정책이 포함되어 있음.

O 미측이 AMS 산출내역 요구에 대해서는 추후 검토하겠다고 답변

〈질 문〉

Market Propmotion에 Statefair가 포함되어 있는가?

〈답 변〉

한국은 없으며, 시장정보 Center 운용, 도매시장건설, 도축장건설등이
포함.

〈질 문〉

기타는 무엇인가?

〈답 변〉

농업금융과 후계자기금임.

— 7 —

0091

〈질문 : A-3 〉

O 가격자료에 사용된 년도를 제시하여 주기 바람.

- 한국은 외부참조 가격을 '86 ~ '88 평균이 아니고, '88 년도 수치
만 사용한 것으로 보임.

〈답 변〉

O 한국은 외부참조 가격을 '88 년도 가격을 사용하였음.
GATT 사무국의 guideline 에서는 Total AMS 산출은 '88 년 가
격을 기준으로, AMS base 는 '86 ~ '88 을 기준으로 할 것을
제시하고 있는데 이같은 기준에 따라 작성할 경우 AMS base와
허용대상 보조액의 합이 Total AMS와 불일치하는 문제가 발생함.
따라서 한국은 일관성 있는 AMS 를 산출하기 위하여 양자 모두
를 '88 년 가격기준으로 산출하였음. (미국은 양자모두를 '86 ~
'88 평균가격을 사용하여 동 문제를 해결한 것으로 보임)

〈질문 : A-4 〉

O AMS 계측을 위해 사용한 모든 세계시장 가격의 출처를
설명하여 주기 바람

O 동 가격에 대해 운송비용에 대한 조정을 하였는가, 아니면
동 운송비용의 추정치 (estimate) 를 제시하기 바람.

- 8 -

0092

〈답 변〉

O AMS 계측에 사용된 세계시장 가격은 '88년을 기준으로 하였으며,
    TE산출시 적용한 가격과 동일함. 품목별 산출근거는 다음과
    같음.

  — 쌀 : '88 FOB 가격 (FAO , Trade Year Book) + FOB × 10 %

  — 보리 : '88 FOB 가격 (U.S. Potland 가격) + $ 25 /톤

  — 콩 : '88 CIF 가격 (실수입가격)

  — 옥수수 : '88 CIF 가격 (실수입가격)

  — 쇠고기 : '88 카나다산 FOB 가격 (FAO , Trade Year Book)
              + FOB × 10 %

  — 돼지고기 : '88 덴막 도매가격 (Agriculture in Denmark ,
                Annotated Statistics, 1988) + FOB × 10 %

  — 닭고기 : '88 미국도매가격 (USDA) × 1.1

  — 계란 : '88 미국도매가격 (USDA) × 1.1

  — 우유 : '88 CIF 가격 (분유 실수입 가격을 원유로 환산하여 산출)

O 세계시장 가격은 기본적으로 수입이 있는 경우는 실수입가격
    (c.i.f 가격)을 , 수입이 없는 경우에는 수출보조가 없고 경쟁
    상태에 있는 대표적 시장가격 (FAO 가격)을 기준으로 선정
    하였음.

— 9 —

0093

O F.O.B 가격을 기준으로 선정한 경우 KOTRA 에 문의하였는바 운임, 보험료는 우리나라에서 통상적으로 적용되는 관례에 따라 FOB 가격의 10 % 를 계산하고 있으며; 다만 보리와 같이 Bulky 한 품목은 실제운송거리와 비용을 고려할 때 톤당 $ 25 이라고 하여 적용하였음.

〈 질 문 〉

버터와 치즈는 AMS 계산에 반영하였는가 ?

〈 답 변 〉

국내적으로 생유와 분유를 소비하고 있어 반영하지 않았음.
가격에 관하여 통일되고 Data Pool 제도가 마련되어야 할 것임.

〈 질문 : A-5 〉

O 한국은 시장가격지지 (MPS) 와 요소비용 감축을 포함하여 대부분의 국내보조를 허용대상으로 분류하고 있음.

O 이러한 정책조치들이 9개 품목에 어떻게 적용되는가에 대한 설명자료를 제시하여 주기 바람.

O 지지정책이 적용되는 품목단위, 지지정책 대상품목과 대상농가의 조건, 관련된 정부지출금액, 동 조치에 의해 영향을 받는 생산수준등을 제시하기 바람.

— 10 —

0094

〈답 변〉

O 이전정책이 감축 또는 허용대상이 되는가에 대하여는 아직까지 Criteria와 framework가 결정된 것이 없으며 한국은 Offer 에서 제시한 입장에 따라 정책을 분류하였음.

O 미국이 제시한 9개품목 관련자료는 기술적 사항 뿐아니라 정치 적 관련사항도 포함하고 있어 앞으로 협상의 원칙이 합의된 경 우에 따라 작성 제시할 것임.

〈품목별 지원내역〉

품 목	MPS	ICR	General Service				
			연구·훈련·검사	재해복구	구조조정	유통 및 판매촉진	기 타
쌀	4,757,658	6,250	4,391	11,073	413,397	243,780	13,210
보 리	270,226	338	234	267	1,105	14,550	435
콩	197,414	245	146	194	556	2,062	313
옥 수 수	33,274	31	18	25	418	219	40
쇠 고 기	499,200	-	7,559	32	28,522	59,255	835
돼지고기	447,203	-	3,820	47	2	17,565	1,099
닭 고 기	93,865	-	547	11	-	3,752	255
우 유	390,467	-	6,376	24	5,953	8,778	6,193
계 란	62,348	-	588	12	-	4,525	236
계	6,751,655	6,864	23,679	11,685	449,953	354,486	22,616

— 11 —

0095

〈질 문〉

일반서비스 정책별 지원금의 구체적 내역을 제시해 달라

〈답 변〉

현재 구체적인 자료가 없으며 본부의 관계부서와 협의, 검토하겠다.

〈질문 : A-6〉

○ 과일, 채소에 대한 조치는 생산요소 감축만 제시하고 있는데
구체적인 조치형태와 품목별로 적용되는 생산요소 보조조치를
설명하기 바람.

〈답 변〉

○ 과일, 채소의 생산요소 감축은 비료에 대한 보조뿐이며, 이는
품목 group별 생산액 비중에 따라 배분하였음.

〈질 문〉

채소, 과일의 일반서비스정책에 관련된 Data를 제시해 달라

〈답 변〉

품목이 너무 많아 정책별로 구체적 산출이 어려움.

〈질문 : **A-7** 〉 쇠고기의 경우

O 총 보조액 산출내역을 설명하기 바람.

O 특히 130천톤은 Carcass 기준인가, 아니면 Boneless 기준인가?

O AMS계측을 위해 사용된 가격들은 동일한 Basis에 의한 것인가? ·

〈답 변〉

O '88년도 생산량 130,000톤은 boneless 기준이며, 국내 및 세계 시장 가격은 Carcass 기준을 사용했으며 돼지고기도 마찬가지로 계산했다. (아국의 계산상 오류 인정)

〈질 문〉

쇠고기, 돼지고기의 국내도매가격은 질, 등급에 따라 구분되는 것이 아닌가?

〈답 변〉

'86～'88년도의 경우 부위별 등급제가 실시되지 않았으므로 질적차 는 반영치 않았음·

〈질문 : **A-8** 〉 우유의 경우

   O AMS계측 배경과 내용을 설명하기 바람.

   O 낙농품의 AMS계측을 위해 사용한 가격과 생산량은 무엇
인가?

   O 여타 낙농품도 AMS계측에 포함되었다면, 어느품목을 어느
정도 반영하였는가?

   O 한국에 있어 생우유와 낙농제품에 대한 지지대상 물량과
지지가격등 지원내용과 지원방법을 설명하기 바람.

〈 답 변 〉

   O 우유의 AMS는 정부재정 지출과 국내외 가격차를 산출한 시장
가격지지를 포함하고 있음.

   O AMS계측에 사용된 가격 및 생산량은 탈지분유를 기준으로 하였
으며, 여타 낙농제품은 고려하지 않았음. 그 이유는 한국의 경우
우유생산의 대부분을 Fresh Milk 또는 분유상태로 소비하며 치
즈, 버터등 유제품 사용비중이 극히 낮기 때문임.

   O 국내가격은 '88공장도가격 (유가공협회 조사가격), 국제가격은 실
제수입된 CIF가격을 사용하였으며 생산량은 원유 생산량을 탈지
분유로 환산한 것임.

     (원유 : 탈지분유 = 100 : 13.35 : '88 상대가격기준 적용)

○ 유제품에 대한 가격지지정책은 없으며 생산농가와 우유제조업체간 자율적인 협정에 의해 가격을 결정하고 있음.

〈질 문〉

AMS에 계산된 물량은 Skimmed 기준인가 Fresh 기준인가?

〈답 변〉

Skimmed 기준임.

〈질문 : A-9〉 돼지고기의 경우

○ 국내가격을 어떻게 산출하였는가? Carcass 가격인가?
  그 적용년도는?

〈답 변〉

○ 돼지고기의 국내가격은 Carcass 기준, '88 서울도매시장 평균 경락가격임.
  생산량은 Boneless 기준임.

〈질 문〉

Total AMS와 MPS간의 차이가 나는 것은?

— 15 —

0099

〈답 변〉

General Service가 포함되어 있기 때문임.

〈질문 : A-10 〉 쌀, 보리, 콩, 옥수수의 경우

ㅇ 국내가격을 정부수매 가격과 생산자 수취가격의 가중평균
치를 사용하고 있음.

ㅇ 동 품목들의 정부수매는 정부수매가 없었을 경우 예상되는
농가수취 가격보다 어느정도까지 높게 유지하는 것인가?

ㅇ 참조기간중 각품목별 정부수매 대상량은 얼마인가?

〈답 변〉

ㅇ 쌀, 보리, 콩, 옥수수에 대한 정부수매가 없는 경우의 국내가격
수준을 산출하는 것은 기술적으로 매우 어려우며, 아직까지
Study 된 적이 없음.

ㅇ 품목별 수매량은 USDA측에서도 자료가 없을 것으로 믿으나
구체적으로 제시하면 다음과 같음.

ㅇ '86 ~ '88 품목별 정부수매량

	'86			'87			'88		
	생산(A)	수매(B)	B/A	생산(A)	수매(B)	B/A	생산(A)	수매(B)	B/A
	천톤		%	천톤		%	천톤		%
쌀	5,493	891	16	5,493	788	14	6,053	967	16
보 리	316	167	53	388	259	67	418	308	74
콩	199	19	9	203	20	10	239	53	20
옥수수	113	51	45	127	65	51	106	62	59

— 16 —

0100

〈질 문〉

쌀, 보리는 수확기에만 수매가격을 적용하는가 아니면 연중

적용되는가?

〈답 변〉

수확기에 일정기간을 두고 수매하여 미국처럼 연중 최저가격을 지지

하는 것이 아님.

〈질 문〉

Weighted Average Price 를 적용한 배경

〈답 변〉

통일미와 일반미 생산비중에 따라 가중평균가격을 사용하였음.

B. 국경보호 (Border Protection)

〈질문 : B-1 〉

○ 한국은 국내생산액의 71 % 를 차지하는 15개 주요품목에

대한 TE 를 제시않고 있으나, 상기 품목들은 수입허가 또는

수입쿼타제등의 수량제한 조치를 취하고 있음.

— 17 —

0101

○ 상기품목들에 대한 국내도매가격과 CIF 수입가격을 제시하기
  바라며,

○ 아울러 TE가 제시되지 않은 오렌지쥬스, 포도쥬스, 사과쥬스
  등에 대한 국내 도매가격과 CIF가격을 제시바람.

〈답 변〉

○ TE가 제시되지 않은 15개 품목은 식량안보등 NTC, 11조 2 (C)
  대상품목으로 한국이 UR협상에서 일관되게 주장해온 관세화 제외
  품목임.

○ 오렌지쥬스는 15개 NTC품목에 관련된 제품으로 관세화 대상
  에서 제외되었으며, TE도 제시되지 않았음.
  포도쥬스와 사과쥬스는 한국에서 수요가 미미하고 수요실적도
  없으므로 가장 가까운 대체품인 오렌지쥬스의 TE를 적용시킴.

〈질 문〉

15개품목에 대한 국제가격과 국내가격 자료를 구체적으로 제시
하라 (농협 통계연보 제시)

〈답 변〉

15개품목의 가격자료를 현단계에서 제시하기 어려우며 협상의
Framework 이 결정되면 그에 따를 것임.

— 18 —

0102

〈질문 : **B-2** 〉

　O　한국은 TE산출에 있어 다양한 세계시장 가격을 사용하고
　　　있음.

　　　—　U.S. 도매가격, 일본 CIF가격, U.S. 선물시장가격＋10％,
　　　　카나다 FOB가격등

　O　그러나 전반적으로 볼때 세계시장 가격에 운송비용을 포함
　　　하지 않는 것처럼 보이는데, 사실인가?

　O　만약 그렇다면, TE계측을 위해 사용한 FOB가격, 도매가격,
　　　선물시장 가격의 추정치를 제시하여 주기 바람.

〈답　변〉

　O　FOB에 상응하는 모든 가격은 CIF로 전환된 것임. 일부품목은
　　　C/L상 General Comment 에 이를 명시하지 않은 것이 있으나
　　　모든 품목에 운임, 보험료를 포함하고 있는 것임.

〈질문 : **B-3** 〉 쇠고기 (HS 0201)의 경우,

　O　유일한 비관세 조치로서 수입추천 제도만 제시되어 있으나
　　　냉동 쇠고기의 수입과 배분을 위한 LPMO의 절차를 설명
　　　하여 주기 바람.

－ 19 －

0103

○ 특히, 수입쇠고기의 비용에 추가되는 LPMO의 부과금
   (Margin)과 도매 및 소매과정에 적용되는 제한조치는
   무엇인가?

○ 국내가격과 관련하여 수입쇠고기의 국내판매 가격은 어떻게
   설정되는가?

〈답 변〉

○ 쇠고기 (B-3), 옥수수, 콩 (B-7), 오렌지쥬스 (B-8)과 이에
   대한 질문은 한미양국간 양자협의를 통해 충분히 논의되었고
   미측 특히 USDA측에서도 잘알고 있는 것으로 이해하고 있음.

○ 이러한 문제는 C/L내용에 대한 협의와는 적합치 않음을 이해해
   주기 바람.

〈질 문〉

신속처리절차 심의과정에서 미의회가 각국 농업정책에 대해 매우
구체적인 질문을 하고 있음으로 실무자가 알고 있어야 한다는
점을 강조

〈질문 : **B-4** 〉 닭고기 (HS 0207)의 경우

　○ TE는 신선 및 냉장닭고기, 냉동닭고기 설육, 냉동칠면조고기
　　에 대해 산출되었으나 냉동닭고기 (부분절단 포함)는 TE를
　　제시않고 있는데 이것이 맞는가?

　○ 만약 그렇다면 냉동닭고기의 TE산출에 적용되는 국내외
　　가격은 상기 TE와 동일하다고 볼 수 있는가?

〈답 변〉

　○ 냉동닭고기는 주요 15개 품목에 포함되어 있음으로 TE가 제시
　　되지 않았으나 만약, TE를 계산한다면 냉장닭고기와 비슷한 수준
　　(43%)이 될 것임.

〈질 문〉

　냉동과 냉장은 같은 가격 Series 를 사용하고 있는가?

〈답 변〉

그렇다.

〈질문 : **B-5** 〉 신선포도 (HS 0806)의 경우,

　○ TE산출에 사용한 국내가격의 출처는 무엇인가?

－ 21 －

0105

○ 만약, 월별가격을 사용하였다면, 동 가격에 대해 생산에 따른 가중치를 반영하였는가?

○ TE계측에 사용된 세계시장 가격을 어떠한 이유와 근거로 사용했는지 밝혀주기 바람.

○ 품질차이를 감안하기 위해 조정계수를 사용하였는가?

〈답 변〉

○ 신선포도의 국내가격은 농림수산부 통계국에서 조사한 출하기 (7월 ~ 9월)의 평균가격임.

Off Season 가격은 농림수산부가 조사한 시설재배 포도의 가격임.

따라서 이들가격은 생산량을 고려한 가중평균 가격이 아님.

'86 ~ '88 기간중 신선포도의 수입실적이 없어 인근국가인 일본의 CIF가격을 국제가격 (FAO, Trade Year Book)으로 사용하였음.

품질계수는 구체적인 자료가 없어 적용치 않았음.

〈질문 : B-6 〉 사과 (HS 0808)의 경우

○ TE산출에 사용한 세계시장 가격을 불란서 수출가격으로 선택한 이유는 무엇인가?

○ 품질차이를. 감안하기 위해 조정계수를 사용하였는가? (한국에서 소비되는 사과와 불란서 사과를 유사하다고 보는 근거는 무엇인가?)

○ TE산출에 사용한 국내가격은 무엇인가?

〈답 변〉

O France의 사과수출량이 가장 많고 가격 경쟁력이 가장 높음.
  따라서 시장이 개방되면 France가 한국에 대한 가장 유력한
  수출국이 될 것으로 판단되기 때문에 국제가격 기준을 France
  사과로 선택함. 기술적인 어려움으로 조정계수는 사용치 않았음.

O 국내가격은 한국은행이 조사한 연평균 도매가격임. 국제가격은
  수입실적이 없으므로 인접국인 일본의 CIF가격을 사용하였음.

〈질 문〉

사과의 가격은 연평균 가격인가?

〈답 변〉

그렇다.

〈질문 : B-7 〉 옥수수 (HS 1005), 콩 (HS 1201)의 경우

O 수입쿼타의 규모를 어떻게 결정하며 동 쿼타를 어떻게 배정
  하고 있는가?

O 사료 제조용으로 허가한 경우만 인정하는가?

O 제한적인 사료제조 허가와 국내수매 콩 및 옥수수 인수조건
  등은 사료가격을 상승시키고 따라서 수요를 감축시킴으로써
  결국 수입쿼타의 축소를 가져오는 것이 아닌가?

— 23 —

〈답 변〉

○ 동 질문은 C/L협의와는 적합치 않다고 생각함.

〈질 문〉

사료수입쿼타는 허가된 공장에만 배분되며 사료공장은 아직도

허가제로 운영되는가?

〈답 변〉

그렇다. 그러나 사료공장허가제문제개선을 검토중이다.

〈질문 : B-8 〉 오렌지쥬스(HS 2009.10)의 경우

○ 수입추천이 유일한 국경조치로 제시되고 있는바, 쿼타배정

절차와 운용에 대해 밝혀주기 바람.

○ 특히, 오렌지쥬스 수입쿼타 배정은 가공업자의 국내 오렌지

쥬스 구매 Share에 따라 사전에 결정되는 것이 아닌가?

〈답 변〉

○ B-3에서 이야기한 것처럼 여기에서 논의는 적합치 않음.

— 24 —

〈질문 : B-9 〉 담배 (HS 2401)의 경우

  ○ 알젠틴 담배가격을 TE산출시 세계시장 가격으로 선정한

    배경과 근거는?

  ○ 어떠한 측면에서 3등급 국내담배를 알젠틴 담배와 유사

    하다고 보는가?

  ○ 품질 차이를 감안한 조정계수를 사용하였는가?

  ○ TE산출을 위해 참조등급을 3등급으로 선택한 이유는?

  ○ 한국에서 통상적으로 소비되는 담배등급의 품질에 대한

    설명과 관련 국내가격을 제시바람.

〈답 변〉

  ○ Argentine의 담배가 국제시장에서 가격경쟁력을 가지고 있으며,

    품질면에서도 국내에서 많이 소비되고 있는 3등급 잎담배와 유

    사함으로 알젠틴 담배수출 가격을 국제가격 기준으로 선택하였으

    며 품질계수는 사용되지 않았음.

  ○ 국내에서 주로 소비되는 잎담배의 등급에 대하여는 담배인삼공사

    측에서 영업비밀에 속하는 사항이라고 제시할 수 없다고 하였음.

〈질 문〉

  3등급 담배는 국내생산의 2%밖에 되지 않는 것임으로 대표

적인 등급이 아니라고 생각함.

– 25 –

0109

〈 질 문 〉

정부로부터 공사에 대한 직접보조는 없는가 ?

〈 답 변 〉

직접보조는 없으며, 담배수익금으로 운영하고 있음.

〈 질 문 〉

농협, 축협에 대해 정부가 보조 또는 저율의 자금을 주는 것이
있는가 (카나다의 Marketing Board 로 관련시킴)

〈 답 변 〉

농축협은 카나다의 Marketing Board 가 아니며 정부대행사업을
이행하는 과정에서 수수료를 받는 것이지 결손보전을 해 주는 것은
아님.

C. 수출보조(Export Subsidies)

〈질문 : C - 1〉

O 한국 담배인삼공사가 잎담배와 인삼제품을 국내생산자 지불
  가격보다 훨씬 낮은 가격으로 수출하고 있는데도 불구하고
  한국의 C/L에서는 수출보조를 언급하고 있지 않고 있음.

O 동 수출지원을 한국 C/L에서 제외한 근거와 이유를 제시
  하여 주기 바람.

O 1986년이후 가장 많이 수출된 담배의 국내수매 가격과
  수출가격을 제시바라며, 수출되고 있는 주요인삼제품에 대하
  여도 동일한 자료를 제시바람.

〈답변〉

O 한국 담배인삼공사에 문의하였는 바,
  잎담배 수출에 따른 손실은 직접보조하지 않고 담배인삼공사의
  판매수익금으로 지불하고 있다고 함.

O 공사는 매년 생산농가와 잎담배 수매계약을 감축해 나가고 있으
  며, 따라서 수출도 감축되고 있음.

O 공사는 별도의 정부추가법인으로 자체적으로 경영해 나가고 있으
  며 담배제조에 사용하고 남은 재고를 상업적 고려에 의해 수출
  되고 있음.

— 27 —

0111

○ 인삼의 경우 수출가격이 수매가격보다 높음으로 수출적자나 보조
  는 발생치 않았음.

〈 인삼의 수매가격과 수출가격 〉

	A 평균수매가 (수삼)	B 평균수출가격 (홍삼)	지수 : A/(B·× 0.25)%
1988	20,834 원 / kg	170,109 원 / kg	49.0 %
1989	21,660	179,586	48.2

  ※ 지수는 수삼을 홍삼으로 환산 (수분함량 고려) 하였을때 홍삼
    수출 단가와의 비율임.

〈 질문 〉

  담배인삼공사의 경우 카나다, 호주등의 Marketing Board 와
  유사한 것으로 보며 이들은 정부로부터 저리의 융자금, 보조
  신용보증등을 받고 있음.

  그리고, 돼지고기 수출에 보조금을 준적이 없는가?

〈 답 변 〉

  내용을 잘 모르겠다. 관계국에 알아보아 답변토록 하겠다.
  (한국대사관에 통보조치하겠다)

- 28 -

0112

Ⅲ. 미국 Country List에 대한 아측 질문

1. C/L 전반에 대한 질문

〈질문 : 1〉

Deficiency payment 및 Tariff Equivalent의 산출시 동일한 reference Price를 사용하였는가? 각각 다른 가격을 사용하였다면 그 이유는? Reference price의 적용년도는 marketing year인가? fiscal year 또는 Calendar year 인가?

〈답변〉

○ AMS와 TE는 다른 국내가격을 사용하였음.

　AMS는 정부지지가격, TE는 도매가격을 사용함.

　AMS는 Crop year, TE는 Calendar year를 사용.

　Price series는 같으나 기간시점이 달라 숫자가 다를 수 있음

○ 면화는 TE가 없으며 국내보조만 계산

○ 유제품은 분유, 버터가 반영되었으며 우유는 국내보조와 같은 price gap을 사용, 버터, 분유, 치즈는 사용비중에 따라 Adjusted price를 사용하였음.

○ 품목별로 Marketing year, Calendar year등을 적용하였으나 동일한 prices Series를 사용하였음.

— 29 —

0113

O 땅콩의 TE 및 AMS에 있어 국내가격이 다름.

O 설탕의 TE는 생산자가격, AMS는 Loan Rate를 사용

O General Services는 기본적으로 Fiscal year Data를 사용함.

O Single sector wide정책은 총량만 정부가 규제할 수 있고, 품목별 할당이 어려우며, 품목별 할당은 매우 자의적이라 할 수 있음. Sector wide의 구분은 단순히 기술적인 문제임.

O 쇠고기의 TE를 포함한 것은 국내가격 보조가 없음에도 분야별 구체적 약속을 위한 것이며 이와같은 측면에서 OECD의 PSE와 다름.

〈 질문 : 2 〉

총생산량중 수출물량에 대한 가격지지나 직접보조를 국내보조에 포함하고 있으나 쌀과 면화의 Marketing Loan은 수출과 직접 관련됨으로 수출보조에 포함하는 것이 맞지 않는가? 또한 Marketing Loan의 임의적용 (discretionary) 대상품목인 feed grains, wheat, soybeans의 경우, Marketing Loan을 '86 ~ '88 기간중 적용한 적이 없는가?

〈 답변 〉

O Marketing Loan을 '86 ~ '88 기간중 다른 품목을 적용하지 않았음.

0114

그러나 '90 Farm Bill에 Soybean과 Feed grain이 포함 됐으며 이는 '92 Crop year부터 적용됨.

O Marketing Loan는 전체 생산량에 관계됨으로 수출보조로 보지 않았음.

O 동 보조는 국제가격이하로 국내가격이 하락했을때 작용함으로 수출보조의 성격이 없으므로 국내보조로 분류하였으며, 따라 서 드쥬 의장초안 20-B는 이러한 측면에서 반대함.

〈질문 : 3〉

미국 C/L은 국내보조가 역사적으로 가장 높았던 '86~'88을 기준으로 작성하였는 바, Target Price는 최고수준인 반면, 국제가격은 최저수준의 가격을 적용하였음.

따라서 '86~'88 평균가격과 보조수준을 기준하여 '91/'92 부터 감축하는 것은 이미 상당폭 감축된 현행 보조수준('90 Farm Bill 기준시 '86보다 약 75% 감소)을 실제금액보다 과대평가하는 것이 아닌가?

〈답변〉

동일한 Base year를 3분야에 적용하는 것이 바람직하며 당년도 보다는 다년간('86~'88) 평균을 사용하는 것이 바람직함.

○ '86 ~ '88을 사용한 이유는 중간평가 합의사항인 Credit 인정
   문제와 관련이 있으며, '88년은 가뭄으로 보조수준이 낮으며
   따라서 대표성이 없어 '86 ~ '88 평균을 사용함.
   다만, EC의 경우는 다른 상황인 것으로 알고 있음.
○ 기본적으로 기준년도의 문제는 정치적 협상계상이라고 봄.

2. 국내보조

〈질문 : 4〉

   총 AMS 계측시 Commodity - specific policy 와 Generally
   available Policiy 로 구분하였는데 Commodity specific 과
   Non - Commodity specific policy 의 구분근거는 무엇이며, 특히
   Generally available support 가 과연 품목별로 배분하는 것이
   불가능하다고 보는가?

※ 미국은 Offer List 에서 Commodity Specific 한 보조금은
   10년간 75% 감축, Generally Available 한 보조금
   (Single, Sector - wide AMS)은 10년간 30% 감축을
   주장하고 있음.

〈답변〉

○ 정책운용형태에 따라 구분, 예로서 용수사업의 경우 Bureau
   of irrigation는 서부주의 댐건설이 주목적인 바, 용수사용은
   품목에 관계없이 일정한 효율을 적용하고 있으며, 지역농민전체에

— 32 —

0116

Benefit을 주고 있음으로 G , A정책으로 분류.

○ 주정부의 보조는 대부분 extension service, research , State
  fair 등이며 이는 허용대상이 된다.

○ 미·카 Free Trade 협정에 의하면 주정부 보조관련된 사항을
  조사하고 있는데 Bureau of Sensus의 Category 52를 참조
  하면 될 것임.

〈 질문 : 5 〉

  미국의 AMS에는 주정부의 보조금이 계상되었는가? 계상되었
  다면 구체적인 사례를 설명하여 주기 바람.
  미국 C/L의 Explanatory Note (첫 page)에는 주정부 회계
  년도 ('87. 7 ~ '88.6)를 표시하고 있으나 국내보조금 산출내용
  에는 State Credit Programm 이외에는 주정부 보조계상에 대한
  언급이 없음.

〈 답 변 〉

○ 가격지지정책은 주정부 보조가 없으나 유일한 예외는 Vermcnt주의
  Dairy producer 에 대한 지원임.

○ 주정부의 재정보조는 매우 다양하고 성격이 다르며 그 총액만
  연방정부에 보고하고 있어 세부내역에 대한 구분은 곤란함.

— 33 —

0117

〈 질문 : 6 〉

Agricultural Credit, Bureau of Reclamation Irrigation,
and Grazing fees만을 제시하였는데, 미국에 있어서는 nond-
urable input subsidy (e.g.fertilizer, pesticide)는 존재
치 않는가?

〈 답변 〉

Grazig Fees는 내무성소속 내무국예산으로 공공용지에 모든가축이
사육되며 시장가격보다 낮은 요율로 지급하고 있음.

〈 질문 〉

특정가축 즉 Dairy에 집중방목은 품목 특정적인 것이 아닌가?

〈 답변 〉

품목 특정적이라는 Foot note의 내용은 잘못된 것이다.

〈 질문 〉

비료 보조, 농약보조는 없는가?

〈답 변〉

현재 보조는 없다. 그러나 '90 Farm Bill에 농민이 비료나 농약 사용을 하지않는 경우 수자원보호목적으로 주는 보조가 포함되어 있음.

〈질문 : 7 〉

Agricultrural Credit, Irrigation은 Fiscal Year를 기준으로 산출하였는데 Grazing Fees도 Fiscal Year를 적용하였는가? 다른 기준년도를 사용하였다면 그 이유는?

〈답 변〉

Irrigation은 실제지급액이나 이차보전이 대부분임. Ag,Credit, grazing fee는 market rate와 support rate의 차이이나 확정된 금액이 아니며 Index를 통해 산출했으며 Fiscal data를 사용

〈질문 : 8 〉

Agricultural Credit중에는 품목별(Commodity Specific) 지원의 성격을 가진 것은 없는가?

— 35 —

0119

〈답 변〉

O Credit는 품목특정적 지원이 없음.

O Credit중 가장 저이자로 주는것은 Young farmer에
   지원이다.

〈질문 : 9 〉

Irrigation 보조금은 Foot note 5에서 관개면적을 기준하여
품목별 상당액에 따라 할당하였다고 부기하고 있음에도 gener-
ally available한 보조금으로 분류한 이유는?

〈답 변〉

주석이 틀렸음. (정정 필요인정)

〈질문 : 10 〉

또한 Livestock Grazing Fees (감축대상)과 Dairy Term-
ination programe (허용대상)은 Commodity Specific한
성격을 갖고 있는 것으로 보는데 generally available한
보조금으로 분류한 이유는?

〈답 변〉

Dairy Termination Programe은 Commodity Specific하다고 보나

— 36 —

0120

자원전환과 관련 허용정책이기 때문에 허용으로 분류했음.

〈질문 : 11 〉

미국의 농업부문은 One of the most capitalized sector
로서 농업투자는 미국의 조세정책에 의하여 크게 좌우되어
왔음. 불특정 정책사업중 Tax exemption for investment,
tax deductibility of depreciation등이 포함되지 않는
이유는?

〈답 변〉

O Tax 감면문제는 여타산업에도 적용됨으로 계산에서 제외했으며
  이는 Subsidy 그룹에서 논의하는 것이 적절함.

O 협상에서 실제 집행문제를 고려하여 US, 호주가 제기하였으나
  일본, 카나다등은 제시하지 않았음.

O Revenue Forgone의 Accounting Procedure가 완전히 다르며
  계산상 기술적인 문제가 많음. 또한 AMS에 이를 포함하여 감축
  하는 경우 국내법률개정등의 문제가 있고, 감축약속이행과정에서
  불명확성이 증가될 수 밖에 없음.

— 37 —

〈질문 : 12 〉

Tennessee Valley Authority(TVA)의 National Fertili-
zer Development 관련된 보조가 '86~'88평균 52.6백만달
러로 제시되어 있다. 상기 지원조치의 구체적 내역과 세부내역
중 Input cost Reduction 성격의 보조는 없는가?

〈답 변〉

TVA의 Fertilzer Development는 조사, 연구개발등에 포함되나 자
세한 내용을 파악하도록 노력하겠음.

〈질문 : 13 〉

Office of Transportation에서 Marketing function과
관련, 수출업자의 운송문제 해결을 위한 보조를 수출보조로
보지 않는 이유는?

〈답 변〉

품목별, 지역별 운송임에 대한 정보를 수집 발간하는 것이며 수출
보조와는 관련없음. 수출업자에 주는 보조가 아님.

〈질문 : 14 〉

Packers & Stockyard Administration에서 불공정 무역거래
로부터 생산자 보호를 위해 지원하는 것은 수출보조와 관련이
없는가?

〈답 변〉

생산자와 제조업체간 불공정거래와 관련 농민보호를 위해 시정정보급
제공하고 변호사비용등을 지원하는 것임.

〈질문 : 15 〉

Agricultural Stabilization & Conservation Service

(ASCS)는 정부의 소득 및 가격지지 정책을 관리하는 기능을
동시에 갖고 있는데 동기능 수행을 위한 보조를 허용대상으로
분류한 이유는?

※ 참고 : Lipton & Pollack ,A Glossary of Food and Agri-
　　　　　cultural Policy Terms, Agricultural Informati
　　　　　Bulletin Number 573, ERS, USDA, 1989

〈답 변〉

특정품목에 대한 가격지지기능을 갖고있는 것이 사실이며 이는
Deficiency Payment와 연결됨. ASCS지출에는 품목관련 봉급이
포함되어 있음.

— 39 —

0123

〈질문 : 16〉

허용대상으로 분류된 Conservation Reserve Program 등을
통한 경작지 보존이나 곡물경작을 채소류로 전환하는 것이 허용
대상의 요건인 현재·또는 미래생산에 영향을 주지 않는다고 보
는가?

〈답 변〉

O CRP 는 모든품목에 해당됨으로 Non-Commodity Specific 한것임.
   Diversion Programe 은 생산과 연계되며 위의 조건과는 맞지
   않음.

O '90 Farm Bill 은 ARP requirement 에 추가하여 15%의
   Flexible Acre 를 인정하고 있으며 동면적에는 dificiency
   Payment 를 지급하지 않고 다양한 작물재배를 허용하고 있음.

〈질문 : 17·〉

Food Sicurity 항목에 보조금액을 명시하지 않는 이유는?
밀의 Farmer-Owned-Reserve (FOR) 만이 Food Security 에
포함된 이유는? FOR하의 다른 곡물에 대한 보조와는 어떠한
관계가 있는가? FOR은 농산물·가격안정과 곡물 과잉재고의
감소를 목적으로·농민에게 Storage payment와 Loan Inte-
rest 를 면제하는데 이 사업을 감축대상에서 제외한 이유는?

— 40 —

우루과이라운드 관련 기타 자료

〈답 변〉

식량안보는 '80년대초 대소곡물 수출금지이후 밀에만 해당됨.

FOR 계획과 관련 Storage Payment 와 Loan Interest를 면제함.

〈질문〉

Food Security 에는 밀만 해당되며, 정부 보유재고는 포함되지

않는가?

〈답 변〉

다른 곡물도 포함되었으나 별도 항목으로 제시하지 않았으며 정부

보유재고도 대상이 되나 그 일부만 반영되어야 함. 그러나 얼마만큼이

식량안보대상인지는 아직 결정못하고 있으며 한국도 이 문제에 대해

좋은 의견이 있으면 제시하여 줄것을 요청.

〈질문〉

Food Security 대상품목이 Price Support 의 대상이 될

경우 이를 허용으로 볼 수 있는가?

〈답 변〉

Price Support와는 다른 차원에서 보아야 하며 그 일부만이 해당

되는 것임.

— 41 —

〈질문 : 18 〉

" 농업생산과 직접적인 관계가 없는 국내보조는 감축대상과 허용대상 양자 모두로부터 제외되었다 " (Annex 2 , Page 4 , 주 1)과 관련하여 Regional development를 not applic- able for agricultural support로 구분하였는데 , 지역개발이 농업 및 농업생산과 전연 관련이 없다고 보는가 ?

〈답 변 〉

미국은 현재 Income Safety Net에 해당되는 정책이 없음. Regional Dev•는 FHMA를 통해 농가를 대상으로 집을 짓는데 지원하는 사업등이 있는데 이것은 농업과 관계가 없다고 봄.

〈질문 : 19 〉

품목별 AMS를 계측하기 위하여 사용한 각종가격 및 재정지출 자료는 무엇이며 , 공식통계에 나타난 수치들로부터 어떻게 Co- mmodity Specific AMS가 계산되었는지 설명하시오.

〈답 변 〉

O 각종 자료는 OECD의 자료를 사용하였음. 이는 US - Canada FTA 자료에서도 사용한바 있음.

— 42 —

0126

O 다만, D.p 의견의 Season Average 를 사용않고 년 5개월간 평균을 사용하였으므로 실제지불액과 다를 수 있음.

〈질문〉

'86년도 AMS 를 실제 재정지출액을 사용않고 측정치를 사용한 이유는?

〈답 변〉

D.P 의 경우 Payment Limit 와 under planting을 고려하여 조정하였음. 개별 년도의 Actual outlay를 다를 수 있으나 3년평균은 비슷할 것임.

〈질문: 20〉

Commodity loan forfeit의 의미는 무엇이며, 특히 Negative (-) loan forfeit (예 : Barley , Cotton)는 무엇을 의미하는가? 또한 loan forfeit , Loan deficiency payment (예 : Cotton), Loan interest Subsidy 의 차이점은?

〈답 변〉

O For Program 의 경우 Short term., Long term programe이 있음.

— 43 —

0127

Short Term은 9개월내 농민보유분을 정부에 팔아 대부금을 갚을 경우 이자를 면제해주는 것이며 그이상 보유할 경우에는 Storage payment를 지급하는 것임.

O Loan Forfeit 가 (-)인 것은 Market Price 가 Loan Rate 보다 낮을 경우 농민이 CCC에 넘기지 않고 다소 손해를 보더라도 시장에 파는 경우 발생할 수 있음.

O 미·카, FTA 부표에 잘 나타나 있으며 이를 주미대사관측에 제공할 수 있음.

〈질문 : 21 〉

Estimated price gap를 계측하기 위한 reference price는 시장가격이 loan rate 보다 높은 경우는 시장가격, 시장가격이 loan rate보다 낮을 경우 loan rate를 적용하는 것으로 알고 있음. 그러나 미국 C/L에서 Referece price 는 Average price for 0-50/92 and payment로 정의하였는데 Average price는 무엇이며 어떻게 계산되었는가?

※ 0/92 : Wheat , Feed Grains, 50/92 : rice, Cotton

〈답 변〉

Average Price 는 문제 1과 관련 답변하였음으로 생략함.

— 44 —

0128

〈질문 : 22 〉

Direct payment 는 현금과 현물보조(payment - in - kind)로 구성되었는데, PIK계획하에서 CCC를 통한 직접보조가 계측되었는가? 계측되었다면 이를 분리하여 설명하고, 공식통계와의 연계성을 제시하시오.

〈답 변〉

O PIK에 의한 CCC의 Certificate premium이 포함되어 있음.
   '86~'88은 face value 보다 Actual value가 높아 Prenium이 발생하였으나 현재는 face value가 더 높은 상황임

O 미·카 FTA 부속자료에도 이러한 내용이 잘 나타나 있음.

〈질문 : 23 〉

Market price support 는 품목별로 상이한 방법으로 계측하고 있음.

〈질문 : 23-①〉

즉, Waiver 등 비관세 조치로 보호하고 있는 품목중 Dairy, Peanuts , Sugar 는 국경보호 효과를 포함하였으나, Beef / Veal , Cotton은 TE가 산출되었는데도 국경보호 부분을 MPS에 계상하지 않은 이유는 무엇인가?

— 45 —

0129

〈답 변〉

국내보조가 있는 품목에 대하여만 T E를 계산하고 있음.

Beef 는 국내보조가 없으며 Cotton 의 T E는 0임.

〈질문 : 23-②〉

수입제한품목 일부는 T E를 제시하고 일부는 제시하지 않는

것은 일관성이 없지 않는가?

〈답 변〉

일관성 문제와 관련 USDA 내부에서 검토하고 있는 것으로 알고있음.

〈질문 : 23-③〉

Peanuts 의 생산량을 실제생산량이 아닌 famer's stock Basis

로 계산한 이유와 Marketing Quota만을 MPS에 계산한 이유

는? 또한 Sugar의 경우, Raw production 을 기준으로 MPS

를 계산한 이유는?

〈답 변〉

정부지지 대상물량에 대해서만 MPS를 계산하였음.

설탕은 OECD Method와 차이가 없는것 같으며 아마도 오류를 범한

것 같음.

— 46 —

〈질문 : 23-④〉

Peanuts의 경우, 생산자 수취가격보다 높은 loan rate를 사용한 이유와 Dairy에서 Price Gap을 (시장가격 - 국제가격) 이 아닌 (지지가격 - 107.033)으로 한 이유는?

〈답 변〉

Dairy는 Conversion Rate 적용과 관련된 문제이나 107,033은 틀림, 108,655 가 맞음.

〈질문 : 23-⑤〉

Sugar의 경우, Producer's share를 60%로 보고 감축대상 으로 한 이유는? 또한 Sugar의 경우만 FOB Price를 이용 한 이유는?

〈답 변〉

0.6의 사용은 OECD에서 사용한 것임.

— 47 —

〈질문 : **24** 〉

Direct payment 와 관련하여,

〈질문 : **24** -①〉

이미 집행이 완료된 '86~'88년의 Deficiency Payment를
계측하는데, 조정계수로서 Payment Limits and underplant-
ing을 사용한 이유와 그 구체적인 산출의 근거는?

〈답 변〉

Actual Budget Oatlay를 사용하는 것이 타당하나 Base level
of AMS, External Reference Price 등 앞으로의 감축약속문제를
고려하여 estimated Outlay로 계산하였음.

〈질문 : **24** -②〉

쌀의 경우, Deficiency payment 대상물량(5.5 mil ％)이 총
생산량(45 mil ％)보다 많은 이유는?

〈답 변〉

Deficiency Payment programe yield × 가겨차 × 면적으로 계산되나
쌀의 경우 Actual yield가 적어 D.P 대상물량이 총생산보다 큰
것임. 옥수수의 경우도 발생한 적이 있음.

- 48 -

〈질문 : **24** −③〉

Dairy의 경우, Dairy Assessment가 nagative (-)로 표시된
이유는?

〈답 변〉

Dairy assessment는 Levy이기 때문임. '90 Farm Bill에는 모든
품목을 Assessment 대상으로 하고 있음.

〈질문 : **25**〉

국내보조는 정책사업별 세부보조내역을 제시하였는데 반하여, 수출
보조의 경우, Dairy Export Incentive Program, Sunflower-
seed Oil Assistance Program, Export Enhancement Pro-
gram, CCC Direct Sales 이외의 정책사업은 없다고 보는가?

(예) Targeted Export Assistance Programe(TEA), Market-
ing Loan, Transportation Assistance 등

〈답 변〉

Market Promotion Programe은 국내보조이나 FAS의 Export
Market programe은 국내정책으로 보아야 할 것임.

— 49 —

0133

〈질문 : 26 〉

Export Enhancement Programe은 수출업자에 대한 bonus를 모두 포함하고 있는가? 계측되었는가? (예로서 Part A의 EEP는 360 million $ 로 제시하고 있으나 1989 년도 EEP하 에서 수출업자에 지불된 보너스 약 $ 2.3 billion임)

※ 참조 : The Basic Mechanisms of U.S. Farm Policy, ERS, Miscellaneous publication Number 1479, January, 1990.

〈답 변〉

모두 포함하며 Actual value임. 2.3 Bill은 '89 까지의 누적적인 수치임.

〈질문 : 27 〉

수출촉진을 위한 Export Credit Guarantee Program (GSM-102)와 Intermediate Export Credit Guarantee Programe (GSM-103)의 Credit/Guarantees에 의한 수출지원이 포함 되었는가?

<표 제목: 수출신용 및 수출신용 보증계획에 의한 지원실적>

회 계 년 도	GSM - 102	GSM - 103	계
1986	2,522.41	12.65	2,535.06
1987	2,622.33	250.35	2,872.88
1988	4,141.42	362.90	4,504.32
1989	4,769.78	425.53	5,192.31

자료 : Karen Z. Ackeerman, and Mark E. Smith,
「Agricultural Export Programs」, 1990.

〈답 변〉

드쮸안에는 Gurantee Programe 없음으로 GSM - 102, 103을 포함
하지 않았으나 향후 협상대상임.

〈질문 : 28〉

Foreign Market Development (예, 한국에 있는 미국대두협회
지원)이 포함되지 않은 이유는?

〈답 변〉

generic market promotion programe의 입증이라고 생각하며
By - American 정책의 일환이라고 봄.

○ 동 보조는 업계자체 지원으로 이루어지고 있으며 이는 한국의
담배인삼공사의 보조와 같은 성격을 갖고 있다고 봄.

— 51 —

0135

3. 국경보호

<질문 : **29** >

품목별 TE산출에 적용한 External Price 및 Internal Price의 구체적인 출처와 선정이유를 설명하여 주기 바람.

< 답 변 >

우유는 FAS 국제가격자료를 사용하였는바 이는 북유럽과 뉴질랜드등 낙농국의 평균가격임. 면화는 Cotton Outlook에 나타난 각국의 가격가운데 가장 낮은 5개가격을 평균하였음. 쇠고기는 호주의 가격 (Cow Beef)이며 OECD에서 사용하고 있음. Raw Sugar는 카리브, 땅콩은 로텔담가격을 사용.

<질문 : **30** >

Dry Milk, Butter, Cheese, Sugar, Cotton의 경우, 수입실적이 있으므로 Actual cif 가격 사용이 가능함에도 불구하고 fob가격을 기준으로 계산한 이유는?

< 답 변 >

실제수입이 있으나 POB를 사용한 것은 수입량이 적어 대표가격으로 보기 어렵기 때문임. (USDA 담당관은 CIF 가격에는 Quota Rent가 포함되었기 때문에 공정한 가격이 아니라고 답변)

〈질문 : **31** 〉

Cotton의 국제가격은 Adjusted World price (AWP)를 사용하고 AWP계산을 위해 품질(quality)과 지역(location)을 고려하였다는데 어떻게 고려하였는가?

〈답 변〉

Cotton은 Liver pool 5년평균가격을 사용했음. 품질계수와 지역에 대한 계수를 적용한 것이 사실이나 정확히 어떻게 계산된지는 잘 모르겠음.

〈질문 : **32** 〉

Raw Sugar, Peanut, Beef의 국제가격 적용근거와 자료출처 (Source)는 무엇인가?

〈답 변〉

Raw Sugar는 #1 카리브설탕가격, 땅콩은 Rotterdam도착가격, 쇠고기는 호주산가격을 사용(구체적인 가격자료를 제시)

〈질문 : **33** 〉

Domestic Price의 기준은 무엇인가? 예를들면 소매가격, 도매가격, 농가수취가격, 정부개입가격등을 구체적으로 제시하여 주기 바람.

〈답 변〉

기본적으로 도매가격을 사용하였음. (버터·분유는 시카고 시장가격을 사용)

〈질문 : **34** 〉

Sugar, Cotton, Beef 의 국내가격에 대한 자료출처 (Source) 는 무엇인가?

〈답 변〉

Sugar : Sugar Situation and Outlook, Cotton : Cotton Situation Outlook, Beef : Live Stock Situation Outlook 을 사용

〈질문〉

Sugar 는 국제가격은 No11 을 사용하면서, 국내가격은 No14 을 사용한 이유는 무엇인가?

〈답 변〉

같은 것으로 보아야 한다. No11 은 더이상 계약이 없는 것으로 안다.

〈질문 : **35** 〉

Sheep Meat 관세상당액 (TE)를   0/*kg* 으로 표기하고 산출근거를

제시하지 않은 이유는 **?**

〈답 변〉

Sheep Meat 는 미국내 거래가 없어 TE를 제시하지 않았음.

일반적으로 Raw Meat 가 거래되고 있음.

〈질문 : **36** 〉

Dairy Duty 와 Sugar Duty 는 세번별 TE를 숫자로 표시하지

않고 추후에 제시하겠다고만 되어있는데 어느기준에 의해 관세

상당액을 산출하여 제시할 것인가 **?**

〈답 변〉

Dairy, Sugar 제품의 Duty 는 함량이 상이하여 사전적 계측이 곤

란함. 수입업자들이 정확한 내용을 제시하면 TE를 제시하겠음.

〈질문 : **37** 〉

Cheese 중 분류번호 99041033 의   TE는   119.3 (page 44) 제시

되었으나 HTS에 의한 TE계산 (Page 38) 에서는   111.9 로 되어

있는데 이와같이 TE가 상이한 이유는 **?**

※ 99041033 : 미국형 치즈

— 55 —

0139

〈답 변〉

119.3이 맞으며 111.9는 틀림. Typing Error 같으며 지적해주어서
고맙게 생각함.

〈질문 : 38 〉

Cheese의 분류번호 99041033, 99041057의 TE는 어떻게 계산
되었는가?

※ 99041057 : 유지방이 0.5%이하인 치즈, 99041030 : 체다치즈

〈답 변〉

A : 이들 품목은 매우 bulky 하여 cheddar cheese의 TE를 적용
하였음.

〈질문 : 39 〉

Beef의 국제가격은 Constructed price를 사용하였으나
Cotton은 adjusted price를 사용하고 있는데, 그 차이점은
무엇인가?

〈답 변〉

Beef는 품질, 품종차가 심하여 그동안 OECD 계산방식 선정시 많은
논란이 있었으며 이는 OECD의 방식과 다른것임. Cotton은 세계

— 56 —

0140

시장가격가운데 가장낮은 5개시장가격의 평균을 사용하였으며 미국산 Cotton의 품질에 맞게 조정된 가격이란 의미임.

〈질문 : 40〉

Cotton의 경우, Prevailing world market Price는 구체적 으로 무엇을 의미하는가?

〈답변〉

질문 29, 39 참조 (답변 생략)

〈질문 : 41〉

Peanuts의 외부참조가격은 왜 Rotterdam Cif 가격을 사용 하는가?

〈답 변〉

땅콩의 수입이 국내소비의 0.7% 못되는 소량임으로 CIF가격은 대표성이 없어 Rotterdam 가격을 사용하였음.

Ⅳ. 평 가

ㅇ 미측이 제의한 금번 양자협의는 UR농산물그룹회의를 통해 최근 기술적 사항에 대한 논의가 마무리됨에 따라 각국의 입장을 정확히 진단하고 기술적 논리에 입각한 C/L작성상의 미비점을 보완하는 한편, 향후 정치적 타결을 위한 구체적인 기초를 마련하는데 주요목적이 있는 것으로 보이며, 특히 UR협상이 타결되더라도 그 결과를 실질적으로 이행하고 감시하는데 필요한 가격자료의 사용, 정부지원액의 구체적 산정방법과 분류기준, 수입관리제도의 운용등을 명확히 하는데 촛점을 맞추고 있는 것으로 판단됨.

ㅇ 그러나 금번 협의과정에서 드러난 것은 협상의 원칙이 채택되더라도 국별 정책성격의 상이성, 다양한 가격자료의 사용, 가격차 산출의 기술적 복잡성등으로 인하여 자의적, 임의적 해석문제가 남게 됨으로 앞으로도 계속 분쟁의 소지가 발생할 것으로 예상되며, 결국, 양자간의 문제로 귀착될 수 밖에 없다는 한계가 노출되었다고 판단됨.

ㅇ 미국은 지금까지의 협상과정에서 비교적 명확하고 일관된 논리를 주장해 왔으나 실제 C/L작성결과와 비교할때 상호 모순되거나 일관성이 결여된 부분이 다수 노출되었음, 특히 다수 품목에 적용되는 보조금의 품목별 생산액에 따른 배분 불가입장 견지,

수입제한품목의 국내외 가격차 계측시 일부품목 제외, 특정 수출 보조금(GSM 102, GSM 103)을 수출보조대상에서 제외, TE 계산시 유리한 국제가격의 적용 및 가공된 국제가격의 사용, 품질차 반영의 모호성과 가공산품에 대한 TE계측시 미제시등이 대표적인 예이며, 답변과정에서도 확고한 이론과 현실적 대안을 제시하지 못하고 있음.

o 아국의 Country List에 대해 미국은 C/L작성과 관련된 기술적 사항보다는 양곡관리제도, 사료곡물 및 쇠고기의 수입쿼타 운영 및 배분, 담배, 인삼의 수출보조제도등 제도운영상 문제점에 대해 깊은 관심을 표명하였으며, 이는 미측 관심품목의 국내제도 운영에 보다 정확한 내용을 파악하는데 주안점을 두고 있는 것으로 보이며, 양자협상등 미측의 향후 협상전략 수립에 참고하기 위한 것으로 보임.

<참고자료>

1. Delegation for the Bilateral Cansultations on Country Lists

2. Introductory Remarks by Korea Delegation

3. Questions Relating to the U.S Country List

4. Questions Relating to the Korea Country List

0144

Delegation for the bilateral consultations on Country Lists

<Korean side>

Head of Delegation :   Mr. CHIO Yong Gyu
                            Director, International Cooperation Division
                            Ministry of Agriculture, Forestry and Fisheries

Member :   Mr. YOUN Jang Bae
                            Assistant Director
                            International Cooperation Division
                            M.A.F.F.
                            JUNG Moo Kyung
                            Economic Planning Board

Advisor :   Mr. LEE Jae Ock
                            Senior Fellow
                            Korean Rural Economic Institute

Advisor :   Mr. CHOI Se Kyun
                            Korean Rural Economic Institute

                            Mr. KIM Jong Jin
                            Assistant Attache
                            (Agricultural Affairs)
                            Korean Mission

<U.S side>

Barbara Chattin   : USTR
Howard Wetzel   : USDA FAS
Mary Revelt   : USDA(Ag. attache)
Larry Deeton   : USDA ERS
Cralg Thorn   : USDA FAS

Introductory Remarks by Korea Delegation

On behalf of my delegation, I'm pleased to see you today for bilateral consultation on country lists.

I hope that this meeting will provide a good opportunity to understand each other.

Before discussing the specific issuess, let me briefly explain the nature of Korea's country list.

In preparing the country list, we try to follow the formats suggested by the secretariat as closely as possible.

We were also influenced by the discussions in the agricultural negotiation group, Mr. Dezeeu's text, and Korea's position on the text.

We made our maximum efforts to describe the nature and level of Korea's agricultural support and protection. As we made it clean in the explanatory note of the country list, the list was made without prejudice to Korea's position in the negotiation.

As you may understand, it was difficult for us to prepare the country list in 2 or 3 months.

We were facing difficulties such as the excess burden of the task, time limit, and the lack of available data.

In particular, unlike developed countries which had substantial experience in calculating agricultural support and protection in relation to OECD's PSE calculation, we had actually no experience.

Moreover, there was no clearly agreed framework, neither the guidelines provided by the secretariat were not specific enough.

Our country lists should by viewed with this consideration. It might by necessary to correct our country list, if an error is found.

We also recognize that we may have to revise or improve the country lists depending upon the development of the negotiation such as a clear agreement on the framework of the negotiations.

[I will try to answer your questions on Korea's country lists now.] Given the informal and technical nature of this meeting, today's ciscussion with you is without prejudice to our position in the future negotiations.

Thank You.

Questions Relating to the U.S. Country List

I.   General Questions

1.   In the calculations of AMS and TE, were the same reference
     prices used? If not, why were different prices used? Were
     your calculations based on marketing, fiscal or calender
     years?

2.   In the US Country List, the price supports and direct
     payments based on the quantity of articles exported out of
     the total produced are included in internal support.
     According to Para. 20(b) of the Chairman's Draft Text,
     payments to producers of products being exported are
     regarded as export subsidies. In this context, would it
     not be reasonable to deal with marketing loans for rice and
     cotton as export subsidies? Were there any other marketing
     loans for discretionary items such as feed grains, wheat
     and soybeans, during 1986-88.

3.   In the calculation of AMS, the U.S. uses the period of
     1986-88 to establish the base year. During this period
     record high levels of support existed.

     In this context, if the reduction commitment based on 1986-
     88 data is implemented from 1991 and thereafter, please
     explain whether the use of average reference prices from
     1986-88 would result in an overestimation of the current
     level of support when compared with the actual budget
     outlays, and if not, why not?

II.   Internal Supports

List 1-A: Agriculture Negotiations Country Lists: Internal
           Support for the U.S.
Part A-1: Products for which AMS can be calculated:
           Commodity specific AMS components for 1986-88
           average.
Part A-2: Products for which AMS can be calculated:
           Generally available support.

---

4.   What are the criteria used to classify policies as either
     commodity specific or non-commodity specific. Is it
     impossible to allocate the generally available support
     included in the total AMS to a specific commodity?

5.   Are the supports provided by state governments included in
     the AMS calculations? If so, please provide a breakdown of
     this support.

ANNEX 1.   Other Disciplined Programs Generally Available:
           Input and Marketing Cost Reduction.

---

6.   Please describe any other subsidies for non-durable inputs
     (e.g. fertilizer, pesticides, etc.) besides agricultural
     credits, irrigation and grazing fees, that are available
     under input and marketing cost reductions.

7.   The supports for both agricultural credit and irrigation
     are calculated based on a fiscal year. Are grazing fees
     also calculated on the basis of fiscal year data? If not,
     what is the reason?

8.   Is there any support of a commodity specific nature in the

0149

agricultural credit?

9. It is suggested in footnote 5 that the support for
    irrigation is "allocated to individual crops in proportion
    to share of value of production on irrigated acreage".
    Nevertheless, the support of irrigation is classified as
    generally available support. Why?

10. Livestock grazing fees and the Dairy Termination Program
    appear to be commodity specific. Why are they classified
    as a generally available support?

11. It is generally recognized that the agricultural sector is
    one of the most capitalized U.S. industries. In addition,
    the investment in agriculture is known to be heavily
    dependant upon the tax policy. What is the reason that
    some generally available programs like investment tax
    credits and tax deductibility of depreciation are excluded
    in the AMS calculation?

ANNEX 2. Permitted Programs Generally Available: Not
          Subject to Reduction.

---

12. As one of "the permitted programs generally available"
    (Annex II), the 1986-88 average outlays to National
    Fertilizer Development (NFD) of the Tennessee Valley
    Authority (TVA), is shown to be 52,601 thousand dollars.
    Please explain the details of the TVA support Programs.
    Are there any input cost reduction components which are to
    be subject to discipline?

13. What assistance to "exporters to deal with problems"
    relating to marketing functions which are included in the
    outlays of the Office of Transportation? Should they be
    dealt with in the same manner as export subsidies?

— 68 —

0150

14. Are there any export subsidy effects resulting from "protection of producers from unfair practices" included in the Packers & Stockyard Administration?

15. It is generally said that the "Agricultural Stabilization & Conservation Service (ASCS) is also responsible for administrating farm price and income-support programs other than the conservation cost-sharing programs such as environmental protection. However, there is no reference under the price and income support programs of the ASCS. Please explain why?

16. According to the U.S. offer list and the Chairman's draft text [MTN/GNG/NG5/W/170] a policy to be excluded from reduction commitments should meet some criteria including that "it must not be linked to current or future levels of production..." Please explain whether in the Conservation Reserve Program the land conservation program and the diversion program of grain into vegetables are in accordance with the above-mentioned condition?

17. Is wheat the only product for food security covered under Farmer-Owned Reserves (FOR)? Are no other grains covered under FOR? The monetary amount allocated for Food Security is not tabled in Annex 2 of List 1:A, Why?

We understand FOR is aimed at stabilizing agricultural prices and reducing grain stocks by providing storage payments and loan interest subsidies. In this context, why is FOR excluded from the list of programs subject to reduction?

18. The footnote on page 4, Annex 2 states that "outlays were excluded from both permitted and disciplined program groups if not related directly to internal support of agriculture production" and that the regional development/income safety-net was regarded as not-applicable for agricultural

support. Please explain the relationship between regional development programs and agriculture or agricultural production.

ANNEX 3.   AMS Commodity Specific Components

---

19. What data sources were used to calculate commodity specific AMS?   How is commodity specific AMS calculated from this data?

20. What is meant by a commodity loan forfeit?   What does the negative value of commodity loan forfeits of barley and cotton imply?   Please clarify the differences between loan forfeits, loan deficiency payments, and loan interest subsidies.

21. In the calculation of deficiency payments for specific U.S. commodities, average prices and payments for 0-50/92 were used as 1986-88 reference prices.   Assuming that a price gap is derived from the difference between target prices and loan rates or market prices whichever is higher, please explain the meaning of the specific average prices and payments applied in the U.S. List.

22. Direct payments are divided into cash payments and PIKs (Payments-In-Kind).   Is direct support through CCC under the PIK program included in the measurement of direct payments?   If so, what is the proportion of PIKs out of total direct payments in the Country List?

23. It seems that the calculation for market price supports lacks consistency in terms of the following points:
   (a)   The protection effects of non-tariff border measures are considered in the calculation of market price support for dairy, peanuts, and sugar.   However, in

the case of beef/veal and cotton, such effects are not considered. Please explain why?

(b) In the calculation of price supports for peanuts, why is the farmer's stock instead of actual production used as a production base? Please explain why the marketing quota was only calculated in the measurement of Market Price Support (MPS)? In the case of dairy and sugar, why was the calculation of MPS based on raw production?

(c) In the case of peanuts, a loan rate which is higher than the price received by producers is used for the calculation of market price support. Also the market price support for dairy is based on the price gap between the support price and the specific value (i.e., 107,033) rather than the price gap between the market price and the external price. Why?

(d) In the case of sugar, the producer's share is assumed to be 60% of the support calculated from the price gap and production level. Why? Is there any particular reason for using FOB rather than CIF prices as reference prices for sugar only?

24. Concerning Direct Payment

(a) In the calculation of deficiency payments, "adjustment has been made for payment limit and under-planting". Since actual payment data is believed to be available for the period 1986-88, why is the adjustment necessary for already implemented payments?

(b) In the case of rice, why is the quantity eligible for deficiency payments larger than the total production of rice? Why is the calculation of direct payments for rice based on the milled equivalent in contrast to the system used for other grains?

(c) Why is the support payment for dairy assessment in direct payment negative?

III. Export Competition

25. In its Country List the U.S. tabled four export support programs i.e., The Dairy Export Incentive Program, The Sunflower seed Oil Assistance Program, The Export Enhancement Program, and The CCC Direct Sales Program. Are there any other support programs linked to export promotion.

26. The amount listed for the 1989 bonus given to exporters under the Export Enhancement is indicates 360 million dollars. However, other sources, such as the Basic Mechanisms of U.S. Farm Policy, ERS, Jan. 1990, shows that some 2.3 billion dollars was awarded to exporters in 1989. Please explain this difference?

27. There is no specific mention about the Export Credit Guarantee Program (GSM-102) and the Intermediate Export Credit Guarantee Program (GSM-103). How is it dealt with in the Country List?

28. The Foreign Market Development Program which includes subsidies from the American Soybean Association outside the U.S. is not included in the Export Subsidy Program. Why?

IV. Border Protection

29. In the case of dry milk, butter, cheese, and cotton, the appropriate major exporter is not clarified. What are the external reference prices for those products?

30. Actual C.I.F. prices for the importing country would, in general, represent external prices. Where actual C.I.F. prices are not available, appropriate estimated C.I.F. based on F.O.B. prices should be used as a substitute. For imported products such as dry milk, butter, cheese, sugar,

and cotton, why does the U.S. use the estimated C.I.F. prices instead of actual C.I.F. prices?

31. The adjusted world price (AWP) is used as the external price of cotton. Coefficients for quality and location are applied to derive the AWP from the prevailing world price. What are the adjustment coefficients for quality and location?

32. Sources for the external price of raw sugar, peanuts, and beef are not specified. What are these sources?

33. In the U.S. Country List, it is not clearly indicated which kind of domestic prices are used to calculate tariff equivalents (TE). Are they retail prices, wholesale prices, producer prices, or government intervention prices?

34. Sources for the domestic prices of sugar, cotton, and beef are not provided. Please indicate the exact sources.

35. There is no relevant data for the calculation of the tariff equivalent of sheep meat. What data is used and why is the TE of sheep meat zero?

36. Dairy duty and sugar duty remain to be worked out to provide precise TEs for each corresponding tariff line. What methodology will be applied to calculate the TEs?

37. In the case of cheese, is the TE for the tariff line 99041033, 119.3 or 111.9? Why is it different?

38. TEs for other cheeses are derived from the TE for cheddar cheese by applying appropriate price ratios. However, the price ratios for the tariff lines 99041054, and 99041057 are not clarified. What are the price ratios? Are there any other methods to estimate TEs for those products?

39. In the case of beef, the constructed price is used as a reference price. On the other hand, the adjusted price for peanuts is used as a reference price. Please explain the difference between the two Pricing Schemes and why you have used different Pricing Schemes to derive these reference prices.

40. What does the prevailing world market price of cotton imply?

41. Why is the C.I.F. price of peanuts to Rotterdam used for the external price of peanut?

Questions Relating to the Korea Country List

A. Internal Support

A—1. The country list presents AMS calculations for rice, barley, soybeans, corn, beef and veal, milk, pork, chicken meat and eggs. However, the U.S. believes that korea may also support, through government purchases, input subsidics and other support measures, production of other agricultural items at prices several times the world level, including tobacco, peanuts, oranges, red pepper, garlic, onions, potatoes and sesame seed. Korea is requested to clarify the nature and degree of support measures which encourage production of these commodities.

A—2. The country list provides an explanation only for the method by which market price support was calculated, not for methods used to quantify support coming from other AMS elements, such as reduction of input costs, general services, etc. Korea is requested to provide explanations of how the other AMS elements were quantified. Please describe the amount of support coming from each policy measure. Please describe the method for allocating to specific products the support from general programs applying to several products.

A—3. The country list does not specify years used for price data. Korea is requested to identify the years used.(It would appear that the calculations may have used 1988 external reference prices only, rather than an average of 1986—88 prices requested.)

A—4. Please explain the source of "world price" data for all AMS calculations. Do they include adjustment for transportation costs to Korea? If not, could Korea provide an estimate of those costs?

A—5. Korea classified most of its internal support policies, including market price support and input subsidies, as not subject ot reduction. Documentation of how these policy measures are administered for the products listed in paragraph A-1 is requested, including the level of commodity specificity at which support is applied, terms of producer and product eligibility for the support, amount of ROKG bugetary outlays associated with each measure, the degree to which porduction is affected by the policy measure, etc.

A-6. Part B of the country list's Internal Support section notes the values of input cost reductions(subsidies) for fruits and vegetables. however, no further itemization is provided, either by the type of policy or by the type of porduct. Korea is requested to itemize input subsidy measures applied to fruits and vegetables by type of policy and product.

A-7. For beef, please explain the calculation of total support. In particular, what does the quantity 130,000tons describe? Carcass or boneless beef production? Are prices used for the AMS calculation on the same basis?

A-8. For milk, please explain the rationale behind the AMS calculation. To which dairy product do the prices and production figures used in the calculation apply? Are other dairy products included in the AMS calculation? How and to what extent? Please explain the methods by which fluid milk and manufactured dairy product prices are supported in Korea, including support prices and quantities eligible for support programs.

A-9. For pork, how was the domestic price derived? Is it a carcass price? For what year?

A-10. For rice, barley, soybeans corn, domestic prices used to calculate AMS were a weighted average of government purchase prices and prices received by farmers. To what extent do government purchases of these products maintain other prices received by farmers above the levels that would otherwise prevail? What quantities of each product were eligible for government purchase during the reference period?

0158

B. Border protection

B—1. Korea omitted from its country list tariff equivalents for the following 15 key commodities which together account for 71 percent of the value of Korea agricultural production : rice, barley, corn, beef, pork, chicken meat, dairy products, soybeans, red pepper, garlic, onions, potatoes, sweet potatoes, oranges/tangerines and sesame seed. All procucts appear to be subject to quantitative import restrictions, in most cases restrictive import licensing or import quotas. Korea is requested to provide domestic wholesale and CIF import prices for the products mentioned above, plus orange juice, grape juice and apple juice, which are also lacking tariff equivalents.

B—2. Korea uses a variety of world prices in its calculation of tariff equivalents. Some are wholesale U.S. prices, while others are CIF Japan, U.S. futures market prices plus 10 percent or FOB Canada. It would appear that Korea generally did not include in its world prices a factor to reflect freight costs. Is that correct? If so, Korea is reguested to provide an estimate of CIF Korea prices for products where FOB, wholesale or futures market prices were used to calculate tariff equivalents.

B—3. For beef (HS 0201), "import licensing" is the only non-tariff border measure mentioned(in column 3 of the border protection table). Korea is requested to explain LPMO's procedures for importing and distributing frozen beef. In particular, what margins does LPMO add onto the cost of imported beef and what restrictions apply to wholesale and retail sales of imported beef? How are imported beef prices set in relation to domestic prices?

B—4. For chicken meat(HS 0207), it appears that a tariff equivalent has been calculated(43 percent for 1986—88) and applied to fresh and chilled chicken meat, frozen chicken offals and frozen turkey meat, but not to frozen whole chickens or frozen chicken parts. Is that correct? If so, can it be assumed that the same domestic and world prices would be used to calculate a tariff

— 77 —

0159

equivalent for frozen chicken meat?

B-5. For fresh grapes(HS 0806), what is the source of domestic prices used to calculate the tariff equivalent? If a series of monthly prices by production? Please explain the rationale behind the selection of world prices in the tariff equivalent calculation. What, if any, adjustment was made for quality differences?

B-6. For apples(HS 0808), please explain the rationale behind selecting French export prices as the world price in the tariff equivalent calculation. What, if any, adjustment was made for quality differences? (In what respects are French apples similar to those consumed in Korea?) How were domestic apple prices derived for use in calculating the tariff equivalent?

B-7. For corn(HS 1005) and soybeans(HS 1201), please explain how the size of import quotas is determined. How are corn and soybean quotas do restrictive feed mill licensing and requirements to purchase domestic soybeans and corn drive up the price of feed, thereby dampening demand and resulting in smaller import quotas?)

B-8. For orange juice(HS 2009.10), "import licensing" is the only non-tariff border measure mentioned(in column 3 of the border protection table). Korea is requested to explain the operation of its quota allocation process. in particular, how are orange juice import quota allocations pro-rated by the processor's share of domestic orange juice purchases?

B-9. For tobacco(HS 2401), please explain the rationale behind selection the price of Argentine tobacco as the world price in the tariff equivalent calculation. In what respects is it similar to the 3rd grade products chosen for domestic prices? What, if any, adjustment was made for quality differences? Why did Korea choose 3rd grade tobacco as the reference grade for calculating a tariff equivalent? Please provide domestic prices and a description of quality for the grades of

— 78 —

0160

tobacco most commonly consumed in Korea.

C. Export Subsidies

C−1. The country list does not refer to export assistance measures, even though the monopoly Korea Tobacco and Ginseng Corporation routinely exports tobacco leaf and ginseng products at prices significantly lower than prices paid to Korea growers. Can the ROKG explain its rationale for omitting from its country list export assistance? Can Korea provide domestic purchase and export prices for the grades of tobacco most commonly exported since 1986? For the major ginseng products exported?

외 무 부

종   별 : 지 급

번   호 : USW-3586   일   시 : 91 0716 2026

수   신 : 장관(통이,미일,경일,경기원,재무부,농수산부,상공부,외교 안보,

발   신 : 주 미 대사   경제수석

제   목 : <u>한미 통상관계 현황 점검</u>

1. 당관 손명현 공사와 장기호 참사관은 7.26 <u>USTR SANDI KRISTOFF</u> 대표보와 대통령 방미후의 양국간 통상문제의 원만한 관리를 위해 의견 교환 기회를 가진바, 동 대표보는 대통령 방미가 성공적이었으며, 상호 관심사에 대한 이해를 증진시키는데 큰 도움이 되었다고 평가하고, 방미기간중 양측간에 거론된 UR 협상을 성공적으로 매듭짓기 위한 상호 노력이 긴요함을 강조하였음.

2. 동 대표보는 특히 UR 협상과 관련 미측은 의회로부터 신속협상 처리권(FAXT TRACK AUTHORITY)에 대한 연장을 받아 국내적으로도 UR 협상을 성공적으로 타결한다는 기대감이 높아졌으며, 명년부터 대통령 선거 준비등 국내 정치 일정등을 고려, 금년말또는 늦어도 명년 1 월까지는 동 협상을 매듭지워야 하는 상황에 있음을 설명하고, 동 협상과 관련 상호 관심 분야에 대한 의견 조정등을 위해사전 양자 협의를 갖는것이 좋을것이라는 의견을 피력하였음.

3. UR 관련 미측 관심 분야로는 주로 농산물, 시장 접근(무관세화 협상), 서비스, 지적 소유권, 통신, 섬유등을 들수 있으며, <u>한국측이 가능하다면 9 월 중순 또는 10 월경에 사전 양자 협의를 갖는것을 검토할것을 제시하면서</u>, 개별 현안 사항에 대한 자신의 평가를 아래와같이 설명하였음.

가. UR 협상과 관련, 농산물 문제에 대해 최근까지 한국측으로부터 새로운 입장이 나오고 있지 않으며

나. BOP 문제와관련, 최근 갓트 이사회에서 논의된바 있으나 한국측이 BOP 상의 의무와 UR 협상결과를 연결시키고 있어 관계국들을 실망시키고 있음. 지난번 이사회에서는 미국을 비롯 관계국들의 반응이 비교적 자제하는 입장이었으나 앞으로는 한국에 대해 상당한 비난(BLAST)이 나올것으로 예상됨.

다. 지적 소유권 문제 관련 영업 비밀 보호, 반도체칩 보호(<u>MASK WORKS</u>)등의

통상국	장관	차관	1차보	2차보	미주국	경제국	외정실	정와대
정와대	경기원	재무부	농수부	상공부				

문제를 들수 있으나 그간 한국측의 노력으로 상당한 진전이 있다고 평가됨(이에 대해 아측은 동건 관련 최근의 입법추진 상황을 설명해주었음)

　　라. 통신 협상문제도 SPECIAL 301 조상 내년 2 월이 시한이며 그간 IVAN 협상의 타결과 양측이 서로 입장을 접근시키려는 노력이 보이고 있기는 하나, 계속적인 협상이 이루어져야 한다고함.

　　마. 기타 구체적인 현안으로는 BAXTER, MARRIOT 등을 들수 있으나 특히 BAXTER 문제는 오래된 현안으로 7 월말에는 구체적 개방 일정 제시가 있기를 기대함.

　　바. 최근 미측의 우려를 크게 자아내고 있는것은 한국내 수입반대 성향(ANTI-IMPORT)문제임. 6 월말경에 있었던 KIWI 외산과일 호텔 전시회 취소 사건과 외산 담배 수입 PALACARD 등이 그 예가 될수 있다고 하면서 최근(7.15) 외산 담배 수입반대 플래카드가 재차 주한 미 대사관 직원 주택 단지 II 앞에 세워졌다고 설명하였음.(USW-3553,3569 참조)

　　4. 이에 대해, 손공사는 미측의 입장을 본부에 보고하겠다고 하고 최근의 KIWI 전시회및 부산 공항내 승비 반대 플래카드 철거등의 조치 내용을 설명해 주면서 여사한 문제들은 즉각 시정 조치를 취해 나간다는 정부의 방침을 설명하였는바, 상기 미측 언급 내용에 대한 검토 결과 회시 바람.

　　(대사 현홍주-국장)

　　91.12.31 일반

일반문서로 재분류(1991 . 12 . 31.)

	분류번호	보존기간

발 신 전 보

번 호 : WUS-3304　910719 1709　FN 종별 :

수 신 : 주 미　　　대사 /총영사　(사본 : 주 제네바대사)　WGV-0915

발 신 : 장 관 (통 기우, 통2)

제 목 : 한.미 통상관계 현황점검 (UR협상)

　　　　　대 : USW - 3586

　　　대호 3항 미측이 희망한다면 UR관련 상호관심 분야에 대한 양자협의를 9월말
또는 10월초순경 제네바에서 개최하는 것을 검토할 수 있음을 미측에 통보하고
결과 보고 바람.　　　끝.

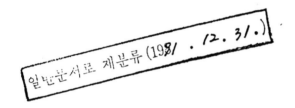

일반문서로 재분류 (1981 . 12. 31.)

(통상국장 김 삼훈)

양 고 재	81 년 7월 19일	기안자 송병현	과장	심의관	국장		차관	장관	보안통제	외신과통제

0164

관리
번호 91/507

외 무 부

종 별 : 지 급

번 호 : USW-3660

일 시 : 91 0722 1934

수 신 : 장 관(통이,통기,아이,미북,외교 안보,경제수석)

발 신 : 주 미 대사

제 목 : USTR 대표보 접촉(UR 및 수입 반대 성향)

대 WUS-2750,3350

연 USW-3369,3586

대호 관련, 당관 장기호 참사관이 7.22 SANDY KRISTOFF USTR 대표보와 접촉,최근의 양자및 다자 통상 관계에 관해 협의한 결과를 요지 하기 보고함(미측 N.ADAMS 부대표보, DOROTHY DWOSKIN MTN 과장, 아측 서용현 서기관 동석)

1. UR 의 성공을 위한 한미간 협조 문제

0 아국이 작년말 농산물과 관련한 새 제안을 내놓은 이래 아국의 UR 에 관한 입장에 진전이 없다는 연호 미측의 언급과 관련, 아측은 금년 상반기중 UR 이 정체 상태에 있어 어느나라도 뚜렷하게 전진된 입장을 내지 못했던점을 지적하고, 오히려 아측은 지난 6 월 농업위 비공식 협의시 식량 안보에 관한 제안을 제출하는등 나름의 노력을 해온 점을 상기 시키면서 동 제안서 및 BOP 자유화 예시계획 관련 GATT 이사회 아측 발언문을 미측에 전달함.

0 또한 아측은 대호 한.미간의 UR 관련 양자 협의를 제네바에서 개최할 것을 긍정적으로 검토하고 있다고 한데 대해 미측은 이를 환영하고 오는 9.15 TNC 회의가 개최되는 만큼 동회의 직후에 양측의 전문가들이 다수 제네바에서 체재하고 있는 동안 협의를 갖는것이 어떻겠느냐는 의견을 제시함.

0 미측은 UR 성공을 위한 양국간 협력은 한. 미 정상회담에서 협의된 것임을 다시 한번 강조하고, 이를 실천에 옮기기 위하여는 한국이 상기 양자 협의 이전에라도 기술적 사항에 관한 DUNKEL 의장 초안등을 중심으로한 각분야(특히 G-7정상회담서도 언급된 농업, 시장접근, 서비스, 지적 소유권등)의 협상에 보다 적극적이고 전향적인 태도로 참여할것이 요항된다고 말함.

2. 양자간 통상 문제(수입 반대 경향)

통상국 분석관	장관 청와대	차관 청와대	1차보 안기부	2차보	아주국	미주국	통상국	외정실

PAGE 1

91.07.23   09:27

외신 2과 통제관 BS

0165

O 장참사관은 연호에 따라 미측이 제시한 수입 반대 성향 관련 사례에 대한진상및 아측의 대응 조치 경과를 설명하고, 미측이 한국내 여론의 민감한 동향과 이에 대체해야 하는 한국 정부의 어려운 입장을 감안치 못하고 미확인된 보고에 의존하여 사태를 확대 해석하는 일이 있어서는 아니됨을 강조함.

O 이에 대해 미측은 이러한 사건들이 개별적으로는 경미하더라도 적절히 제어 되지 않으면, 보다 큰 수입 반대 운동으로 발전될수도 있다는것이 미측의 우려라고 하면서, KIWI 전시회 문제만 해도 한국측이 호텔업계를 대상으로 해명을 했다고 하나 결과적으로 KIWI 전시회가 다시 열리지는 않은것으로 알고 있으며 최근 플로리다 주정에서 USTR 에 공문을 보내어 한국내의 호텔및 백화점들이 플로리다산 CITRUD 전시회 개최를 거부하고 있다고 불만을 표해 오는등 한국의 업자들이 외국 상품 전시회를 개최할수 있는 실질적인 분위기가 마련되지 못하고 있는것으로 본다고 말함(동 관련, KIWI 사건 이후의 국내 호텔등의 수입품 전시회 개최동향및 CITRUS 전시회 개최 거부문제 진상 회보 바람)

O 대호 오렌지류의 카리브 과일 파리 비감염지역 재배 증명 추가 요구 지시를 내린적이 없다는 아측 설명에 대해 미측은 그렇다면 미국 오렌지류 수출업자에게 여사한 추가 증명 제시에 대한 걱정없이 오렌지류를 수출해도 된다고 확인해 주어도 되겠는지를 문의해온바, 이에 대한 본부 지침 회보 바람.

O 미측은 담배 소비세 문제에 대한 최근 미측 제의에 대한 아측 입장을 제시해 줄것을 재차 요청해온바, 이에 대한 진전 사항 회보바라며, 또한 미측은 대호 수입 담배 반대 프래카드 철거에 대해 아직 주한 미대사관으로 부터 보고 받은바 없다 하는바, 동 철거 여부도 확인 회보 바람.

3. KRISTOFF 대표보 및 N.ADAMS 부대표보는 오는 9.27-28 OPEC SOM 회의에 참석 예정이라는바, 동회의후 ADAMS 부대표보는 서울에 잔류,9.30-10.1 경 관련 부처와 접촉하여 양자간 통상 문제를 협의코자 한다함을 참고 바람.

4. KRISTOFF 대표보는 TRADE ACTION GROUP 회의가 명일 서울 개최 예정이므로 동 결과를 보아 현안 사항에 대해 재차 협의키로 하자고 제의해 왔음.끝.

(대사 현홍주-국장)

예고:91.12.31 까지

일반문서로 재분류(199/ .12.31.)

| 관리
번호 | 91
/504 |

분류번호	보존기간

발 신 전 보

번   호 : WUS-3347   910722 1727 DU 종별 :

WGV -0932

수   신 : 주   미   대사·총영사 (사본 : 주 제네바 대사)

발   신 : 장   관 (통 기)

제   목 : 한.미 통상관계 현황 점검 (UR 협상)

일반문서로 재분류(1991 . 12. 31.)

대 : USW-3586

연 : WUS-103, 1346, 2750

1. UR 협상 관련 대호 3항 미측 언급사항에 대한 아측 입장을 아래 통보하니 귀주재국 인사 접촉시 참고바람.

2. UR/농산물 협상 관련 한국의 새로운 입장 (대호 3항 "가" 관련)

   ○ 한국 농업의 어려운 여건 및 농산물 교역에 대한 정치, 사회적 민감성에도 불구, UR/농산물 협상 타결에 적극적으로 기여한다는 차원에서 수입개방과 국내보조 감축에서 각각 예외를 주장해 오던 15개 비교역적 관심품목을 쌀등 2-3개 품목으로 대폭 축소하는 전향적 입장으로 전환

   - 1.15 제네바 TNC 회의시 상기 기본입장 표명

   - 1.14 서울에서 개최된 한.미 경제협의회시 및 1.15 제네바 주재 미측 협상 대표에게 구체 내용을 설명(WUS-103 참조)

   ○ 6.17. 제네바에서 개최된 UR/농산물 협상 회의시 상기 전향적 입장을 ~~구체화하는~~ ~~~~ 식량안보 관련 ~~~~ 서면 제안을 제출(WUS-2750 참조)

통상1과장=

양 고 재	81 년 7 월 22 일	통 상 국 과	기안자 송병현	과 장	심의관	국 장	차 관	장 관	보안통제	외신과통제

0167

o 따라서, 식량자급도가 40%도 채 안되는 농산물 순수입국인 한국으로서는
  UR/농산물 협상 타결을 위해 최대 기여를 하고 있는바, 농산물 협상
  나아가 전체 UR 협상의 성공적 타결을 위해 미국, 케언즈그룹등 농산물
  수출국들의 기대 수준 하향 조정과 적절한 양보도 절실

2.

~~4~~. BOP 협의 결과와 UR/농산물 협상 결과 연계 문제 (대호 3항 "나" 관련)

o 시장개방 확대, 국내보조 감축등 농산물 교역 자유화 확대를 지향하고
  있는 UR/농산물 협상 결과는 새로운 갓트 규범이 되므로 동 규범에
  수입제한 조치를 합치시키는 것은 당연 (WUS-1346 참조)

o 또한 UR 타결 싯점 미자유화 BOP 품목에 대해 관세화등 UR/농산물 협상
  결과를 적용함으로써 오히려 동 품목에 대한 수입자유화 시기를 앞당기는
  효과 초래

  - 미자유화 BOP 품목에 대해 UR 결과를 적용시키지 못할 경우 미양허
    품목의 관세를 자유로이 인상해도 되는지 의문

o 따라서, 한국이 UR/농산물 협상 결과 적용을 통해 미자유화 BOP 품목의
  수입자유화를 지연 또는 회피하지 않을까 하는 의구심 불식 필요

  ~~농산물 협상 진전상황을 보아가며 필요시 추후 동건 관련 이해관계국들과~~
  ~~협의 용의~~

~~3. 상기 BOP 협의 결과와 UR 협상 결과 연계 문제에 대하여는 향후 입장 재검토 가능~~
~~여부를 관련부처간 협의할 예정인 바, 관련부처 참고토록 하기 바람.~~   끝.

                                              (통상국장   김 용 규)

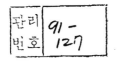

경 제 기 획 원

통조일 10520-ΨΟ   503-9144   1991.7.23.

수신   수신처참조

제목   UR관련 한미양자협의 미측제안 검토

   1. 관련: USW-3586 (91.7.16)

   일반문서로 재분류(1981 . 12. 31 .)

   2. UR관련 한미양자협의 요청에 대해서는 UR대책 실무위원회등을
통하여 관계부처간에 아측입장에 대한 충분한 협의를 거쳐 정부방침을
결정해야 할 것으로 사료되는바, 관계부처에서는 이러한 절차를 거친이후
미측과 협의일정 및 대응방향이 정해지도록 신중하게 대처하여 주시기
바랍니다.

   3. 아울러, 위무부에서는 이러한 사실을 주미대사관에 통보하여
정부의 방침이 결정된후 미측과 협의하도록 조치바랍니다.   끝.

예고문: 1991.12.31일반

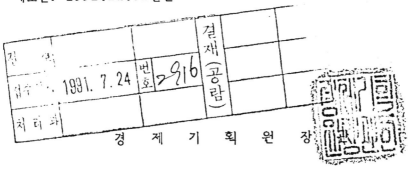

경 제 기 획 원 장

수신처: 외무부장관, 재무부장관, 농림수산부장관, 상공부장관.

                                        0169

                              검 토 필(1991.6 .30.) 02

외　무　부

번　호 : USW-3680　　　　　　　　　　　일　시 : 91 0723 1950

수　신 : 장관(통이,경기원,상공부,경제수석)주제네바대사-직송필

발　신 : 주 미 대사

제　목 : HILLS USTR 대표의 상공장관앞 서한

　　　HILLS USTR 대표는 이봉서 상공부장관에게 UR 의 무관세화 협상 및 무역관련 지적소유권 (TRIP) 과 관련하여 한국이 미국의 주요입장을 지지해줄것을 요청하고 나아가 최근 한국내의 수입 반대적 경향에 대해 각별한 신경을 써줄것을 희망하는 별첨 서한을 송부해온바, 동서한 원본은 파편 송부 예정임.

　　　(대사 현홍주-국장)

　　　첨부: USW(F)-2929 (3 매)

통상국　　2차보　　　청와대　　　경기원　　　상공부

PAGE 1　　　　　　　　　　　　　　　　　　　91.07.24　　09:15 WG

　　　　　　　　　　　　　　　　　　　외신 1과 통제관
　　　　　　　　　　　　　　　　　　　0170

번호: USW(F) - 29 ▮
수신: 장 관 (특이, 기기원, 상공부, 경제수석) 사본: 국제미바 대사 -승계림
발신: 주 미 대사
제목: USW - 3680 의 후송복 (3페이)

THE UNITED STATES TRADE REPRESENTATIVE
Executive Office of the President
Washington, D.C. 20508

JUL 1 9 1991

Mr. Lee Bong-Suh
Minister of Trade and Industry
Ministry of Trade and Industry
Kwachon, Korea

Dear Minister Lee:

It was a great pleasure to talk with you on July 19. This letter
is meant to follow up on that conversation.

As we discussed, to enhance market access in the Uruguay Round,
we would hope that Korea could participate in our "zero-for-
zero" initiative to eliminate tariffs in key sectors. Korean
participation is especially important to the success of our
initiative in the steel, electronics, and construction equipment
sectors. Without a much improved market access package, I am
convinced that it will be impossible to conclude this Round
satisfactorily.

With respect to the protection of intellectual property, as I
promised, I am enclosing a non-paper which outlines points we
believe must be part of a GATT TRIPs agreement. Without the
provisions outlined in this paper, we will be unable to forge the
political coalition in the United States necessary to
counterbalance opposition to our efforts to liberalize textiles,
agriculture, and market access. In short, as I noted in our
conversation, without a solid TRIPs agreement, our ability to
sell the Round domestically will be seriously jeopardized.

Finally, with respect to what appears to be a continuing pattern
of anti-import activities in Korea, I would hope you could give
this issue your personal attention, and intervene publicly to
curb such activity when it occurs.

With personal regards.

Sincerely,

Carla A. Hills

Enclosure

0171

KEY ELEMENTS OF A TRIPS AGREEMENT FOR THE UNITED STATES

PATENTS

- 20-year term from filing

- Non-discrimination in subject matter (e.g. product protection for pharmaceuticals and chemicals and inclusion of biotechnology)

- Inclusion of conditions, such as importation meeting local working requirements, that will limit compulsory licensing practices that might render otherwise adequate protection ineffective

- Transitional (pipeline) protection for pharmaceutical products previously patented in the United States but not yet marketed (since they are awaiting regulatory approval), provided they have also not yet been marketed in your country

- Omission of any reference to international exhaustion (i.e. no parallel importation)

COPYRIGHT

- Protection of computer programs as literary works

- Recognition of the U.S. "works for hire" regime that permits legal persons (e.g. companies) to be "authors" and to exercise their legal rights

- A 50-year term and the exclusive right to control the rental of sound recordings and computer programs

- A clear definition of public performance

- Exclusion of moral rights from the agreement

- Protection for data banes

TRADE SECRETS

- Protection for trade secrets that is subject to the enforcement provisions of the agreement

- A period of exclusive use for registration data provided to governments

2929-2

0172

SEMICONDUCTOR LAYOUT DESIGNS

- Protection equal to that found in current U.S. law, which goes well beyond that provided under the Washington Treaty

ENFORCEMENT

- Effective internal and border enforcement to stop both domestic and imported piracy, counterfeiting, and infringement

IMPLEMENTATION

- Countries should agree to implement the agreement within a period not to exceed two years

- The agreement should be implemented as part of the GATT system

2929 - 3 End

0173

	분류번호	보존기간

발 신 전 보

번 호 : WUS-3533   910805 1400   FN종별 :

수 신 : 주   미   대사·총영사 (사본 : 주 제네바 대사)   WGV -0993

발 신 : 장 관 (통 기)

제 목 : UR 협상 관련 한.미 양자협의

대 : USW-3360

연 : WUS-3304 (WGV-0915)

대호, UR 협상 상호 관심분야에 대한 한.미 양자협의 대책에 참고코자 하니,
동 협의에 참가할 미측의 대표단 구성(수석대표 포함), 협의 성격 및 형식, 여타국가와의
유사 협의 계획등을 파악, 보고바람.   끝.

(통상국장   김 용 규)

양 고 재	91 년 8 월 일	통 기 과	기안자		과 장	심의관	국 장		차 관	장 관		보안통제	외신과통제
			조천		⋀		전결			丬.		⋀	

0174

관리 번호	91/546

외 무 부

종 별 : 지급

번 호 : USW-3897

일 시 : 91 0805 1850

수 신 : 장 관(봉기,봉이,경기원)

발 신 : 주 미국 대사

제 목 : UR 양자협의

대:WUS-3533

1. 대호 관련 당관 장기호 참사관이 8.5 KRISTOFF USTR 대표보와 접촉한바,UR 관련 전문가들과 협의, 미측이 생각하고 있는 내용을 금주중에 알려주기로 하였음.

2. 대호 양자협의 준비와 관련 미측에 제기할 필요가 있다고 생각되는 사항들이 있으면 상기 협의시 미측에 설명할수 있도록 사전 통보 바람.

3. KRISTOFF 는 작년의 예와같이 금년에도 한국이외의 국가들과도 사전 협의를 계획하고 있다고 하고 추후에 알려주기로 하였음.끝.

(대사 현홍주-국장)

예고:91.12.31 까지

일반문서로 재분류(1991 . 12 . 31 .)

통상국   2차보   통상국   경기원

PAGE 1

경 제 기 획 원

통조삼 10502-〔53〕   503-9149   1991.8.5.

수신 외무부장관 (통상국장)

제목 UR협상 한미양자협의 관련대책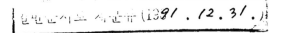

1. USW-3586('91.7.16) 및 통조삼 10502-498 ('91.7.24) 관련입니다.

2. '91.8.2 개최한 UR대책 실무위원회에서 표제관련 사항에 대하여 결정된 바에 따라 귀부에서 주미대사관을 통해 다음사항을 확인하여 주시기 바랍니다.

- 다   음 -

(1) '91.7.16 USTR 대표보 Kristoff가 UR관련 한미양자협의를 제안한 배경과 의도, 특히 그동안 제네바등에서 한미양측이 UR협상과 관련하여 분야별로 협의해오고 있고 주미대사관등의 외교경로를 통한 협의체제가 유지되고 있음에도 불구하고 특별히 UR관련 한미양자 협의를 제안한 이유

(2) 미국이 제안한 농산물, 서비스, 지적재산권, 시장접근, 섬유, 통신등 6개분야를 개별분야별로 협의할 것인지 또는 전체의제를 함께 다룰 것인지 여부 (아국은 분야별 분산협의를 선호)

(3) 미국은 UR관련 한미양자협의와 유사한 협의를 타국가들과도 연속적으로 개최할 계획이 있는지 여부와 미측이 구상하고 있는 한미 UR관련 양자협의의 형식 및 양자협의 추진시 미측의 대표단의 레벨 및 구성

(4) 미국이 고려하고있는 양자협의 장소 및 시기.   끝.

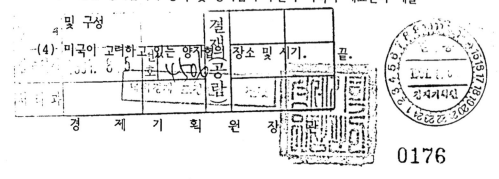

경 제 기 획 원 장

2   외무.

UR協商關聯 兩者協議對策 檢討

1991. 8. 2.

經 濟 企 劃 院

對外經濟調整室

Ⅰ. UR協商 動向과 美國의 兩者協議要請

- 「브랏셀」會議以後 UR協商은 議題別로 技術的爭點 解消에
  중점을 두어 추진되었으나 뚜렷한 進展을 이루지 못한채
  9月以後 協商을 남겨두고 있는 狀況

  ○ 7.30 實務級 TNC會議에서는 各 協商그룹別 協商進行狀況
    報告 및 9월이후 協商日程을 제시하고 종료

- 9月以後 진행될 協商의 本格的인 進展을 위해서는 美國과
  EC가 農産物協商에서 타협점을 찾아야 할 것이나 그 전망은
  不透明하며 最終段階에서야 타협점의 도출이 모색될 것으로
  전망

  ○ 금년 7.10 提示된 EC의 農業改革案에 대한 논의는 10月에
    가서야 종료

  ○ 美國은 서비스, 關税無税化, 知的所有權 協商등에서 自國
    의 實利를 최대한 확보하면서 아울러 農産物協商에서
    代案을 검토하게 될 것으로 예상

- 이와같은 協商進行과 관련하여 美國은 9월중순 또는 10월
  경에 UR관련 韓·美 兩者協議 개최를 要請 (USTR代表補
  Kristoff, 7.15)

  ○ 主要關心分野: 農産物, 市場接近(관세무세화), 서비스,
                  知的所有權, 通信, 纖維등 6個分野

  ○ 主要兩者協議 대상국은 불투명하나 소수의 主要交易相對國
    포함 예상

- 4-1 -

0178

Ⅱ. 兩者協議 形式 및 性格에 대한 檢討

- 현재로서 美國의 兩者協議要請에 대한 眞意를 정확하게 파악
  할수는 없으나 대략 다음 2가지 類型 上程可能

  ① 多者間協商의 연장으로서 상호관심사항을 交換·確認하는
     實務級 協議
  ② UR協商을 실질적으로 진전시켜 나가기 위한 방안의 하나로
     主要爭點에 대한 高位級 協議

- 상기 類型中 「實務級協議」가 여러나라와 함께 진행될 경우
  큰 부담이 없을 것이나 「高位級協議」가 될경우 우리의 協商
  戰略, 對內的 說得問題등에 있어 큰 負擔招來

  ○ 兩者協議 시기가 11월 예정된 美大統領의 訪韓時期와 연계
    되어 國內輿論에 불리

  ○ 美國등 다른나라와 마찬가지로 아국의 協商最終代案은
    全體的인 協商動向과 관련 協商막바지 단계에야 제시될수
    있기 때문에 이의 事前 露出은 不可能

    . 農産物協商에서 美·EC의 合意, 日本의 代案提示등 전체
      協商의 방향이 결정되어야 아국의 적절한 대안제시가능
    . 美國이 바라는 바와같이 日本과 韓國이 美國을 지지하여
      EC로부터 협조를 이끌어 내는 방식으로 協商이 進行될
      경우 對內說得 困難
    . 我國은 「브랏셀」會議以後 伸縮性있는 協商代案을 提示한
      唯一한 國家이기 때문에 全體協商의 進展이 없는 狀況에서
      새로운 代案提示 不可能

- 따라서 兩者協議의 形式, 時期, 協議 Level에 대한 美側의
  眞意 把握 및 我國의 協議方式에 대한 代案檢討가 필요

Ⅲ. 兩者協議 對應方案

① 兩者協議에 대한 非公式 事前接觸 推進

- 外交채널을 통하여 美國의 兩者協議方式 探索 및 적절한
  代案提示 (外務部)

〈實務級 協議時〉

  ○ 美國과의 協議對象國家 파악
    . 한국과 單獨協議時 現實的 어려움 傳達
  ○ 議題別로 분산하여 논의하는 方式 提案
  ○ 時期 및 Level(10월중 局長級 또는 次官補級)은 美側
    意見 受容

〈高位級 協議時〉

  ○ EC, 日本등과는 달리 UR協商關聯 양국간 별도의 高位級
    (長官級) 協議는 國內與件上 현시점에서 수용하기 어렵
    다는 입장전달
  ○ 다만, 11월 APEC 閣僚級會議 등을 통하여 非公式的인
    접촉 可能性 檢討
  ○ 實務級協議를 통해서도 양국간 UR協商에 대한 충분한
    立場交換이 가능함을 설득

- 上記 代案을 중심으로 美國과 非公式 事前接觸을 가진다음
  美側의 反應을 보아 我國의 立場整理

② 協商代案의 点檢

- 美國과의 兩者協議에 관계없이 모든 協商分野에 대하여
  8~9월중 我國의 段階的 協商 代案 点檢 持續

    ○ 우리의 旣存立場 견지가 불가피한 分野에 대해서는 보다
      논리적이고 說得力 있는 資料作成

    ○ 장기적으로 前向的인 對處가 필요한 分野에 있어서는
      伸縮性있는 代案 定立

    ○ 우리 경제에 큰 영향이 없는 分野에서는 協商에 적극적
      으로 기여한다는 側面에서 協商의 大勢를 수용

- UR對策實務委員會('91.6.21)에서 결정한 대로 分野別 協商
  대안을 마련 同 會議上程

    ○ 會議期間: '91.8월중순 ~ 9월15일

    ○ 議題別로 關係部處에서 對策案마련
      (案件上程日程 당원통보, 8.15까지)

- 同 實務委員會 上程案件中 實務協議가 이루어지지 못한
  사항에 대하여는 對外協力委員會에 상정하여 政府最終方針
  확정

0181

외 무 부

종 별 :

번 호 : USW-3989

일 시 : 91 0809 1939

수 신 : 장 관 (통기,통이,경기원,상공부,농수산부,재무부)

발 신 : 주 미 대사

제 목 : UR 양자협의

Geneva 의견묻어 ?

대: WUS-3533

연: USW-3897

1. 장기호 참사관은 8.9 USTR 의 DWOSKIN MTN 과장을 면담, 대호 UR 관련 한. 미 양자협의 관련 협의한바, 요지 하기 보고함.(MARY RYCKMAN MTN 과장, 김중근 서기관 동석)

가. 동 과장은 미측 대표단은 금번 양자협상의 중요성에 비추어 WARREN LAVOREL USTR 대사를 수석으로 별첨과 같이 고위급으로 구성키로 하였다고 설명하고, 아측도 가급적 정책 결정을 할 수 있는 본부 대표단 중심으로 구성키를 희망한다고 하였음.

나. 금번회의의 성격은 비공식 회의로서 전체 대표단이 함께 의제 전반에 관해 협의하는 방식으로 추진하기를 희망하며 필요시 분야별 구체적 문제에 대해서 양측 대표간의 별도 회의도 가능할 것이라고 언급하였음.

다. 양자협상 일자는 잠정적으로 9.19 로 잡고 있으나 9 월초에 UR 다자협상에 대한 일정이 나올때 이를 보아 조정 가능할 것이며, 양자협상 일주일 이전에 MARKET ACCESS 문제와 관련 양측 대표간에 사전 협상이 있기를 희망하였음. MARKET ACCESS 분야의 미측대표는 USTR 의 M. COYLE 관세과장을 예정하고 있으며, 이외에 상무, 국무, 농무부등 관련 부처 직원이 참석하는 비교적 큰 규모의 대표단으로 생각하고 있다함.

라. 미측은 EC, CANADA, 일본과는 정례적으로 양자협의 해왔으며, 특히 CANADA, EC 와는 9 월 중순 HILLS USTR 대표가 직접 협의 예정이며, 일본과는 아직 구체 일정은 잡혀 있지 않으나, 앞으로 양자협의를 가질 생각이라함. 기타 스위스와의 양자협상은 9 월초로 예정하고 있다고함.

마. 미측은 의제와 관련 별첨과 같은 잠정 의제안을 제시하면서, 이에 대한

통상국   차관   2차보   통상국   경기원   재무부   농수부   상공부

PAGE 1

91.08.10   10:02

외신 2과 통제관 DO

0182

한국측의 입장을 알려주면 검토해 나갈 것이라고 하고 N. ADAMS USTER 부대표가 8월말 APEC/SOM 에 참석 기회에 양자협상과 관련 한국측과 사전 실무협의를 가질 예정이므로 한국측의 입장을 동인 출발(8.22, 23 경) 이전에 제시하여 줄것을 요청하여 왔음.

2. 상기 NANCY ADAMS 부대표보 방한 일정 상세는 추보 예정이나 일단 미측안에 대한 아측 입장을 검토 가급적 조속 회시바람.

첨부: USW(F)-3214(4 매). 끝.

(대사 현홍주-국장)

예고: 91.12.31. 까지

일반문서로 재분류(1991 . 12 . 31.)

번호:USW(F)- 3214
수신:장관 (통기, 통이, 특기련, 상공부, 농수산부, 래무부)
발신: 주미대사 U.S. ~ Korea Uruguay Round Bilateral Consultations
제목: 붙음 첨부 (4매)

September 19, 1991

At USTR Geneva
1-3 Avenue de la Paix
1202 Geneva
phone: 749 5242

- -

<u>U.S. Delegation</u>

<u>Representation from Washington</u>

*   Ambassador Warren Lavorel
    U.S. Coordinator for Multilateral Trade Negotiations (USTR)

*   S. Bruce Wilson
    Assistant U.S. Trade Representative for Investment, Services
          and Intellectual Property; U.S. Negotiator for TRIPs
          and Coordinator for Services and TRIMs

*   Richard B. Self
    Deputy Assistant U.S. Trade Representative for Services

*   Michael Kirk
    Assistant Commissioner for External Affairs
    Patent and Trademark Office

*   Richard Schroeter
    Deputy Assistant Administrator for International Trade
          Policy
    Department of Agriculture

*   Timothy Reif
    Associate General Counsel (USTR)
    U.S. Coordinator for Antidumping and Subsidies/CVD

*   Barbara Chattin
    Senior Economist
    Office of Agricultural Affairs (USTR)

*   Melissa Coyle
    Director, Tariff Affairs
    Office of GATT Affairs (USTR)

In addition to the negotiators listed above, we anticipate
representatives from the Department of State and Commerce to
attend the bilateral, as well as other USTR personnel from
Washington.

0184

USTR Geneva Representation

*   Ambassador Rufus Yerxa, Deputy United States Trade
    Representative and U.S. Ambassador to GATT

*   Andrew Stoler, Deputy Chief of Mission

*   Robert Shepherd, Minister Counselor for Textiles

*   David Shark, Trade Attache (TRIMs, Procurement)

We anticipate that the USTR/Geneva staff will join the
consultations in all areas, as the issues are raised.

3214-2

0185

U.S. - Korea Bilateral Consultations
September 19, 1991

Tentative Agenda*

* USTR/Geneva will coordinate the timing of the agenda when the
schedule of multilateral meetings is clarified in early
September. We suggest that our market access negotiators meet
earlier in the week in advance of the bilateral session.

Ambassadors Lavorel and Yerxa invite the Korean Head of
Delegation and Ambassador to lunch. (Total number of   √
participants at the luncheon to be 3 per delegation).

1.   Overview of the Negotiations

2.   Agriculture

     --   Establishing the framework for reduction commitments

          --   market access

          --   internal support

          --   export competition

     --   Country Lists

3.   Market Access

     --   Review of U.S. - Korea Bilateral Negotiations
     --   Zero for Zero Initiatives

4.   Textiles

5.   TRIPs

     --   Areas Where Further Work is Necessary

6.   Services

     --   Framework Issues

     --   Initial Commitments
          --   Review of U.S. - Korea Bilateral
          --   Overall Status
          --   Exchange of Requests (due Sept. 20)

     --   Annexes (telecom and financial services)

3214-3

0186

7. Review of Issues in GATT Rulemaking Group

   -- GATT Articles, Negotiations on Balance of Payments

   -- Trade-Related Investment Measures

   -- Safeguards

   -- Subsidies/CVD

   -- Antidumping

   -- Government Procurement

8. Institutional Questions

   -- Dispute Settlement

9. Final Act: Implementation of the Uruguay Round Results

324-4

0187

	분류번호	보존기간

발 신 전 보

WGV-1049   910816 1136   FH

번   호 : ＿＿＿＿＿＿＿＿＿＿＿   종별 : ＿＿＿＿＿＿

수   신 : 주   제네바   대사 . 총영사/

발   신 : 장 관 (통 기)

제   목 : UR/한.미 양자협의

일반문서로 재분류(1991 . 12 . 31 .)

1. 8.9. 미측은 UR 협상 관련 양자협의를 9.19. 귀지에서 개최할 것을 제안한바있음.
   (상세 : USW-3989 참조)

2. 상기 관련, 주미 대사관에 아래 아측 입장을 통보, 미측과 협의토록 조치 하였으니
   참고 바라며, 진전사항은 추후 통보하겠음.

   가. 양자협의 개최일자 및 장소

   ○ 9.19(목) 개최에 이의 없으나 시장접근 분야에 대한 별도 협의는 양자협의
     1-2일전에 개최되길 희망

   ○ 제네바 주재 USTR 사무소에서 개최하는 것도 무방하나, 90.7.12. 한.미
     양자협의가 USTR 사무소에서 개최되었던 점을 감안, 금번 양자협의는
     가급적 제네바 주재 아측 대표부에서 개최되길 희망하나 검토 요망.

   ○ 금번협의도 90.7. 협의에 준하여 오전중에 완료되기를 희망 (미진한 사항은 미측이 제의한
                                                              오찬을 통해 협의)

   나. 아측 대표단 구성

   ○ 주 제네바 대사를 수석대표로 함.

   ○ 시장접근, 서비스, TRIPs, 농산물등 주요 협상분야에 대하여는 관련부처
     본부대표가 참가할 예정이나, 양자협의 개최일자가 변경될 경우 본부대표
     참가 범위도 변경 가능함을기리.   끝.   (통상국장 김재규)

앙고재	91년 8월 16일 통상기구과	기안자 성명 송봉현		과장 심의관	국장		차관	장관		외신과통제

0188

분류번호	보존기간

발 신 전 보

번 호 : WUS-3692   910816 1135 FH
종별 :

수 신 : 주   미   대사 · 총영사

발 신 : 장 관 (통 기)

제 목 : UR/한.미 양자협의

일반문서로 재분류(1991 . 12 . 31 .)

대 : USW-3989

표제관련, 대호 미측 제의에 대한 아측 입장을 아래 통보하니 미측과 협의하고
결과 보고바람.

1. 양자협의 개최일자 및 장소

   o 9.19(목) 개최에 이의 없으나 시장접근 분야에 대한 별도 협의는 양자협의
     1-2일전에 개최되길 희망

   o 제네바 주재 USTR 사무소에서 개최하는 것도 무방하나, 90.7.12. 한.미 양자
     협의가 USTR 사무소에서 개최되었던 점을 감안, 금번 양자협의는 가급적
     제네바 주재 아측 대표부에서 개최되길 희망하나 검토 요망

   o 금번 협의도 90.7. 협의에 준하여 오전중에 완료되기를 희망(미진한 사항은 미측이 제의하는
     오찬을 통해 협의)

2. 아측 대표단 구성

   o 주 제네바 대사를 수석대표로 함.

   o 시장접근, 서비스, TRIPs, 농산물등 주요 협상분야에 대하여는   본부
     대표가 참가할 예정이나, 양자협의 개최일자가 변경될 경우 본부대표 참가범위도
     변경 가능.   끝.   (통상국장 김 용 규)

앙고재	91년 8월 16일 통상국과	기안자 송봉헌	과 장	심의관	국 장 전결		차 관	장 관	보안통제	외신과통제

0189

분류번호	보존기간

발 신 전 보

WUS-3720   910817 1156   CO

번   호 : _____   종별 : 지급

수   신 : 주   미   대사 . 총영사

발   신 : 장 관 (통 기)

제   목 : UR/한.미 양자협의

연 : WUS-3692

연호 1항 양자협의 개최일자 및 장소 관련 "9.19(목) 개최에 이의 없으나"는
"9.19(목)은 아측 사정상 어려우므로 9.23(월) 개최를 희망하며"로 정정바람.

끝.   (통상국장 김 용 규)

1991.12.31.에 예고문에
ㅁ   변경됨

		보 안 통 제	ℳ

앙고재	91년 8월 16일 통상국 과	기안자 성 명 송병현		과 장 ℳ	심의관	국 장 전결	차 관	장 관	

외신과통제

0190

경 제 기 획 원

통조삼 10502-58   503-9149   1991.8.16.

수신   수신처참조

제목   UR대책 실무위원회 회의결과통보

     UR협상관련 양자협의대책 수립을 위하여 개최된 UR대책 실무위원회 회의결과를
첨부와 같이 송부하니 대책추진에 만전을 기해 주시기 바랍니다.

첨부: UR대책 실무위원회 회의개최 결과 1부.

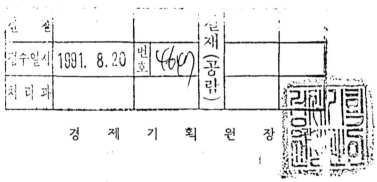

경   제   기   획   원   장

수신처: 외무부장관(통상국장) , 재무부장관(관세국장) , 농림수산부장관(농업협력
       통상관) , 상공부장관(국제협력관) , 특허청장(기획관리관) .

일반문서로 재분류(1991 . 12. 31.)

0191

〈添附〉 UR對策 實務委員會 會議結果

1. 會議日時: '91.8.14(水)   13:30-15:00

2. 會議參席: 經濟企劃院   對外經濟調整室長 (會議主宰)
　　　　　　　　　　　　　第2協力官
　　　　　　　　外 務 部　通商局長
　　　　　　　　　　　　주제네바 代表部 UR擔當代使
　　　　　　　　財 務 部　關稅局長
　　　　　　　　農林水産部　通商協力官
　　　　　　　　商 工 部　國際協力官, 通商協力官
　　　　　　　　特 許 廳　企劃管理官
　　　　　　　　青 瓦 臺　經濟秘書官, 外交安保秘書官

3. 主要會議 決定事項

가. 兩者協議日程

　　- 基本的으로 美側提案受容: '91.9.19

　　- 市場接近分野 協議는 兩者協議 1-2일전으로 修正.協議

0192

나. 我國代表團 構成

- 首席代表: 주제네바 대표부 대사

- 代　表
  ○ 主要分野(市場接近, 서비스, TRIPs, 農産物등)에 대해서는 本部代表
    參與
  ○ 주제네바 대표부 派遣官

다. 兩者協議場所는 제네바 韓國代表部 開催方案도 檢討

  ＊ 上記內容을 中心으로 금번 兩者協議에 임하는 我國의 立場을 美側에
    傳達.協議 (外務部)

라. 協議對應의 基本方向 및 協商對策의 点檢

① 協議의 基本方向

  - 韓.美關係를 참고하여 兩者協議에 最大의 誠意를 가지고 對應

  - 이번 協議를 我國의 UR協商努力에 대한 理解增大의 契機로 活用
    할수 있도록 積極對應

② 協議內容의 準備

  - 이번 兩者協議의 背景 및 重要性을 감안 基本的인 協議對策資料는
    UR對策 實務委員會에서 作成

0193

- 9월중순에 가서도 UR協商이 本質的인 進展에 이르지 못할 것으로
  판단되므로 基本立場을 堅持하되

  ○ 關稅無稅化, 서비스, TRIPs 分野등에서 美側關心分野에 대한
  伸縮性있는 對應이 可能한가를 사전점검
  ○ 農産物등 我國의 利害와 直結된 核心分野에서는 旣存立場을
  중심으로 論理的으로 對應

- 이번 協議時 我國의 關心事項을 적극 전달토록하고 美側에 協調를
  요청할 分野(反덤핑, Safeguards, 纖維등)에 대한 綜合整理

  * 上記 對策을 關係部處에서 작성하여 <u>8월말 UR對策 實務委員會
  에서 綜合檢討</u>

마. 弘報對策

- 兩者協議以前 적절한 시기에 言論에 發表

  ○ 작년의 兩者協議('90.7.2)와 유사한 通常的 協議
  ○ 美國의 EC, 카나다, 日本, 스위스등과 一連의 協議計劃 일환
  으로 韓.美兩者協議 推進
  ○ 我國은 UR協商에 대한 旣存立場을 중심으로 대처하되 我國에
  대한 美國의 理解增進 契機로 活用

- 協議結果는 사실그대로 弘報함으로써 國民들의 理解增進

0194

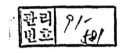

경 제 기 획 원   동

통조삼 10502-57   503-9149   1991.8.16.

수신 외무부장관

참조 통상국장

제목 UR관련 한미양자협의 대책

1. USW-3989 ('91.8.9)과 관련입니다.

2. '91.8.14(수)에 개최된 UR대책 실무위원회 결정에 따라 표제관련

미측과 사전협의가 필요한 사항을 별첨과 같이 통보하니 조치하여 주시기 바랍니다.

첨부: UR대책 실무위원회 회의결과 1부.   끝.

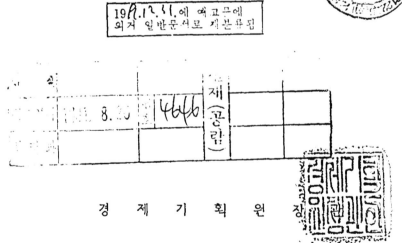

경 제 기 획 원

0195

〈添附〉 UR對策 實務委員會 會議結果

① 兩者協議 日程은 基本的으로 제안된 일자(9.19)에 이견없으나, 市場 接近分野에 대한 別途協議는 兩者協議 1-2일전에 開催되도록 일정을 調整토록 協議함.

② 아국의 兩者協議 代表團構成은 駐제네바代表部 代使를 首席代表로 하여 본부의 UR主要分野(市場接近, 서비스, TRIPs, 農産物등) 擔當 部處에서 參與할 計劃임. 다만 현재 제안된 일정이 변경될 경우 本部代表의 參與에 제약이 있을 수 있음을 설명

③ 兩者協議場所는 가급적 주제네바 韓國代表部(´90.7.12, 주USTR대표부 에서 개최)에서 개최하는 方案도 協議토록 함.

④ 上記內容을 중심으로 금번 兩者協議에 임하는 我國의 立場을 美側에 傳達, 協議토록 함.

0196

경 제 기 획 원

통조삼 10502-**   503-9149   1991.8.17.

수신   수신처참조

제목   양자협의관련 아국의 일정수정제안

1. 통조삼 10502-58. ('91.8.16) 관련입니다.

2. 지난 8.14 개최된 UR대책 실무위원회에서는 미측이 제안한 양자협의
일자(9.19)에 대하여 이견이 없는 것으로 결정한 바 있습니다.

3. 주제네바 대표부의 현지사정에 따라 동협의일자를 9.23(월)로 수정
제안키로 하였기 알려드리니 업무추진에 만전을 기해 주시기 바랍니다. 끝.

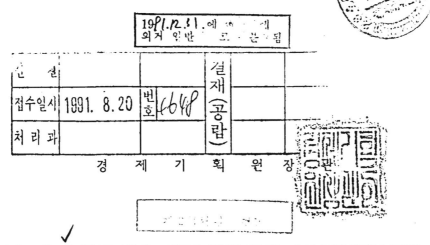

1991.12.31.에 의하여 외자일반 로 관됨		
접수일시 1991. 8. 20	번호 648	결재 (공람)
처 리 과		

경 제 기 획 원 장

수신처: 외무부장관(통상국장), 재무부장관(관세국장), 농림수산부장관(농업협력

통상관), 상공부장관(국제협력관), 특허청장(기획관리관).

0197

원 본

외 무 부

종 별 : 지 급

번 호 : USW-4140   일 시 : 91 0820 2124

수 신 : 장관(통이,미일,경기원,내무부,보사부,상공부,외교안보,경제수석)

발 신 : 주 미 대사

제 목 : USTR 부대표보 방한

대 WUS-3711

연 USW-4075,4116

당관장기호 참사광는 8 말 APEC 고위 실무자협의 참석차 방한 예정인 N. ADAMS USTR 부대표보와 면담, 동인의 방한중 아측과의 양자간 통상 문제 협의 계획을 타진한바, 동결과 요지 하기 보고함(당관 서용현 서기관 동석)

1. ADAMS 부대표보는 금번 방한중 혈액 제재 수입문제와 담배 소비세 문제에 역점을 두고 협의코자 하며, 그밖에도 하기 사항에 관하여도 협의할수 있기를 희망한다고 함.

0 초코렛 LABELLING 문제

0 화장품 등록 관련 문제

√0 원산지 증명 표시 요구 관련 문제 (통기)

0 영업 비밀 보호법 및 반도체 MASKWORK 보호법 시안에 관한 미측 논평도 재시 예정

2. 동 부대표보는 또한 외무부 통상국장과 <u>통신</u>, <u>정부 조달</u>, <u>서비스를 포함한 향후</u> <u>반년간의 양국간 통상 협상 일정과 양국 통상관계 전반</u>에 관하여 협의할수 있기를 희망한다고 하면서, APEC 회의 참석후 8.30(금) 930 경 서울에 돌아오게 되므로 동일 오찬 또는 오후중 적절한 면담 기회가 마련될수 있기를 희망해옴(동 일정은 주한 미 대사관에서도 주선중이라함)

3. 아측의 혈액 제재 수급제도 개편 방안과 관련 동 부대표보는 동 방안의 구체적 내용이나 운영 방식등이 아직 불확실하여 세부적으로 논평하기는 어려우나, 94 년에 모든 혈액 제재의 수입이 개방될때까지는 한국은 혈우병 치료제를 제외한 여타 혈액제재에 대한 수입제한을 GATT 상 정당화할 근거가 전혀 없게 되어 법적으로

통상국	장관	차관	1차보	2차보	미주국	분석관	청와대	청와대
내무부	보사부	경기원	상공부					

PAGE 1   Adams 면담 : 8.30 (금) 11:00 목장실   91.08.21 11:31
                    12:00 오찬   외신 2과 통제관 BS
                                                        0198

무방어 상태(NO COVER-UP)에 놓이게 될것이라고 말하고, 잠정기간중국내 업체 에게는 판매, 배포를 허용하면서 수입 허용은 적십자사에 의한 수급체제가 완료될때까지 보류한단것은 전혀 논리가 맞지 않는다고 지적함.

4. 또한 동 대표보는 최근 보사부는 동 개편안 운용에 관한 BAXTER 사의 질의에 대한 답변에서,94 년까지의 잠정 기간중 국내 업체(녹십자등)는 적십자사를통하지 않고도 제품을 판매할수 있으며, 적십자사 통합 관리 체계하에서 외국 업체들은 적십자사에 <u>취급 수수료</u>를 납부하여야 한다고 설명한것으로 안다고 하면서, 만약 이것이 사실이라면 엄연한 차별대우이며 정당화될수 없는것이라고 강조함.끝.

(대사 현홍주-국장)

예고:91.12.31 까지

일반문서로 재분류(1981 . 12 . 31 .)

PAGE 2

0199

외 무 부

종 별 : 지급

번 호 : USW-4141

일 시 : 91 0820 2124

수 신 : 장 관(봉기, 봉이, 미일, 경기원, 외교안보, 경제수석)

발 신 : 주 미국 대사   사본:주제네바대사-중계필

제 목 : UR/한미 양자 협의

대:WUS-3692,3720

당관 장기호 참사관이 8.20 USTR 의 N.ADAMS 부대표보와 면담, 표제건 협의한 결과를 하기 보고함(MARY RYCKMAN MTN 담당관, 당관 서용현 서기관 동석)

1. 양자 협의 개최 일자

0 장참사관이 아측 사정상 동 협의를 9.23(월) 개최함이 불가피하게 되었음을 설명한데 대해, 미측은 9.23 에 회의를 개최하는경우 9.16 시작주중에 GATT 의 분과별 회의에 참석하는 미측 본부 대표들이 양자 협의 참석을 위해 오랫동안 제네바에 체재하여야 하므로 어려움이 있다고 하면서 자체 협의를 거쳐 회의 일정에 관한 미측 의견을 추후 통보해주겠다고함.

0 특히 미측은 9.23 에 회의를 개최하는경우 GATT 회의에 참석한 아측의 본부 대표들이 계속 잔류하여 양자 협의에 참석할수 있을 것인지에 대해 큰 관심을 표명함(이에 대한 본부 입장 회시 바람)

0 금번 협의가 가급적 오전회의 및 오찬중 협의만으로 완료될수 있기를 희망한다는 아측 의견에 대해 미측은 협의 의제의 범위에 비추어 볼때 어려울것으로 본다고 말함.

0 시장 접근에 관한 별도 회의와 관련 미측은 본회의 일자가 결정되지 않은 현재로서는 말하기가 곤란하나 만약 9.23 을 본회의 일자로 한다면 9.16 시장주중 아무 날짜나 개최해도 무방할것이라고 말함.

2. 회의 장소및 대표단 구성등

0 제네바 주재 아국 대표부에서 회의를 갖자는 아측 제의를 미측도 수용함.

0 대호 아측 대표단 구성의 개요를 통보한데 대해 미측은 금번 협의가 단순한 의견 교환의 차원을 넘어 실질적인 협의가 되기 위하여는 정책 결정자들이 다수 참석하는것이 긴요하다고 강조하고 아측에서 가급적 다수의 본부 대표가 참석할수

통상국   장관   차관   2차보   미주국   통상국   청와대   청와대   경기원
중계

PAGE 1

있기를 희망함.끝.

　　(대사 현홍주-국장)

　　예고:91.12.31 까지

일반문서로 재분류(1991 . 12 . 31 .)

발 신 전 보

번 호 :	WUS-3800 910822 0930 DQ	종별 :	지급

WGV -1091

수 신 : 주   미   대사. 총영사 (사본 : 주 제네바 대사)

발 신 : 장 관 (통기)

제 목 : UR/한.미 양자협의

대 : USW-4141

1. 표제 회의를 9.23 개최하는 경우 아측 본부대표들은 제네바에 계속 잔류, 양자협의에
   참석 예정임.

2. 아측 대표단은 ~~가급적 다수의~~ 본부대표를 포함토록 추진할 방침임.
   (중요한 본어 동토하)

3. 시장접근에 관한 별도 회의를 9.16 시작 주중에 개최하는 데에는 이의 없으나
   UR/시장접근 회의가 9.27 개최되므로 다수의 본부대표단이 참석키는 곤란할 것임.
   (본부 대표단이 양자협의를 위해 UR/시장접근 회의 시작 일주일전부터 제네바에
   체류하기는 어려움).

4. 8.21 주한 미 대사관측은 아측에 양자협의 일자를 9.23로 제의한 배경을 문의하고
   대호와 같이 미측 본부대표들이 오랫동안 제네바에 체류하여야 하는 어려움에 대해
   설명한바, 아측은 ~~양자협의 본부대표단 일정은 9.19도 좋으므로 수석 대표 일정상~~
   부득이 9.23을 제의하게 되었음을 설명하고, 미측이 이를 수락하여 줄것을 요청
   하였음을 참고바람.   끝.   (통상국장 김 용 규)

보안통제	

0202

UR 협상/한.미 양자협의

UR 협상 관련 한.미 양자협의 추진 현황

o 미측 제의

- 양자협의 : 9.19(목)

- 시장접근 분야 별도 협의 : 양자협의 개최 1주일 이전

o 상기 미측 제의에 대해 아측 수석대표(주 제네바 대사) 일정상 하기 제의

- 양자협의 : 9.23(월)

- 시장접근 분야 별도 협의 : 양자협의 개최 1-2일전

o 아측 제의에 대한 미측(8.20 N. Adams USTR 부대표보) 반응

- 9.16주간 개최 분야별 UR 협상 참석 본부대표가 한.미 양자협의에 참석키 위해 제네바에 장기 체류해야 하는 어려움이 있으나 추후 입장 통보 예정

- 아측 본부대표의 제네바 계속 체류 가능 여부에 관심

. 아측은 계속 잔류, 양자협의 참석 예정임을 통보

- 양자협의가 9.23 개최되는 경우 시장접근 분야의 별도 협의는 9.16 주간 개최 희망

. 아측은 9.16주간 개최에 이의 없으나 UR/시장접근 분야 협상 회의가 9.27 개최되므로 다수의 본부대표가 별도 협의에 참석키는 어려움을 통보

0203

o UR 협상 관련 한.미 양자협의를 통해 상호 입장 이해와 UR 협상의 진전에 도움이 되기를 희망함. 금번 양자협의에 가급적 많은 본부대표가 참석할 예정임.

o 아측 수석대표인 주 제네바 대사의 일정상 9.23 개최를 제의 하였는 바, 귀측에 편리한 날짜인지 ?

o 양자협의가 9.23 개최되는 경우 시장접근 분야의 별도 협의는 9.16 주간 개최되어도 무방하나, UR/시장접근 분야 협상 회의가 9.27 개최됨을 감안할 때 동 별도 협의에 다수의 본부대표가 참석키는 어려움.

0204

o I hope that the forthcoming US-Korea Uruguay Round bilateral consultation
will be conducive to mutual understanding of their own positions and
contribute to the overall progress of the negotiations. It is our
intention that Korean side could field many capital-based delegates
to participate in the bilateral consultation.

o As you are well aware, Korea proposed to hold the consultation on 23
September due to the schedule of Korean ambassador to Geneva who will
lead the Korean delegation. I hope this suits US side as well.

o In case the bilateral consultation is to be scheduled for 23 September,
we have no difficulty in holding separate meeting on market access in
the week of 16. However, in the fact that the multilateral meeting on
market access is scheduled for 27, it is difficult to expect that many
delegates from the ministries concerned will take part in the separate
bilateral meeting on market access.

0205

참고사항 (9월중 UR 협상 일정)

o 농산물, TRIPs : 9.16주간

o 서비스 : 9.23주간 (해운:9.17, 통신:9.19, 금융:9.20)

o 제도분야 : 9.26

o 시장접근 : 9.27

o 규범제정 및 TRIMs : 9.30주간

o 섬   유 : 9.30경

長官報告事項

1991. 9. 7.
通 商 局
通商機構課(47)

題 目 : UR 協商 關聯 韓·美 兩者協議

美側이 提議한 바 있는 UR 協商 關聯 韓·美 兩者協議 推進 狀況을 아래 報告 드립니다.

1. 美側과 合意內容

의 해의를 기로한 관계부처회의에서 9.6

○ 8.25-9.4間 APEC SOM 參加차 訪韓한 Adams USTR 副代表補와 아래와 같이 合意

　- 開催 場所 : 제네바

　- 開催 時期 : UR 協商 全般에 관한 兩者協議는 10月中 主要 UR 協商그룹
　　　　　　　 會議 開催 時期를 택하여 開催 主要 協商分野別 ~~實務~~ 兩者
　　　　　　　 協議는 9月中 開催 ~~로~~ 하리

　- 美側은 今番 協議에서 單純히 意見 交換보다 實質 交涉을 期待

2. 國內 措置事項

　○ ~~9.6(金) UR 對策 實務委員會에서 上記 兩者協議 計劃 合意~~

　○ 9月中 UR 對策 實務委員會 開催, UR 分野別 我國 立場 再點檢

3. 言論 對策

　○ 兩者協議 結果를 可及的 事實 그대로 國內에 ~~公報~~ 報 되도록유도

　(UR 對策 實務委員會 次元에서 共同 對應)　　　　　　　　끝.

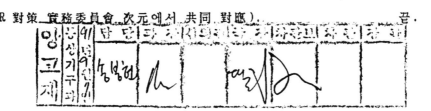

0207

長官報告事項

報告畢

1991. 9. 7.
通 商 局
通 商 機 構 課(47)

題 目 : UR 協商 關聯 韓.美 兩者協議

美側이 提議한 바 있는 UR 協商 關聯 韓.美 兩者協議 推進 狀況을 아래 報告 드립니다.

1. 美側과 合意內容

   ○ 8.25-9.4間 APEC SOM 參加차 訪韓한 Adams USTR 副代表補와의 協議를 基礎로 9.6 關係部處 會議에서 아래와 같이 合意
   - 開催 場所 : 제네바
   - 開催 時期 : UR 協商 全般에 관한 兩者協議는 10月中 主要 UR 協商그룹 會議 開催 時期를 택하여 開催하되 主要 協商分野別 兩者 協議는 9月中 開催
   - 美側은 今番 協議에서 單純히 意見 交換보다 實質 交涉을 期待

2. 國內 措置事項

   ○ 9月中 UR 對策 實務委員會 開催, UR 分野別 我國 立場 再點檢

3. 言論 對策

   ○ 兩者協議 結果를 可及的 事實 그대로 國內에 報道되도록 誘導
   (UR 對策 實務委員會 次元에서 共同 對應).   끝.

0208

UR關聯 兩者協議 對策檢討

1. 最近의 狀況

- '91.8.30 APEC SOM 회의 참석차 訪韓한 USTR S. Kristoff
  代表補등 USTR 關係官은 非公式 面談過程에서 兩者協議關聯
  美側立場 表明

    ○ 美側 首席代表의 사정상 9.23 兩者協議 開催는 어려움

    ○ 따라서 9월중 제네바에서 各分野別 兩側 協商代表間 實質
      的인 實務級 協議를 分野別로 진행시키고 이를 바탕으로
      10월초에 全體協議推進

    ○ 實務級 協議와 함께 高位級協議도 考慮
      (11월 APEC 會議參加를 위해 USTR Hills代表 訪韓 豫定)

 - 앞으로 美側立場은 USTR內部에서 협의되어 公式的으로 我側
   에 傳達될 것으로 전망

2. 對應方案 檢討

 가. 兩者協議日程 및 分野別 協議 수용문제

   - 9.16이후 개최되는 분야별 협상에서 兩側 代表團 實質協議
     推進
      ○ 分野: 市場接近(9.16주간), 農産物(9.16주간), 知的
              財産權(9.16주간), 서비스(9.23), 規範制定(9.30)
              制度分野 및 最終議定書(9.26), 纖維(9.30)

    - 全體議題에 대한 兩者協議는 追加的인 協議를 통하여
      10월중 개최

0209

나. 我國立場 定立

① 今番 分野別 協商參加 및 兩者協議 對應方向

  - 基本對應方向
    ○ 各分野別로 이제까지의 旣存立場을 堅持하되 立場變更이
      가능한 사항은 肯定的 檢討가 可能함을 言及하는 線에서
      對應
    ○ 分野別로 우리나라 입장의 개진보다는 美側의 요구내용을
      正確히 把握하는데 주력

  - 分野別 協商參加 및 兩者協議 지침(안)을 作成하여 UR對策
    實務委員會(9.12)에서 확정
    ○ EPB에 資料提出 (9.10까지)
    ○ 分野: 農産物, 서비스(金融,通信포함), 市場接近, TRIPs

    * 纖維, 規範制定은 9.16주간에 實務委員會 開催

② 兩者協議 綜合對策 資料作成

  - '91.8.30 UR對策 實務委員會에서 결정한 대로 兩者協議 對策
    資料作成은 계속 推進
    ○ 總括對策部門 資料作成: 9.10까지
    ○ 對應方案은 최근의 實務對策委 決定事項까지 반영

  - 9월중 제네바에서의 分野別 兩者協議 結果를 반영하여 同
    協議資料를 補完, 10월의 전체협의에 대응
    ○ 各分野別로도 兩者協議結果를 보완한 別途의 對策資料
      마련

    * 당초에는 9.12까지 EPB 提出豫定이었으나 全體協議日程이
      연기되었으므로 9.30까지 總括對策資料 修正案과 함께 제출

0210

韓.美通商 關係者 非公式 面談結果

I. 面談概要

1. 日 時: '91.8.30, 19:30~21:30

2. 參 席

    ○ 韓國: 對外經濟調整室長
    第2協力官, 通商調整1課長, 通商調整3課長

    ○ 美國: USTR 代表補 S. Kristoff, 副代表補 N. Adams
    駐韓大使館 R. Morford 經濟擔當慘事官 外 1名

II. 論議 主要內容

<UR協商關聯>

① UR協商의 年內妥結은 韓.美兩國의 내년 選擧日程을 감안할때
바람직하며 美國은 이런 의지를 가지고 강력하게 關係國과
協議를 推進해 나갈 것임.

② UR協商, 특히 農産物協商에서 美國의 期待水準 調整은
케언즈그룹의 강력한 입장때문에 어려움 (Small package에
대한 反對立場)

③ 韓國이 UR에서 얻을수 있는 것은 많다고 보며 특히 關稅
無稅化協商에 의해 電子, 化學製品의 輸出增大를 기대할 수
있을 것임. 또한 韓國이 纖維分野에서 큰 關心을 가지고
있는 것으로 알고 있음.

0211

④ UR協商 韓.美 兩者協議 關聯

- 앞으로 있게될 韓.美 兩者協議에서는 단순한 兩國의 立場
  說明이 아니라 實質的인 協議가 되어야 할 것임.

- 日程과 關聯해서는 兩國 首席代表의 事情때문에 9.23 開催
  가 어려울 展望

- 따라서 9月中 제네바에서 各分野別로 兩側協商 代表間
  實務的인 協議를 進行시키고 이를 바탕으로 10월초에 全體
  協議를 추진하려는 것이 美側立場임.

- 實務級에서 協議가 이루어지지 않을 경우 이를 高位級으로
  協議를 격상시켜 推進(11月中 APEC會議時 USTR Hills訪韓)

2. 韓.美 通商懸案關聯

① 韓.美 通商懸案問題에 있어서는 一部解決된 分野도 있으나
  長期間의 協議에도 不拘하고 進展을 보이지 않고 있는 分野
  도 尙存함.

- 담배 消費税 配分, 박스터 問題등
- 상기 문제에 대한 我側立場 說明에 대해 英文資料 要請
  (8.31-9.3간 關係部處協議時 準備되는 대로 전달방침설명)

② 앞으로 韓.美 兩國間에 追加的으로 협의해야 할 사항

- 通信分野는 순조롭게 진행되고 있으나 追加協議必要
  ('92.2월까지)
- 쇠고기 쿼타 問題 ('92.6~7월)
- 政府調達協定 加入問題에 대하여 我國의 UR擴張 協商參與
  를 歡迎하고 앞으로 繼續 協議

0212

발 신 전 보

WGV-1184   910907 1130 ED

번   호 : _____   종별 : WUS-4084

수   신 : 주   제네바   대사. 총영사/ (사본 : 주 미 대사)

발   신 : 장   관   (통 기)

제   목 : UR/한.미 양자협의

```
19 91.12.31.에 예[      ]
외[      ]반[      ]고[      ]본 됨
```

연 : WGV-1091, WUS-3800

1. 8.25-9.5 방한한 Adams USTR 부대표보와 표제 협의에 관해 협의한 바, 9.23 협의
    개최는 미측 사정으로 어렵다 하므로, 양국간 UR 협상 전반에 관한 양자 협의는 10월중
    다수의 주요 UR 협상 그룹회의가 동시에 열리는 시기를 택하여 개최하며, 그대신
    9월중에는 주요협상 분야별로 실무대표간 양자협의를 갖는 방향으로 원칙적으로
    합의하고, 구체적 일정, 추진방법등은 추후 결정키로 함 (Lavorel 대사등 USTR내
    UR 담당자들에게는 Adams 부대표보가 귀국후 상기 합의내용을 설명하겠다 함)

2. 상기 관련, 주 제네바 USTR 대표부와 접촉하여 양국간 분야별 협의가 필요한
    협상분야와 협의 일시등에 대해 협의하기 바람.

3. 미측은 금번 협의가 UR 협상의 종결단계에서 개최되는 만큼 상호 입장에 대한
    단순한 의견 교환보다는 실질적인 교섭이 되기를 희망한다 하며, 이와관련 본부는
    UR 대책위원회를 통하여 협상 분야별 입장을 점검하고 있음을 참고바람.

끝.   (통상국장대리 [   ])

2차인보 :

| 보안통제 | |

앙고재	91년9월7일	통상기구과	기안자성명 동병현		과 장	국 장 전결	차 관	장 관	외신과통제

0213

기 안 용 지

분류기호 문서번호	통기 20644 - 2218	(전화 : 720-2188)	시 행 상 특별취급	
보존기간	영구·영준구 10. 5. 3. 1.	장 관		
수 신 처 보존기간				
시행일자	1991. 9.10.			

보조 기관	국 장	전결	협 조 기 관		문 서 통 제
	심의관				접수 1991. 통제관
	과 장				
기안책임자					발 송 인

경 유 수 신 참 조	경제기획원 장관	발신명의	

제 목	UR 협상 한.미 양자협의 관련 총괄 대책자료

표제관련 대책 자료를 별첨 송부하오니, 9월중 개최될 한.미

양자 협상에 대비하시기 바랍니다.

첨부 : 동 대책자료 1부. 끝.

0214

UR 관련 한.미 양자협의 대책

1. 미측 제안

가. 대표단 구성

o W. Lavorel USTR 대사(USTR 부대표급)를 수석으로한 본부 및 제네바 대표부 고위 실무급으로 구성(90.7. 한.미 양자협의시와 동일 수준)

o 아측으로부터도 본부대표단 참석 요망

나. 회의 형태

o 비공식 회의로서 전체대표단이 의제 전반을 협의, 필요시 분야별 별도회의 가능 (90.7. 협의시에도 통신분야는 별도 협의)

o 양자협의전 시장접근 분야 양자협의 별도 개최 희망

다. 회의일자 및 장소

o 9.19. 제네바 주재 USTR 사무소

o 9월초 상세 UR 협상 일정 확정시 조정

라. 아측에 대한 요망사항

o 상기에 대한 아측 입장을 8.22. 이전 통보 요망

o 아측 관심 의제 통보 요망

0215

2. 미측 제안 검토

가. 전반적 사항

○ 미측이 제안하는 양자협의는 UR 다자간 협상의 연장으로서 상호
  관심사항을 교환 확인하는 비공식 실무급 협의임.

○ 여사한 협의는 주요국간에는 일상적으로 이루어지고 있으며, 아국도
  UR 협상 개시이래 미국을 비롯, 일본, EC, 카나다등과 유사한 형태의
  실무급 양자협의를 각각 2회정도 개최해 옴.

○ 금번 협의는 90.7. 대미 양자협의와 성격, 중요도 면에서 유사한바,
  90년도 협의도 90.7.23. 주간의 TNC 회의에서 UR 협상의 의미있는
  합의의 윤곽(profile agreement)을 도출할 것을 목표로 하고 있었음에
  비추어 시기적으로 중요한 협의였음.

○ 금번 협의를 미측의 대아국 압력 수단으로서만 인식할 것이 아니라
  아국 입장에 대한 미국의 이해를 제고시킬 수 있는 기회로도 활용할 수
  있음 (예 : UR 농산물 협상에서 아국의 입장 변화에 대한 미측의 이해
  제고)

○ 따라서, 전반적으로 금번 협의도 90.7. 협의와 유사한 방식으로
  추진하는 것이 바람직 함.

나. 세부사항

1) 협의 일시

○ 가급적 미측 제안(9.19)을 수용하되, 9월초 UR 협상의 구체 일정을
  보아 확정
  - UR 협상이 본격화 되기 이전이므로 상호 입장 탐색 차원에서 대응
    가능하며, 시기적으로 아측의 최종 협상 카드를 제시치 않아도
    된다는 이점이 있음.

0216

2) 협의 장소

ㅇ 제네바가 바람직

 - 금번 대미 양자협의가 다자간 협상의 연장선상에서 이루어지는
   것임을 국내적으로 설명하기 쉬움.

3) 대표단 구성

ㅇ 아국 대표단은 주 제네바 대사를 수석으로 하고 주 제네바 대표부
  관계관과 UR 협상 참석차 현지 출장중인 관계부처 국.과장급으로
  구성함.
 - 주 제네바 대표부를 중심으로 대표단을 구성하는 것이 본부
   정책 입안자가 미측의 요구사항에 직접 노출되는 상황을 피한다는
   차원에서 바람직 함.
 - 미측의 아국 본부대표 참석 요청은 수석대표에 관한것이 아니고
   대표단원에 관한 것이라고 볼 수 있음.
   (90.7. 협의시 주 제네바 대사가 Lavorel 대사의 counterpart가
    되는 것이 당연한 것으로 인식된바 있음)
 - 상당히 기술적 사항까지 협의의 대상이 될 것인바, 주 제네바
   대표부 관계관이 협상의 내용에 가장 정통하다는 점도 고려되어야
   함.
 - 금번 협의의 미측 대표단 구성은 90.7. 대표단에 비하여 오히려
   수준이 낮은 감이 있으며, 평상시 주 제네바 대표부 관계관들이
   이들 미국 대표들을 counterpart로서 협상에 임하고 있음에
   비추어, 반드시 본부대표들을 중심으로 대표단을 구성할
   필요는 없음.

4) 협의 의제 및 형태

ㅇ 협의를 분야별로 분산 개최하는 것은 협의의 심도면에서 오히려
  아측에 부담이 되므로 협상 분야 전반을 전체 협의에서 다루는 것이
  바람직 함.

0217

o 협의 의제 관련, 미측 제의에 모든 협상 분야가 망라되어 있으므로
   이를 수용하되 아측 관심 세부 협상 요소도 포함토록 요청
   (관계부처 의견 수렴)
   - 농산물 : NTC 및 11조 2항(C)
   - 섬 유 : ITCB 제기 3가지 조건등

5) 기 타

o 90.7. 협의에 준하여 오전 또는 오후 반나절만 협의하는 것이
   바람직.

o 구체일정, 세부의제는 양국 제네바 주재 대표부간에 협의토록
   일임하는 것이 바람직.

0218

90.7. 양자협의 개요

o 일 시

- 90.7.12. 09:00-13:00 (UR 전반)

  . 당초 미측은 오후까지 협의를 희망 하였으나 아측 요청으로 오전만 협의

  . 통신분야는 실무자간 7.13. 별도 협의

o 장 소 : 주 제네바 USTR 사무소

o 대표단 구성

- 미 측 : W. Lavorel 대사를 수석으로한 본부 및 제네바 대표부 고위실무급

  대표

- 아 측 : 이상옥 주 제네바 대사 및 제네바 대표부 관계관,

  농수산부 협력통상관

o 협의 의제 및 형태

- 전체 대표단이 UR 협상 의제 전반을 협의 (UR 협상 분야별로 15-45분간)

- 대체로 양측이 각각 입장을 제시한후 의문사항에 대한 질의 응답으로 진행

o 협의 결과

- 합의사항은 없었으며, 협의후 양측은 상호 주요관심사와 입장을 이해하는데

  도움이 되었다고 평가

0219.

외 무 부

종 별 :

번 호 : USW-4804   일 시 : 91 0927 1832

수 신 : 장 관(봉이,봉기,미일,경기원,상공부,체신부,외교안보,경제수석)

발 신 : 주 미 대사   사본: 주제네바대사(중계필)

제 목 : USTR 부대표보 면담

　　당관 장기호 참사관은 9.27. NANCY ADAMS USTR 부대표보와 면담, UR 및 양국간 통상관계에 관하여 협의한바, 동 요지를 하기 보고함. (서용현 서기관 동석)

　　1. UR 관련 문제

　　O 장 참사관은 연호 지난 9.23 TIGERS OF ASIA 세미나에서 KRISTOFF 대표보가 농산물 개방문제에 관해 한국이 중립적 입장만 표해줘도 만족스러운 것으로 본다고 언급한 것은 UR 농산물 협상에 관하여 미측의 대아국 입장이 수정된 것을 의미하는지를 타진함.

　　O 이에대해 ADAMS 부대표보는, 동 언급은 미측도 쌀등 농산물 시장개방 문제에 대해 한국이 국내정치적으로 얼마나 민감한지를 알고 있기 때문에 한국이 특히 쌀시장 개방용의를 대외적으로 표명한다는 등의 적극적인 조치를 할수 있으리라고 기대하기는 어려우므로 이러한 민감분야에서는 중간적 입장만 취하더라도대신 다른 분야에서 보다 적극적인 태도를 보여야 한다는 취지에서 언급된 것으로 보며, UR 과 관련한 미측입장에는 기본적으로 변함이 없다고 설명함.

　　O 장 참사관이 DUNKEL GATT 사무총장이 UR 최종협정안을 작성, 11 월초까지제시 예정이라는 보도와 관련, UR 의 전망및 미측입장의 변화등을 타진한데 대해, ADAMS 부대표보는 미측이 농산물 문제등에 보다 여러차례 신축적인 입장을 보였음에도 불구하고 EC 측에서 상응하는 입장변화가 없어 진전을 보지 못하고 있으나 금주중 개최될 EC 의 농무장관 회담및 외무장관 회담등을 통해 CAP 개혁안이 진전되기를 기대하고 있다고 하면서, EC 측 입장이 보다 신축적으로 될수 있다면 11 월 말까지 정치적 협상을 통해 기본골격을 세우고 그후 4-6 개월간의 기술적 문제에 관한 세부 협상을 거쳐 UR 을 마무리짓는다는 시나리오가 가능할 것으로 본다고 언급함.

　　O EC 가 구주봉합에 몰두하고 미국도 북미 자유무역협정에 대한 관심이 높아지는

통상국	장관	차관	1차보	2차보	미주국	통상국	분석관	정와대
정와대	안기부	체신부	경기원	상공부	중계			

상황에서 미국이 UR 에 관한 기대수준을 낮추어 이른바 MINI-PACKAGE 형식의 합의에 도달케 될 가능성이 있다는 일부 관측에 대하여 ADAMS 부대표보는 이를 부인하면서 미국은 최종 합의에 도달치 못하는 한이 있더라도 MINI-PACKAGE는 취하지 않을 것이라고 말함.

o 한편, UR 관련 한미 양자협의 개최일자와 관련, ADAMS 부대표보는 10 월중 GATT 의 자체 회의일정이 유동적이므로 양자협의 일자도 잡지 못하고 있으나 금명간 이를 확정, 아측에 통보해 주겠다함.

o 11 월 서울개최 APEC 각료회담시 CALA HILLS 미통상대표, LAVOREL 대사(금번 한. 미 UR 관련 양자협의 미측대표) 등이 방한 예정인바, 이때에 한. 미간에 UR 문제에 대한 협의를 가질수 있는 좋은 기회가 될 것이라고 언급하였음.

2. 새생활 새질서 운동

o 장참사관은 최근 한국내의 새생활 새질서 운동이 마치 작년의 과소비 억제의 재판인 것처럼 일부 미측인사에 의해 이해되는 경향이 있으나, 금번 운동은기본적으로 국내의 전통적 가치관및 근로의욕의 저하등 사회적 병폐를 제거하기 위한 사회적 운동이며, 따라서 이를 AUSTERITY CAMPAIGN 등으로 호칭할 것이 아니라 새생활 새질서 운동이라 하는 것이 금번 운동의 취지에 비추어 보다 적합한 것이라고 설명하고, 외무부 제 2 차관보가 외신기자 클럽에서의 회견을 통하여 이에관한 정부 입장을 표명한 사실을 상기시키고 수입억제와는 무관한 것임을강조하였음.

o ADAMS 부대표보는 금번 새생활 새질서 운동에 관한 한국정부의 태도가 작년의 경우와는 다르다는 것은 이해할수 있겠으나, 기본 취지가 다르다 하더라도 예컨대 원산지 증명 부과문제로 외국 수입품이 항구에 적체되거나 하는등의 사례들이 빈번하게 발생되면 결과적으로 금번 운동도 수입반대적인 것이라는 평가를 받게 될 것이므로 이러한 사례를 방지하도록 일선 관리들에게 금번 운동의 취지를 이해시키는 것이 중요하다고 언급함.(이와관련, 한국정부기관이 미국산 소비재 판매권을 갖고 있는 국내 모 유력기업에 대해 동사의 수입품에 부착하는 국내판매원 표시를 철회하도록 종용하였다는 미확인 보고가 있었다 하면서, 추후 상세를 확인하여 알려주겠다고 함)

o 또한 동 부대표는 동 운동이 수입반대적으로 진전되는 데에는 한국 국내언론의 보도성향이 큰 역할을 담당하는 경우가 많다고 지적하면서, 외신기자에 대한 설명도 중요하겠으나 그보다는 한국의 국내기자들이 동 운동의 본래 취지를정확히 이해하고

PAGE 2

0221

반수입 성향을 부채질 하는 성질의 보도가 나지 않도록 이를 잘 설명하는 것이 더 중요하다고 본다고 말함.

3. 기타사항

O ADAMS 부대표보는 한. 미간 통신 301 조 협상 개최문제에 관하여 언급, 미측으로서는 UR 협상 참여 관계관들의 통신협상 참여 편의상 제네바에서 개최하는 방안등을 검토하고 있다고 하면서, 추후 미측의 공식 입장을 통보하겠다함. 끝.

(대사 현홍주-국장)

예고: 91.12.31. 까지

정 리 보 존 문 서 목 록

기록물종류	일반공문서철	등록번호	2019050125	등록일자	2019-05-31
분류번호	764.51	국가코드		보존기간	영구
명 칭	UR(우루과이라운드) / 개도국 비공식 그룹 회의, 1991-92				
생 산 과	통상기구과	생산년도	1991~1992	담당그룹	다자통상
내용목차					

0001

외 무 부

종 별 :

번 호 : GVW-0188

일 시 : 91 0128 1900

수 신 : 장 관(통기),경기원,재무부,농림수산부,상공부)

발 신 : 주 제네바 대사대리

제 목 : UR/ 개도국 비공식 회의

1. 개도국 비공식 그룹 회의(의장: RICUPERO 브라질 대사)가 명 1.29(화) 16:30 개최 되어 UR 협상 현황에 관한 검토를 실시할 예정임.

2. 동 회의에는 DUNKEL 갓트 사무총장도 참석 예정인바 이와 관련 LUCQ 갓트 사무처 농업국장은 금 1.28 박공사와 오찬시 DUNKEL 총장의 상기 개도국 회의 참석 목적이 EC, 미국등 그간 주요국과의 접촉 결과를 설명키위한 것이라고 언급하였음. 끝

(대사 대리 박영우-국장)

통상국   차관   경기원   재무부   농수부   상공부

PAGE 1

외 무 부

종 별 :

번 호 : GVW-0199   일   시 : 91 0129 2030

수 신 : 장 관(봉?, 경기원, 재무부, 농림수산부, 상공부)

발 신 : 주 제네바 대사대리   사본:주 카나다 박수길 대사(직송필)

제 목 : UR/ 개도국 비공식 그룹 회의

　　1. 금 1.29(목)RICUPERO 의장 주재의 표제회의가 개최되어 DUNKEL 사무총장 (고위급 TNC 의장 자격)으로부터 UR 협상 현황에 관한 설명을 청취하였는바 DUNKEL 의장의 주요 언급사항아래 보고함 (박공사,오참사관,민서기관 참석)

　　가. 브랏셀회의까지는 협상을 진척시키기 위한 방안으로 협상의 시한 (DEADLINE) 을 정하여 진행하여 왔으나 결과적으로 동 시한들을 지키지 못하였는바, 지금부터는 시한을 설정하지 않고 조용한 가운데 협상재개를 위한 노력을 기울이고자 하며, 따라서 차기 TNC 개최 일자도 미리정하지 않고 실질적인 진전이 있을때 개최할생각임.

　　나. UR 협상 재개를 위해서는 농산물 분야협상의 돌파구가 마련되어야 할 것이므로 현재농산물 분야의 합의 기초 (PLATFORM) 를만드는데 최대역점을 두고 있으며 이를 위해 주요국과의 개별접촉 및 필요시 수개국과의 합동협의등을 가질 생각이며 우선 2-3일내 핵심주요국들과의 고위급 협의를 갖고 동 PLATFORM의 내용을 협의할 계획임. 동 PLATFORM 은 합의의 결과 (AGREED PLATFORM) 가 아니라 모든 참여국에 의해 거부되지 않고 (NOT REJECTED) 향후 실질 협상의 기초가 될 PLATFORM 이 되어야 하므로결코 쉬운 작업은 아닐 것임.

　　다. 전체 UR 협상 과정의 재개시기에 대해서는 현재로서는 말하기 어려우며, 농산물 분야 협상에서 진척이 이루어 지면 여타 분야의 협상도 따라서 진행이 될것임.

　　라. 2월중순 ESPIEL 각료급 TNC 의장이 수일간 제네바를 방문할 예정이나, 이는 동 의장의 희망으로 이루어지는 것이며 동 방문에 지나친 기대나 희망을 갖지 않기를 바람. (모록코대사가 동시기에 TNC 개최 가능성 여부를 질문한데 대한 답변)

　　2. DUNKEL 의장은 UR 협상 전망에 관하여 현재반 여건에 비추어 UR 협상이 또다시 브랏셀회의 전철을 밟을 수는 없으므로 지극히 조심스럽게 협의를 진행시키겠다는 뜻을 강조하고 모든 회원국의 협조를 당부하였음.

통상국　　장관　　차관　　2차보　　경기원　　재무부　　농수부　　상공부

PAGE 1   91.01.30   10:24 WW

외신 1과 통제관

0003

3. 던켈총장의 이상 발언에 비추어 당초예상되던 2월초 TNC 개최는 어려울 것으로 보이며 추후 개최시기는 금주에 시작할 던켈총장의 상기 주요국들과의 협의결과에 좌우될 것으로 관측됨.끝.

　　(대사대리 박영우-장관)

외 무 부

종 별 :

번 호 : GVW-0350 일 시 : 91 0223 1000

수 신 : 장관(통기), 경기원, 재무부, 농림수산부, 상공부, 특허청)

발 신 : 주 제네바 대사대리

제 목 : UR/ 개도국 비공식 그룹 회의

　　개도국 비공식 그룹 (의장: RICUPERO 브라질대사)이 통보하여 온바에 의하면 동그룹은 2.26 TNC고위급 회의 개최에 대비하여 2.25(월) 17:00비공식 회의를 개최하며 동 회의에 DUNKEL사무총장이 TNC 고위급 의장으로 참석할 예정이라함. 끝

　　(대사대리 박영우-국장)

통상국　　2차보　　경기원　　재무부　　농수부　　상공부　　특허청

PAGE 1

0005

외 무 부

종 별 :

번 호 : GVW-0360   일 시 : 91 0225 2000

수 신 : 장 관(봉기, 경기원, 재무부, 농림수산부, 상공부, 특허청)

발 신 : 주 제네바 대사

제 목 : UR/ 개도국 비공식 그룹회의

2.25.(월) RICUPERO 의장 주재로 개최된 표제회의에서 TNC 고위급 의장자격의 DUNKEL갓트 사무총장은 명 2.26(화) TNC 고위급공식회의 개최 목적이 UR 협상의 재개에 있으므로 자신의 STATEMENT 를 각국이 아무 발언없이 수락하여 줄것을 요청한바, 사무총장 언급요지 아래 보고함. (박공사, 오참사관, 민서기관참석)

1. 명 2.26. TNC 고위급 회의는 신사 협정 (GENTLEPERSONS' AGREEMENT) 에 기초하여 UR 협상을 재개코자 하는 정치적 회의이므로 자신의 STATMENT를 논평없이 수락하여 주기 바람.

2. 자신의 STATMENT 는 TNC/W/69 로 배포될것이며, 주요 내용은 아래와 같음.

가. 브랏셀 각료회의에서 부여받은 임무 (91년초까지 모든 미합의 쟁점에 대한 집중적인 협의실시)를 상기 시킨후, 모든 분야의 미결사항에 대한협상 기초 (BASIS) 를 설명하고 향후 협상과정에서 논의의 진전이 가능한 의제 (PROPOSEDWORK AGENDA) 를 제시함.

나. 푼타 델 에스테 각료선언과 중간평가 합의사항의 효력은 불변이므로 GNG, GNS, 감시기구등 기존 협상기구의 지위 (STATUS)는 변동이 없음.

(DUNKEL 총장은 현재 자신의 책임하에 재조정한 7개 그룹은 효과적인 협상을 위한 실무적인 구조이며 항구적인 것은 아니라고 부연설명함)

다. UR 협상시한 연장문제에 대하여는 구체적인 시한을 설정함이 없이 가능한한 조속히 협상을 종결시킬 목적으로 협상을 계속함을 선언함.

(실제 협상시한 (TARGET DATE) 은 협상 과정에서 자연스럽게 나타나야 할것임을 강조)

라. 중간평가 채택한 일부 결정사항 (각료급의 갓트 관여증대 및 세계 경제 정책상 일관성제고 문제) 은 적용시한 없이 계속 유효하며, SS/RB, 분쟁해결 관련 중간평가

통상국   2차보   경기원   재무부   농수부   상공부   특허청

결정사항, 무역정책검토 (TPRM) 관련 결정은 협상종료시까지 계속 유효함. 끝

(대사 박수길-국장)

PAGE 2

0007

외 무 부

종 별 :

번 호 : GVW-0582
일 시 : 92 0316 1900

수 신 : 장관(봉기,경기원,재무부,농수산부,상공부)

발 신 : 주제네바대사대리

제 목 : 아.태 10개국 GATT 담당관 비공식 협의

   3.17-18 이사회(특별 및 일반)를 앞두고 당지 호주대표부 주관으로 표제 비공식협의가 금 3.16 개최되어 UR 협상동향, 미국 TPRM 결과 및 이사회 대책등을 협의한바동결과 아래 보고함(ASEAN 5개국, 아국, H.K,일본,호주,NZ이성주 참사관참석)

   1. UR 협상 동향

   - 참가국 대부분이 미.EC 간 양자협상에 별다른 진전이 없는것 같고(3.20 워싱턴에서 고위급협상 계속키로 함의) 이에따라 T1, 52의 MA 협상도 답보상태에 있는등의문제점에 의견을 갈이하고 우려를 표명

   - NZ 는 미.EC 협상이 타결을 볼 경우 여타 협상참가국이 이를 참작, 대처할수 있는 충분한 시간적 여유가 부여될수 있을 것인지의 여부에 관심 표명

   - 일본, 홍콩은 3.9 주 서비스 양자협상이 유산된 점및 각국의 NS 제출 지연내지 내용부실 현상에 우려 표명

   - 아국은 아국정부도 농산물 C/S 제출을 위해 최대한 노력은 하고 있으나 T4 에가동 범위 관련, 미.EC 협상결과도 중요하지만 아국과같은 특수한 어려움이 있는 국가에 대해 최소한의 신축성은 부여되어야 할 것이라는 의견을 피력

   - 3.31. 까지도 MA 협상이 별다른 진전을 보이지 않을 경우 GATT 사무국이 취할수 있는 조치와 관련(아측 질문), 호주,태국,말련등 CAIRNS 그룹소속국은 지난 3.3 동그룹대사의 DUNKEL 총장면담 결과를 설명하면서, 동 총장자신도 부활절 시한은 불가능하다는 것을 인식하고, 7월 MUNCHENG-7 정상회담에 기대를 걸고 있다는 느낌을 받았다고 언급

   (이자리에서 DUNKEL 총장은 2.27 박수길대사 면담시 언급한 TNC 소집, T1, T2 협상 의장으로 하여금 협상을 가로막고 있는 주요요인을 밝히도록 함으로써 책임소재를 명확히 하고자하는 OPTION도 언급했다함)

통상국   2차보   경기원   재무부   농수부   상공부

PAGE 1
92.03.17   08:17 DQ

외신 1과 통제관

0008

2. 미국의 TPRM 결과 평가

- 대부분이 예상됐던 질문에 예상됐던 답변이 나왔다고 보고, 절차의 형식화에 우려표명하면서, ZUCHI 의장 주도록 있게될 비공식협의에서 모종의 개선방안이 모색되기를 기대한다는 입장(아국은 동견해에 동조하면서도 TPRM 의 내재적 성격상 일정한게는 있을것으로 본다는 의견 피력).

- 상기와 관련 지역협정에 관한 WP 도 아무런 결론없이 단순 절차화 하고 있다는 문제점이 지적되고 장기적 개선이 필요하다는 의견

3. 무역 환경검토 특별이사회

- 대부분 참가국이 미국 TPRM 시 제기되었던 문제점(일방주의, 양자주의, 지역주의,분쟁해결, VRA 등)이 재론될 것으로 예상

- 홍콩은 ASIA 지역이 EC 의 제 1수출시장으로 등장했다는 점 및 개도국의 자발적 자유화실적(사무총장 보고서에 포함)등을 강조, 최근 종반단계 UR 협상이 미,EC 양자 협상화하는 경향등에 관한 불만을 표시화는 것도 유의할것이라는 의견 제의

- 일본은 OECD 이 ECONOMIC OUTLOOK 과 유사한 거시경제분석이 GATT 연례보고서에 포함되는것도 바람직 할것이라는 의견 표명

4. 장례 이사회

- 황색지느러미 참치 패널 및 미 농업 조정법 WAIVER가 주요의제가 될것이라는 점에 의견 일치

- 참치 패널의 경우, EC 입장의 강경도 및 미국의 수용자세에 달려있다고 보며,이와관련 미국이 양자적으로 동문제 해결을 모색(중개국 관련사항은 입법 개선도 가능)할 것이라는 정보(태국) 및 EC 가 자체적 패널구성 요청을 시도할 가능성도 있다는 대립된 정보(아국)가 있음에 유의. H.K 은 참치 패널 결과가 환경과 무역작업반(3.10-11) 에서의 EC 입장 경화에 결정적 계기가 되었다고 분석

- 미농업조정법 WAIVER 문제는 현재 미.EC간 양자협상이 진행되고 있는 만큼 양국모두 이사회에 이문제를 강력히 추구할 것 같지 않다는것이 지배적 의견

5. 기타

- 대만 갓트 가입문제 관련 최근 EC 가 미국 못지 않게 적극적으로 나오고 있다는 소문이 있다는 점이 언급

- GATT 사무총장, 차장 선임 관련 10개국 그룹의 긴밀한 정보교환 및 공동 INPUT 부입 필요성도 언급.끝

(차석대사 김삼훈 - 국장)

PAGE 2

0009

외 무 부

종 별 :

번 호 : GVW-0988   일   시 : 91 0528 1700

수 신 : 장 관(통기), 경기원, 재무부, 농림수산부, 상공부)

발 신 : 주 (제네바) 대사

제 목 : 갓트 개도국 비공식 그룹회의

연: GVW-926, 948

표제회의는 5.27.   RICUPERO 의장(브라질대사)주재로   개최되었는바 MATHUR 사무차장 후임선정문제와 91.6.1.자로 시행되는 사무국 조직개편과 관련하여 LATIN GROUP이 불만을 표시하고동그룹 의견을 차기이사회에 정식으로 제기하였음.

주요국 발언요지 아래 보고함.(박공사, 신서기관참석)

1. 칠레

0 7.31. 은퇴하는 MATHUR 사무차장의 후임인선과관련 4.24.이사회시 사무총장은체약국단과협의를 실시할 것이라고 하였으나 아직까지 라틴아메리카 지역국가들은 협의를 받지 못하였음

0 사무국 조직 개편으로 개발국(DEVELOPEMENTDIVISION) 이 폐지(기존업무는 총회. 이사국에서담당)되고, TBT 국에서 환경 업무를 맡게되었음.

0 5을 이사회에서 후임 사무차장 인서과 관련 계속협의가 있어야 한다는 것과 금번 사무국 조직개편과 관련하여 라틴 아메리카 그룹의장 자격으로그룹 입장을 밝힐것임.

2. 인도

0 사무국 조직 개편은 기본적으로 사무총장의책임하에 이루어지는 것이라고 전제하면서 MATHUR사무차장 후임 선정문제와 관련 사무총장과의협의 과정을 해명함.

- 지난 5.13. 사무총장은 사무차장 선정문제로 93년이후 사무총장이 결정할 문제로서 사무차장직을공식으로 남겨둘 것이라고 함.

- 이에대해 인도는 사무국 업무의 계속성 필요에따라 조속한 후임선정이 필요하다고 하였으며 이에사무총장은 동건을 계속 협의하겠다고 말함.

0 사무총장이 경제 정책 자문관(ECONOMIC POLICYADVISOR) 으로 임명된 J.BHAGWATI 교수와 관련동인이 체약국단에 의해서가 아니라 사무총장에의해

통상국   경기원   재무부   농수부   상공부   2차보

PAGE 1   91.05.29   06:25 FO

                                                외신 1과   통제관

임명되었는바, 동인의 지위를 규명할필요성이 있음.

   3. 필리핀(CTD 의장국), 자메이카

   0 금번 사무국 조직 개편에서 개발국이 폐지되는것에 대해 개도국의 우려를 표시할
필요성이있음.끝

   (대사 박수길-국장)

외 무 부

종 별 :

번 호 : GVW-1415　　　　　　　　　　　　　일 시 : 91 0726 1100

수 신 : 장관(통기, 경기원)

발 신 : 주 제네바 대사

제 목 : 갓트/개도국 비공식 그룹 회의

　　연: GVW-1116

　　1. 표제회의는 7.25 11:30 개최되어 7.30 개최예정인 TNC 회의와 관련 UR 협상 진전사항을 검토할 예정이었으나, 회의 서두에 DUNKEL사무총장이 연호 예산, 행정위원회에서 논의되었던 갓트 사무국의 무역과 환경에 관한 논문 발간과 관련 배경 및추후 계획에대한 설명으로 인해 오전 회의시간이 경과되어 UR 협상 검토건은 7.29논의하기로 결정하였음.(박공사, 신서기관 참석)

　　2. 갓트 사무국의 무역과 환경에 관한 논문발간 관련 논의 요지 아래 보고함.

　　가. DUNKEL 사무총장의 설명 내용

　　0 갓트 사무국에서 발간할 90-91 년도 국제무역에관한 연례 보고서에 포함될 무역과 환경문제에 관한 분야 작성에 참고 하기 위해,사무국은 동건에 관한 전문가를 초청, 논문발표회를 가졌음.

　　0 사무국은 예산 절감을 위해 상기 전문가의 발표논문을 책자로 발간 시판할 계획인바, 당초계획을 바꾸어 논문책자 발행기관을 갓트사무국에서 출판사로 변경할 예정임.

　　나. 이에 대해 인도등은 상기 보고서에서 다룰 무역과 환경문제는 개도국의 개발 측면도 고려하여 객관적으로 다루어져야 함을 강조함. 끝

　　(대사 박수길-국장)

―――――――――――――――――――――――――――――――――――――
통상국　　차관　　2차보　　　　　　　　　　　　　　　경기원

PAGE 1　　　　　　　　　　　　　　　　　　　　　91.07.26　　22:38 DU

　　　　　　　　　　　　　　　　　　　　　　　　외신 1과 통제관

　　　　　　　　　　　　　　　　　　　　　　　　　　　0012

외 무 부

종 별 :

번 호 : GVW-1442
일 시 : 91 0729 2000

수 신 : 장관(통기,경기원,재무부,농림수산부,상공부,특허청)

발 신 : 주 제네바 대사

제 목 : 갓트/개도국 비공식회의

연: GVW-1415

표제회의는 7.29 RECUPERO 의장 주재로 개최되어, 7.30 개최되는 TNC 회의와 관련 개도국의 입장을 논의 하였는바, 금일 개도국 대표들이 언급한 UR 협상 진전사항 평가 및 하반기 협상일정에 대한 입장등을 RECUPERO 의장이 개도국을 대표하여 TNC 회의에서 STATEMENT 형식으로 밝히기로 하였음. 의장이 TNC 회의에서 발언할 요지(각국 발언 내용요지) 아래 보고함.(본직 신서기관 참석)

1. G-7 성명서중 UR 협상 관련 내용 평가

0 UR 협상의 성공적인 타결을 최우선 과제로 재확인 한것과 G-7 지도자가 개인적으로 직접,필요시 이견 조정을 위해 정상회담 재소집을 논의하겠다는 것을 평가함.

0 UR 협상의 타결을 위해 G-7 지도자들이 책임있는 지도력으로 구체적인 훈령을 내려주기를 기대함.

2. UR 협상에 관한 개도국 입장

0 UR 협상 시작이래 많은 개도국들이 다자 무역체 제의 강화를 위해 일방적인 조치를 포함 무역자유화 조치를 취하여 왔음. 따라서 개 도국들은 현UR 협상에서 뿐 아니라 협상 이후에도 협상결과를 실철할수 있는 준비가 되어 있으며, 무역자유화와 즉각적인 UR 협상 타결을 요청할수있는 입장에 있음.

3. 금년 하반기 UR 협상일정

0 현재까지 각 협상 분야에서 구체적인 성과를마련치 못하고 있는바, 금년말까지UR 협상의성공적인 타결을 위해서는 농산물, 섬유,시장접근 분야에서 정치적 결정이필요하며, 특히 주요 무역국가에 대해 현재 난국을 타개하기 위한 필요한 조치를취할 것을 요청함.

통상국   2차보   경기원   재무부   농수부   상공부   특허청

PAGE 1
91.07.30   07:56 DF
외신 1과 통제관

0013

O UR 협상이 금년말까지 타결이 되어야 하지만 보다 중요한 것은 개도국의 입장이 반영된 실질적인 협상 결과를 얻는 것임.

O 따라서 협상 마지막 단계에서 모든 개도국들이 참여하여 자국의 입장이 적절히 반영될수 있도록 성급한 타결을 하지 않도록 하여야 하며 G-7 성명에서도 언급된바 같이 선진. 개도국의 이익이 모두 반영된 균형있는 협상 결과가되어야 함. 끝

(대사 박수길-국장)

외 무 부

종 별 :

번 호 : GVW-2051   일 시 : 91 1018 1500

수 신 : 장관(봉기, 경기원, 재무부, 농림수산부, 상공부)

발 신 : 주 제네바 대사

제 목 : UR/개도국 비공식 그룹 회의

1. 금 10.17 (목) 표제회의가 BENHIMA의장(모로코대사) 주재로 개최되었는바, 의장은 지난 10.11 자 그린룸 협의 내용(GVW-1982 로 기보고)을 설명하고, 협상이 막바지에 도달한 현시점에서 주요 협상 분야의 협상 현황을 개도 국비공식 회의에서 밝힘으로써 협상의 명료성(TRANSPARENCY)을 증대하고 개도국들의 협상참여를 촉진시킬 목적으로 JARAMILLO 콜롬비아대사, LACARTE 우루과이 대사 및 BARNETT 자메이카대사 및 LANUS 알젠틴 대사에게 각 협상분야의 현황 설명을 요청함.(본직, 김서기관참석)

2. 각대사 발언내용

가. JARAMILLO 대사(서비스)

0 일반 협정

- 현재 6조, 7조, 14조, 16조, 17조, 19조, 20조, 23조를 협의중이며, 내주 월요일 이전에 종료될 전망

- 내주에 계속하여 11조(지급 및 이전)를 검토할 예정이며, 일반 협정 분야에서는 MFN 을 제외하고는 큰 문제가 없음.

0 분야별 부속서

- 내주부터 해운, 금융, 통신, 시청각 서비스 분야를 협상할 예정

- 분야별 부속서는 분야간에 연계되어 있으며, 전체적으로 일반 협정의 방향을 결정하는 중요한 의미를 지님.

0 양허 협상

- 시장접근 분야의 협상으로서 아직 시작하지는 않았으나, 향후 상당량의 작업량이 남아 있음.

- 지금까지 40여개국이 INITIAL OFFER 를 제출하였는바 대체로 만족스러운 수준임.

통상국   2차보   경기원   재무부   농수부   상공부

PAGE 1   91.10.19   04:39 DQ

외신 1과 통제관

- 10월 마지막 주간 부터 양자 협의를 시작할 것임.

  0 현재로서 서비스 협상은 상당한 진전을 이룬상태이므로 아직도 해결하여야 할사항이 많기는 하나 최초 양허 협상을 포함한 모든 분야에 관한 협상문서를 11월 TNC 에 제출하게 될것으로 전망됨.

  나. LACARTE 대사(제도분야)

  0 분쟁해결

- 지난주와 금주에 계속하여 비공식 협의를 진행하였으며, 내주에는 공식 협의를 진행할 예정.

- 주요 쟁점으로서는 일방조치 억제, 분쟁해결절차의 자동화, NON-VIOLATION 분쟁, 분쟁해결 규정의 단일화등이 있음.

  0 최종 의정서

- 내주 의제에 포함되어 있으며, SINGLE UNDERTAKING, WTO, 국제금융.통화 기구와의 관계 강화에관한 정치적 선언 문제등이 쟁점임.

  다. BARNETT 대사(농산물 분야중 순수입 개도국 지원 문제)

  0 현재 사무국에서 준비한 순수입 개도국에 대한 식량원조에 관한 문서를 검토중

  0 식량원조는 순수입 개도국의 문제의 하나로서 특별 고려가 필요한 문제임.

  0 사무총장은 동 문제에 관한 새로운 문서를준비중이며, 순수입 개도국을 어떻게지원할것 인가를 보다 구체적으로 제시할 것임.

  라. LANUS 대사(농산물 분야중 국내 보조 문제)

  0 금일 GREEN BOX 문제를 논의하였으며, 국내보조문제에 보다 많은 시간이 소요될 예정임.

  0 GREEN BOX 와 AMBER BOX 는 상호 연관이있으며, 직접 보조에 대한 보다 명확한규정이있어야 함.

  0 농산물 국내 지원 정책과 관련, 개도국의경제 개발 수준을 고려, 케언즈 그룹이 제안한대로 선진국의 50 퍼센트 수준 감축 및 50 퍼센트 장기간 이행 기간 부여가필 요함.

  3. 상기 대사들의 발언에 이어 칠레가 자국의 입장을 간단히 밝힌후 회의가 종료됨. 끝

PAGE 2

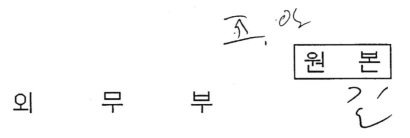

외　무　부

종　별 :

번　호 : GVW-2149　　　　　　　　　　일　시 : 91 1025 1900

수　신 : 장관(봉기, 경기원, 재무부, 농림수산부, 상공부, 특허청)

발　신 : 주 제네바 대사

제　목 : UR/개도국 비공식 그룹회의

연: GVW-2051

1. 10.24(목) 표제 회의가 BENHIMA 의장 주재로 개최되었는바, 금번 회의에서는 섬유, TRIPS및 금융 서비스분야에서의 협상 명료성을 제고하기 위하여 KARTADJOEMENA 인니 대사, TARRAGO 브라질 참사관, ZUTSHI 인도대사가 각각 협상 현황을 설명하였음.(본직, 김서기관 참석)

2. 각 설명자 발언 내용

가. KARTADJOEMENA 대사(섬유)

0 현재 섬유분야에서는 별다른 진전이 없음.

0 동 분야 협상의 목적은 현 MFA 체제를 GATT에 복귀시킴으로써 섬유교역의 확대를 도모하는 것인바, 개도국들의 관심사항은 첫째 통합비율, 년증가율 및 품목대상 범위에 관한사항이며, 둘째로는 잠정 세이프가드 문제임

0 특히 품목대상 범위 문제와 관련, 현재합의가 이루어지지 않는 것은 합의를 위한 출발점이 없기 때문인 만큼 이를 위해서는 현 ANNEX II 품목수를 현 MFA 규제품목에 한정시켜야 할 것임.

0 GATT 에의 통합시점에 까지의 과도 조치인 잠정 세이프가드 그발동이 용이하지 않도록 하여야 하며, 이를 위하여 기술적인 쟁점들이 해결되어야 할것임.

나. TARRAGO 참사관(TRIPS)

0 TRIPS 분야에서도 현재 협상에 별다른 진전이 없는 상태이나 다른 협상분야에비하여 이미 상당한 진전을 보이고 있는 상황임

0 협상쟁점으로는 컴퓨터 프로그램(10조), 대여권(11조), 경과규정(73조)등이 있음.

0 컴퓨터 프로그램과 관련, 미.EC.일본등은 컴퓨터 프로그램을 베른 협약에서

───────────────────────────────

통상국　　2차보　　청와대　　안기부　　경기원　　재무부　　농수부　　상공부　　특허청

PAGE 1　　　　　　　　　　　　　　　　　　　　91.10.26　08:14 DU

보호되는 어문 제작물(LITERALLY WORKS)로 보호해 줄 것을 주장하는 반면, 개도국들은 이에 반대 입장을 취하고 있음

0 대여권에 관하여는 개도국들은 권리자가 대여 행위의 허가나 금지권을 갖는 것을 반대하고, 대여 행위에 대한 보상 청구권만 인정토록 주장함

0 73조 경과 규정과 관련, 미국이 새로이 제안한의약, 농약에 관한 물질특허의소급보호(PIPELINE PRODUCTS 보호)에 대해 개도국들은 강력 반대 입장을 표명하고 있음

다. ZUTSHI 대사(금융서비스)

0 10.23.개최된 금융서비스 비공식 협의에서는 일반 협정과의 관계 설정에 관한문제가 제기되었으며, 특히 금융서비스기구, 금융감독규제(PRUDENTIAL REGULATION), 자유화 추진방식에 관한 DUAL TRACK APPROACH, 분쟁해결분야에서의 SECTORAL NON-APPLICATION 문제 등이 주요 쟁점이었음

0 상기 비공식 협의에서는 선진.개도국간의 입장 대립이 있었으며, 앞으로 계속적인 협의가 필요함

3. 상기 발언에 대하여 칠레,모로코등은 자국이 MFA 회원국이 아니라는 점을 강조하고 비회원국에 대한 배려가 있어야 할 것이라고 주장하였으며, 의장은 UR 협상에서의 개도국들의 공통된 입장 확보를 위해 노력 해야 할것이라고 언급함.끝

(대사 박수길-국장)

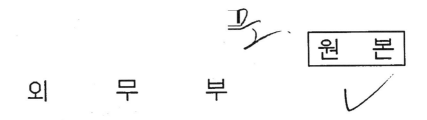

외 무 부

원 본

종 별 :

번 호 : GVW-2230

일 시 : 91 1101 1930

수 신 : 장 관(봉기,경기원,재무부,농수부,상공부)

발 신 : 주 제네바대사

제 목 : UR/개도국 비공식 그룹회의

연: GVW-2149

1. 10.31(목) 표제 회의가 BENHIMA 의장 주재로 개최되었는 바, 금번 회의에서는 시장접근 및 분쟁해결 분야의 협상 현황을 협의함.(본직,김서기관 참석)

2. 주요 협의 내용은 아래와 같음.

가. 멕시코, 칠레, 콜롬비아, 코스타리카 등 참가국들은 10.30(수) 개최된 시장접근 분야회의 결과를 언급하면서 자신들은 동회의 결과에 실망과 당혹감을 금치 못하고 있으며, 그 이유로 개도국들은 TRIPS, 서비스등 신분야에서 선진국에 많은 양보를 하였으며, 특히 시장접근분야에서 다수 개도국이 자발적 자유화 조치를 취하였음에도 불구하고, 선진국들은 개도국들의 BINDING에 대한 CREDIT 부여와 LIBERALIZATION조치에 대한 RECOGNITION 에 부정적인 반응을 보이고 있기 때문이라고 언급함.

나. 이에 다수 개도국들은 조만간 제출될 W/35/REV. 2에 동 문제에 대한 분명한지침이 포함되어야 할것이라고 촉구 하면서, 만일 UR협상 최종안에 농산물, 섬유, 열대 산품, 천연자원 분야에서의 개도국들의 관심품목에 대한 시장접근이 개선되지 않고 또한 동 CREDIT와 RECOGNITION 문제에 대한 개도국들의 만족할만한 내용이 담기지 않을 경우에는 UR협상 최종안이 도출 될수 없을것임을 선진국들이나 던켈 사무총장은 분명히 인식해야할 것임을 강조함.

다. LACARTE 우루과이 대사(제도분야 의장)은 UR개시 이래 개도국들은 관세분야에서 다수의 자발적 자유화 조치를 취했으며, 특히 비관세조치(NTM)에서 35개 개도국이 자발적인 자유화조치를 취한 반면, 선진국들은 6개국만 여사한 조치를 취했다고 지적하고, 이러한 개도국의자발적인 조치에 대한 선진국들의 반응이없음에 실망을 표시하면서, 협상이결정적인(DECISIVE) 단계에 돌입한현단계에서 개도국들의

통상국   2차보   경기원   재무부   농수부   상공부

분명한 메시지를 전달키 위하여 <u>소규모 그룹 대책회의</u>를 가질 것을제의함.

라. 방글라데쉬 대표는 최빈개도국을 대표하여 모든협상 그룹에서 최빈개도국에대한 특별우대(SPECIAL TREATMENT)가 주어져야 할 것임을 강조함.(참고로, 동대사는현재 뉴욕에서 개치되고 있는 ECOSOC 회의에서도 개도국 범주 설정문제가 협의되고있다고 밝힘)

마. 한편 멕시코, 칠레등은 분쟁해결 협상과 관련, 1966년도 개도국을 위한 특별분쟁해결 절차를 언급하고, 모든 개도국들에게 유용한 동절차가 새로운 분쟁해결 규정에 포함되어야 할것임을 지적함.

3. 이에 의장은 내주 중반에 TNC 회의가 소집될 예정인만큼, TNC개최 24시간 이전에 개도국 비공식회의를 재차 개최하여 개도국 입장 정립문제를 협의키로 함. 끝

(대사 박수길-국장)

거, 이

외 무 부

종 별 :

번 호 : GVW-2261 　　　　　　　　　　일 시 : 91 1106 1800

수 신 : 장관(통기, 경기원, 재무부, 농림수산부, 상공부, 특허청)

발 신 : 주제네바대사

제 목 : UR/개도국 비공식 그룹회의

　　연: GVW-2230

　　1. 11.7(목) 개최예정인 TNC 회의에 대비한 개도국 비공식 그룹회의가 11.5(화)개최되었는바, 동 회의 결과, UR 협상의 시기적 중요성에 비추어, 개도국들의 관심품목에 대한 시장접근이 개선되지 않고, 규범 제정분야에서 개도국의 관심사항이 반영되지 않음으로써 협상이 전반적으로 균형을 결여(LACK OF BALANCE)하고 있다는 내용과 함께 협상의 명료성 제고, 협상의 다자화(MULTILATERALIZATION OF NEGOTIATION), 개도국 우대평가(EVALUATION)를 강조하는 내용을 담은 성명(STATMENT)을 BENHIMA의장이 개도국 비공식 그룹을 대변하여 TNC 회의에서 발표키로 함.

　　2. 상기 회의에서는 LACARTE 우루과이대사(제도분야 의장), JARAMILLO 콜롬비아대사(서비스분야 의장) ZUTSHI 인도대사, LANUS 알젠틴 대사등 다수국 대사들을 비롯하여, 40여 개도국 대표들이 참석한 가운데 BENHIMA 의장 주재로 15:00-17:30 간 개최되었는바, 아국은 본직과 김서기관이 참석함.

　　3. 자이레, 인도, 이집트, 모로코, 태국, 콜롬비아, 브라질등 다수 개도국 대표는상기 STATEMENT 는 현시점의 시기적 중요성을 감안, 아래와 같은 개도국들의 우려와관심을 담은 내용이 되어야할 것임을 강조함.

✓ - 농산물, 섬유, 열대산품, 천연자원 분야에서의 개도국의 관심품목에 대한 시장접근 개선

✓ - 세이프가드, 반덤핑 분야등 규범제정 분야에서의 개도국 관심사항 반영

　 - 개도국의 관심 사항인 상기 시장접근 및 규범제정 분야에서 전반적인 균형이 결여된 협상 현황을 우려

　 - 지금부터 협상 종료시까지의 협상 중요성에 비추어 협상의

통상국　2차보　경기원　재무부　농수부　상공부　특허청

PAGE 1

91.11.07　　08:49 DQ

외신 1과 통제관

0021

명료성(TRANSPARENCY) 제고 필요
- 앞으로의 협상이 GATT 밖에서 소수 참가국들에 의하여 행해지지 않도록 협상의
다자화 강조
- 푼타 델 에스테 선언에 따라 시장접근을 포함하는 모든 협상 분야의 협상 결과에
대한 개도국 우대 여부에 대한 평가 실시 강조

4. 이에 본직은 농산물, 섬유, 열대산품, 천연자원 분야에서의 시장접근 개선
및 규범제정 분야에서의 개도국 관심 반영도 중요하지만, 이에 못지않게 서비스, TRIPS
등 신분야도 포함하는 모든 협상 분야에서의 균형된 협상 결과 도출이 중요하며, 또한
UR 협상성공을 위한 개도국들의 결의와 의지 표명도 동 성명의 내용에 포함되어야
할 것임을 지적하였으며, 태국 및 알젠틴등 다수국이 이에 동조함

5. 의장은 금일 회의에서 지금까지와는 달리 서비스, TRIPS, TRIMS등 신분야의
중요성이 새롭게 언급된데 유의한다고 언급하면서, 이상에서 언급된 내용을 담은
성명을 11.7 개최 TNC에서 발표키로 함. 끝

(대사 박수길-국장)

PAGE 2

0022

외 무 부

종 별 :

번 호 : GVW-2347   일 시 : 91 1115 1750

수 신 : 장관(봉기,경기원,재무부,농림수산부,상공부,특허청)

발 신 : 주 제네바 대사

제 목 : UR/개도국 비공식 그룹회의

연: GVW-2261

1. 11.14(목) 표제회의가 BENFIMA 의장주재로 개최되어 1966년 개도국을 위한 특별 분쟁해결절차 처리문제, 개도국 분쟁해결을 위한 기술적 지원문제, CROSS-RETALIATION 문제,NON-VIOLATION 분쟁등을 협의하였으나,구체적인 결론을 도출하지 못하고금명간 다시 제도분야에 대한 회의를 개최하여 개도국들의 입장을 협의키로 함.

(본직 및 김서기관 참석)

2. 멕시코, 칠레,모로코, 페루, 알젠틴, 인도등 다수 개도국들은 1966년 분쟁해결 절차를 UR 협상결과에 따른 새로운 분쟁해결 규정에 포함시킬것과 11.15(금) 개최예정인 제도분야회의에서 배포될 예정인 문서 25항 2에 명기된 개도국 분쟁해결을 위한 기술적 지원에 대한 개도국들의 공통된 지지입장 표명을주장하였으며, CROSS-RETALIATION, NON-VIOLATION,분쟁등이 거론되기는 하였으나, 구체적인 토의는 없었음.

3. 제도분야 협상 그룹 의장인 LACARTE 우루과이대사는 일방조치억제, 분쟁해결절차의 자동화,CROSS-RETALIATION 분쟁, MTO 설립,SINGLE-UNDERTAKING등 협상현황을간략히 설명하고, 특히 일방조치 억제에 대한 개도국들의 일치된 입장을 제시할 필요를 강조함.

4. 의장은 인도, 멕시코 대표들의 요청에 따라 다음회의는 제도분야 협상 현황과 대책마련문제를 다시 협의키로 함.끝

(대사 박수길-국장)

통상국	2차보	외정실	분석관	청와대	안기부	경기원	재무부	농수부
상공부	특허청							

PAGE 1   91.11.16   08:26 BX

                                                    외신 1과 통제관

외 무 부

종 별 :

번 호 : GVW-2375

일 시 : 91 1120 1500

수 신 : 장관(봉기,경기원,재무부,농림수산부,상공부,특허청)

발 신 : 주 제네바 대사

제 목 : UR/개도국 비공식 그룹회의

연: GVW-2347

1. 11.19(화) 표제회의가 BENHIMA 의장 주재로 개최되어 제도분야 협상 현황을협의하였는바,인도 대표가 신분야를 포함하는 SINGLE UNDER TAKING 에 대한 개도국들의참여에 신중을 기할 것을 촉구하고 MTO 설립에 반대의사를 표명한데 대하여 ,여타개도국들은 동 문제들이 향후 국제무역 장래에 커다란 영향을 미칠 것임을 감안,신중한 검토가 필요함을 주장하였으며, 기타일방조치, 분쟁해결 절차의 자동화등에대한협상 현황 설명이 있었음.(김서기관 참석)

2. 인도 대표는 SINGLE UNDERTAKING 문제와 관련,푼타 델 에스테 각료 선언상의 SINLE UNDERTAKING은 정치적 약속이며, 법적인 약속이 아닌 만큼 개도국들은 각료선언문 제1부 상품 교역 분야의협상 결과만을 수용하는 문제를 검토할 필요가 있다고강조하고, MTO 설립문제와 관련 이는 선진국들이 신분야를 포함하는 SINGLE UNDERTAKING을 기정 사실화하고 통합분쟁해결 절차를 도입함을씨 CROSS-RETALIATION 을 개도국들에게 강요하려는 시도라고 발언함.

3. 칠레, 모로코, 알젠틴, 필리핀, 브라질 대표들은SINGLE UNDERTAKING 이나 MTO설립문제등은 다자무역 체제의 장래를 결정하는 중요한 문제이며, 현재 개도국들이 신분야 협상에도 참여하고 있는 만큼 구체적 협상 결과가 나온후 동문제를 검토하는 것이 타당할 것이라는 의견을 제시함.

4. 한편 브라질, 홍콩 대표들은 지난 11.15 자배포된 분쟁해결 절차에 관한 수정통합문서에 일방조치가 21조에 언급되어 있음을 지적하고 동 문제에 대한 개도국들의 관심을 환기시키면서, 특히 분쟁해결 절차가 자동화 될경우, 동 절차상의 이사회의 역할 약화에 우려를표명함.

5. 의장은 금번 회의에서 거론된 SINGLEUNDERTAKING, MTO 설립, 일방조치 및

통상국	2차보	청와대	안기부	경기원	재무부	농수부	상공부	특허청

PAGE 1

91.11.21   08:53 ED

외신 1과 통제관

0024

분쟁해결자동화등에 대한 개도국 비공식 LDHW의 우려를 적절한 경로를 봉하여
표명키로함. 끝

　　(대사 박수길-국장)

2. 내용
우리공관리대비
검토보망

S & D (Special & Differential) Treatment

o 개도국(developing countries)에 대한 특별 우대를 의미

o 무역협상 당사국간에 서로 상응하는 양보(concession)을 주고 받는다는
  상호주의(reciprocity)는 갓트의 기본원칙 이지만 개도국이 현실적으로
  선진국과 동일한 취급을 받을수 없는 점을 고려하여 갓트에서는 개도국에
  대해 아래 내용의 특별 취급을 규정하고 있음.
  - 비상호주의 (non-reciprocity)
    . 개도국 정부에 의한 자국내 개발지원 (제 18조)
    . 선진국의 개도국에 대한 무역 및 개발 정책 지원 (제 36조-38조)
    . 무역장벽의 경감 또는 폐지에 관한 약속에서 개도국에 대해 상호주의를
      기대하지 않는다는 원칙 명시 (제36조)
  - 특혜 (preferences)
    . 선진국의 개도국에 대한 특혜관세(GSP), 개도국 상호간의 특혜
      관세(GSTP) 등을 GATT 규범의 예외 규정을 두어 허용 (동경라운드
      협상 결과)
    . 동경라운드 협상 결과로 체결된 각 협상상에 개도국 우대 조항 반영

o 갓트의 제8차 다자간 협상인 우루과이라운드도 출범당시 푼타델 에스테
  각료선언에서 개도국에 대해 상호주의를 기대하지 않는다는 내용의 개도국
  우대를 협상 일반 원칙으로 명기한 바 있음.
  - 예를 들어 UR 농산물 협상에서 어느 품목의 관세인하가 결정되더라도
    개도국에 대해서는 일정한 유예기간을 주거나 관세 인하폭을 작게 하는
    방법등이 있으며, 여타 다수 협상분야에서도 개도국에 대해서는 협상
    결과로 합의되는 의무 이행 수준을 선진국보다 다소 완화하는 방향으로
    협상이 이루어지고 있음.   끝.

0026

외 무 부

종 별 :

번 호 : GVW-2636

일 시 : 91 1213 1630

수 신 : 장 관(봉기, 경기원, 재무부, 농림수산부, 특허청)

발 신 : 주 제네바 대사

제 목 : UR/개도국 비공식 그룹회의

연: GVW-2602

1. 12.12(목) 표제회의가 BENHIMA 의장 주재로 개최되어 연호 던켈총장의 UR 협상 종결방안에 대하여 협의하였는바, 참가국들은 현재협상의 명료성 (TRANSPARENCY) 이 결여되어 있으며, 12.20 최종협상안 (MTN.TNC/W/35/REV2) 이 제시되겠지만 그때까지 협상의 전체적인 모습을 알수 없고, 개도국들의 협상 인원상의 제약으로 인하여 협상에 효율적으로 대처할 수없을 것임에 우려를 표명하고 BENHIMA 의장이 던켈총장과 각협상 그룹의장들에게개도국들의 최저입장 (BOTTOM LINE POSITION)이 배제될 경우에 UR 협상 결과를 받아들일수 없는 결과가 될수 있다는 개도국 그룹의 관심을 전달하고 12.20 최종협상안이 나온후에 협상안 전체를 평가할 수 있는 기회를 갖자는 의견을 제시함.

(본직, 김서기관 참석)

2. JARAMILLO 콜롬비아 대사 (서비스 그룹의장)는 12.11자 TNC 배포문서 8항 내용대로 12.20 제시될 문서는 최종 협상찬이 될 수 없으며, 92.1.13. TNC이후 시장접근, 서비스분야의 INITIAL COMMITMENT협상 및 INSTITUTIONAL ISSUES 등으로 인하여 내년 2월 또는 3월까지 처리해야 할 문제들이 많이남아있다고 언급하면서, 가장 중요한 것은 협상의 다자화를 통하여 협상에 의하여 합의된 문서 (NEGOTIATED DOCUMENT)를 도출하는 것이라고 강조함.

3. 본직은 여타 개도국들과 동일한 우려를 표명하고, 12.20일 제출될 초안은 현상 황으로 보아 의장안이될 가능성이 많으므로 내년 2-3월에도 협상이계속될 것으로 예상되나 12.20 제출문서의 중요성에 비추어 TNC 의장과 각협상그룹 의장들에게 전달될 개도국들의 BOTTOM LINEPOSITION 이 무시되지 않도록 해야할것과, 향후 7-8일간의 협상의 중요성에 비추어 협상의 TRANSPARENCY 제고가 매우 중요함을 강조

통상국 2차보 경기원 재무부 농수부 특허청

91.12.14   07:50 WG

외신 1과 통제관

0027

하였으며, 모로코, 멕시코등 대표들은 현재 협상 결과에 개도국 특별 우대 반영 문제가 심각하게 고려 되지않고 있다고 평가하고 이문제에 대한 협의 필요를 지적함.

4. BENHIMA 의장은 현시점이 협사에서 매우 중요한 시점인 점을 감안, 상기에 제안된 내용등 개도국의 대책을 재협의할 모임을 각기로함.끝

(대사 박수길-국장)

외 무 부

종 별 :

번 호 : GVW-2700

일 시 : 91 1218 1100

수 신 : 장관(봉기, 경기원, 재무부, 농림수산부, 상공부, 특허청)

발 신 : 주 제네바 대사

제 목 : UR/개도국 회의

1. 12.17(화) 22:00 - 24:00간 던켈 사무총장 및 각 협상그룹 의장들이 동석한 가운데 BENHEIM 개도국 그룹 의장 주재 비공식 협의가 개최되었음.(본직, 농수산부 김차관보, 최 혁심의관 참석)

2. 개도국들은 열대산품을 비롯한 시장접근분야(농산물, 섬유등) 규범분야에서의 실질적인 개선이 있어야 함을 강조하고 참가국간 합의가 이루어지지 않아 각 협상그룹 의장이 TEXT 를 작성하더라도 개도국의 어려운 사정과 능력의 한계를 감안 개도국 우대 원칙하에 균형된 TEXT 가 되도록 해야 할 것임을 주장하였는바, 이에 대해 던켈 총장은 개도국들의 우려를 각협상 그룹의장들이 감안하게 될 것이나 각국의입장과 이해 관계가 다양하여 이를 조정하는 것이 매우 어렵다는 점을 이해해야 할것이며 UR협상은 의성적으로 BUSNISS-LIKE 하게 할 수 밖에 없으며 감상적(EMOTIONAL)으로 흐를 경우 TNC 회의도 개최할 필요가 없다는 강한 입장을 보였음.

3. 금일 회의에서는 엘살바돌(중남미 국가를대표로 발언), 뮤니시아(아프리카국가 대표 발언), 인도, 멕시코, 파키스탄, 브라질, 싱가폴, 아국, 홍콩, 에집트등이 발언하였음.

4. 본직은 UR 협상 결과가 공평하고 균형되어야 한다는 점을 전제하고 시장개방을 지향함에 있어 각국의 발전 정도가 충분히 고려되어야 한다는 점을 지적하고 특히 농산물 협상관련 일부품목의 개방 문제와 관련 정치적으로 수용하기 어려운 결과를 강요해서는 않된다는 점을 강조하였음.

5. 금일 저녁 개도국 회의 개최에 앞서 EC측이 아국포함 20개국 대사 공동명의로 SAFEGUARD 협상관련 MACIEL 규정 제정 그룹의장에게 QUOTA MODULATION 은 절대 받아들일 수 없다는 내용의 서한을 전달한데 반발, 협상을 BOYCOTT 할 것이라는 소문이 있었으나 근거 없는 것으로 알려졌고 EC측은 동일 저녁 섬유등 협상에 계속 임하고

롱상국   2차보   청와대   안기부   경기원   재무부   농수부   상공부   특허청

PAGE 1

외신 1과 통제관

0029

있음을 참고 바람. 끝
   (대사 박수길-국장)

0030

외 무 부

종 별 :

번 호 : GVW-2752   일 시 : 91 1223 1200

수 신 : 장관(통기)

발 신 : 주제네바대사

제 목 : UR/개도국 비공식 그룹회의

　　1. 표제회의가 1.10(금) 개최되어 1.13(월) 개최예정인 TNC 회의에 대한
개도국들의 대책을 협의할 예정임.

　　2. 상기 관련 아국도 개도국으로서 종합적인 평가를 하여야 할것이므로
그때까지본부의 평가를 송부 조치바람.끝

　　　(대사 박수길-국장)

참고: 1.13 대책회의 (그룹)
　　① 실무회의   1. 8
　　② 대리대사급회의 (약속급)1. 10

통상국   2차보

PAGE 1   91.12.24   07:44 DQ
                                               외신 1과 통제관

UR(우루과이라운드)-개도국 비공식 그룹 회의, 1991-92 423

각 협상 분야별 개도국 우대

91. 12. 31
경 제 과

1. 농산물

가. Reduction Commitment (일반적인 내용)

O 시장접근

- 관세 및 TE의 삭감폭 및 삭감기간 : '93-'99 (7년) 기간중 36% 삭감

- 최저시장접근 : 최초 3% 설정, 년차적으로 5%까지 확대

O 국내보조

- 삭감폭 및 삭감기간 : '93 - '99 (7년) 기간중 20% 삭감

- '86년이후 삭감이행 실적 Credit 인정

- 기준년보조는 ('86 - '88 평균) 적용

O 수출보조

- 삭감폭 및 삭감기간 : '93 - '99 (7년) 기간중
  o 재정지출액 기준 : 36% 삭감
  o 수출물량기준 : 25% 삭감

- 1 -

0032

424 우루과이라운드 관련 기타 자료

나. 개도국 우대 내용

0 삭감폭 및 이행기간에 융통성 부여

- 삭감폭 2/3내에서 조정
- 이행기간 3년 범위내에서 인정

(적용예)

최대 10년동안 시장접근 (TE)은 24%, 수출보조는 24%, 국내보조는
약 13% 삭감

0 국내보조 허용정책 확대

- 투자보조 허용 (generally available 한 경우)
- 투입요소보조 (저소득 농가 대상)

2. 시장접근

0 시장접근 Protocol에는 개도국에 대한 특별한 규정이 없으나 푼타델
에스테 선언 및 몬트리올 각료합의에는 시장접근 및 관세협상에 대한
개도국 우대 문제가 원칙으로 명기되어 있음.

0 개도국 우대 주요 내용

- 개도국에게는 상호주의를 요구하거나 기대하지 않음.
- 개도국의 Scope of Binding에 대해 Credit를 부여하나 그 부여방안은
협상과정에서 구체화함.
- 개도국의 자발적 자유화조치 (86. 9 - UR 협상 결과시행 이전까지)에
대해서는 recognize 함.

0 이러한 원칙에 따라 대부분의 개도국은 각료합의상의 목표인 1/3관세
인하에 못미치는 offer 제시

- 2 -

0033

3. 보조금, 상계관세 분야

O 일반적으로 사용금지된 수출보조금을 개도국에게는 다음조건하에서
  사용 가능토록 함.

  - 최빈개도국 (LLDC)에서는 조건없이 사용 허용
  - 최빈개도국 이외의 일반 개도국은 8년간에 걸쳐 현재의 수출보조금을
    점진적으로 축소.폐지함.
  - 개도국에게는 일반적인 diminimus (1%)보다 큰 폭의 diminimus 인정(2%)
  - 개도국에 대하여는 Serious Prejudice의 presumption인 수량기준 (품목별
    보조율)을 적용하지 아니함.
  - 개도국의 민영화 대상 사업에 대한 보조금은 허용 보조금으로 인정

4. TRIMs

O 폐지대상 TRIM(현행 GATT 3조 및 11조 위반 TRIM)의 경과기간을 비교적
  장기적 허용

  - 선진국 : 2년,   개도국 : 5년,   최빈국 : 7년

O 갓트 18조등 갓트 협정상에서 인정된 개도국 관련조항의 원용 인정

- 3 -

0034

5. 세이프가드 (SG)

O 개도국에 대한 SG 부적용

- SG 발동 품목의 전체 수입량의 3%를 초과하지 않는 개도국들로 부터의 수입 총계가 전체 수입의 9%를 초과하지 않을 경우, 3%를 초과하지 않는 개도국들에 대해서는 SG 조치를 적용치 않음. (19항)

O SG 조치 발동기간

- SG 조치 발동 전체 기간은 8년을 초과하지 않음 (12항)
- 그러나 개도국은 10년까지 발동 가능 (20항)

O SG 조치 재발동 금지 기간

- 동일 품목에 대한 SG 조치 재발동은 기존의 SG 조치 기간과 동일한 기간이 경과된 후에만 가능하며, 최소한 2년 경과후에만 재발동 가능 (14항)
- 그러나 개도국은 최소한 2년이 경과한 경우에는 기존 SG 조치기간의 절반에 해당하는 기간이 경과된 후에도 재발동 가능 (20항)

6. 섬유

O 소규모 공급국 우대 (반드시 개도국에 대한 우대는 아님)

- 수입국 수입규제 수준의 1.2% 이하인 소규모 공급국에는 봉합기간중 growth rate 등의 사용에 있어서 일반 growth rate 보다 다소 우대
- 쌍심 세이프가드 사용시 소규모 공급국 다소 우대

0035

- 4 -

7. 지적재산권

0 경과기간 우대

- 개도국의 경우 경과유예기간 (4년)을 인정
  (일반적인 경과유예기간은 1년임)

0 협정 적용과 관련 개도국의 경제발전 및 기술개발을 위한 선진국으로
  부터의 기술이전등을 특별히 고려해야함.

8. 분쟁해결

0 개도국이 제소하는 분쟁의 경우, 해당개도국이 희망시 66년 결정사항에
  따른 절차 적용 가능성 제공

0 양 절차간의 주요 차이점

	새로운 절차	66년 결정사항
GATT 사무총장의 중재(good offices)	임의적	의무적
패널의 설치	두번째이사회	30일
패널보고서제출	6개월	90일
상소기구회부	가능	불가능

- 5 -

0036

9. 서비스

O 서비스 분야에서는 개도국에 대한 우대를 적극적으로 실현하는 구체적 규정은 없음.

   - 다만, 시장개방에 대한 양허협상과정에서 저비스 부역중 개도국의 점유비중을 고려하여야 하며, 개도국은 보다 적은 분야을 개방하고 자유화약속을 할 경우에도 보다 장기간의 시간계획하에 개방할 수 있다는 점만 규정하고 있음. (Framework 제 4조)

- 6 -

0037

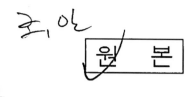

외 무 부

종 별 :

번 호 : GVW-0570   일 시 : 92 0313 1800

수 신 : 장 관(통기, 경기원, 재무부, 농림수산부, 상공부, 특허청)

발 신 : 주 제네바 대사대리

제 목 : 개도국 비공식 그룹회의

표제회의가 3.13(금) BEHIMA 의장 주재로 개최되어 UR협상 현황을 평가하였는바, 주요 내용은 아래와 같음.

O 시장접근 분야에서 3.1 국별계획서 제출시한은 지켜지지 않았으며, 금일까지 <u>18</u> 개국이 국별계획서를 제출하였음.

O TRACK 1-2의 협상 부진에 실망을 표시하고 특히 농산물분야 협상의 명료성이 결여되어 있음에 강한 불만 표시

O 각협상 분야간 일관성 확보를 위한 법제화 작업은 다소 진전이 있는 것으로 평가

2. 금일 회의에서는 각참가국들이 발언을 망설이는 가운데 인도, 모로코, 페루, 브라질등이 발언하였으나 협상이 주요국에 의해 비밀리 진행되고 있음에 강한 불만을표시하였을 뿐, 협상현황에 대한 효과적인 토의는 진행되지 못하였음. 끝

(차석대사 김삼훈-국장)

통상국   경기원   재무부   농수부   상공부   특허청

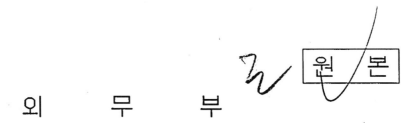

외 무 부

종 별 :

번 호 : GVW-0907   일 시 : 92 0430 1000

수 신 : 장 관(통기,경기원,재무부,농림수산부,상공부,특허청)

발 신 : 주 제네바 대사

제 목 : UR/개도국 비공식 그룹회의

1. 표제회의가 4.29(수) 16:00-17:30간 BENHIMA 의장주재로 개최되었는바, 주요내용은 아래와 같음(본직 및 김봉주서기관 참석)

    O BENHIMA 의장은 서두에 4.22 워싱톤 개최 미.EC 정상회담에 큰기대를 걸었으나, 양자협의를 계속한다는데 합의하였을뿐 별다른 성과가 없었음에 실망을 표시하고 현상황하에서 개도국 그룹에서 어떠한 조치를 취해야 할것인지 협의해 줄것을 요청함.

    O 참가국들은 UR 협상이 다자협상임에 불구하고 미.EC 양자협상의 부진으로 인하여 전체 협상이 교착상태에 빠져있음에 강한 불만을 표시하고, 협상 타결이 지연됨에 따라 개도국들이 지금까지 취해온 자발적 무역자유화 조치로 인하여 경제적 어려움을 겪고 있으며, 자국 정부와 국민들에게 UR 협상에 대한 신뢰(CREDIBILITY)가 크게 떨어지고 있음을 지적하고, 개도국 그룹의 집단적 이익을 보호하기(SAFEGUARDCOLLECTIVE INTERESTS OF THE GROUP) 위하여 필요한 조치를 취할 것을 촉구함.

    O 우루과이, 홍콩, 브라질등은 이제는 협상을 다자적으로 STOCK-TAKING 해야 할때 가 되었음을 지적, 조속한 TNC 개최를 촉구하는 한편, 미.EC에 대하여 분명하고도강한 SIGNAL 을 보내야 할것임을 강조함.

    O 본직은 개도국 그룹의 이익을 지킬 필요에는 공감하나 미.EC간 정상회담에서 EC 에 의하여 제기되었다는 'NEW IDEAS'등에 대한 정확한 INFORMATION 이 없는 상황하에 개도국 그룹의 집단행동이 과연 효과를 가질 것인지 신중을 기해야 할것임을 지적하였으며, 이에 브라질등은 우선 던켈총장, 미국,EC등 3자와 각각 별도의 모임을 갖고 미.EC 양자 협상현황 및 성과를 청취하자고 제안함.

2. BENHIMA 의장은 상기협의 결과를 종합하여,우선 내주중에 던켈총장을 접촉,미.EC 간 양자협상의 현황을 청취할 기회를 마련하고 미국및 EC와도 각각 별도 회합을 가진 다음 필요한 후속조치를 취하기로 함.끝
    (대사 박수길 -국장)

통상국   2차보   경기원   재무부   농수부   상공부   특허청

3,02

외 무 부

종 별 :

번 호 : GVW-0946   일 시 : 92 0507 1700

수 신 : 장 관(통기, 경기원, 재무부, 농수산부, 상공부, 특허청)

발 신 : 주 제네바 대사   사본:주미, EC대사(직송필)

제 목 : UR/개도국 비공식 그룹 회의

연: GVW-0907

1. 표제회의가 5.6(수) 10:00-12:00 간 BENHIMA 의장주재로 개최되어 던켈 TNC 의장의 UR 협상현황 설명과 이에 대한 개도국들의 의견 개진이 있었는바, 주요 내용은 아래와같음.(본직, 김봉주 서기관 참석)

가. 던켈 의장 설명 내용

0 몇주전과 협상이 달라진점이 없으며, 문제는 아직도 모든 협상 참가 국들이 결론에 도달하여야 할때가 되었다는 확신을 하는 시점에 이르지 못하였다는 점으로서 협상 참가국들의 가능하면 적은 댓가를 지불하고 협상 PACKAGE 에서 많은것을 얻으려고 노력하고 있음.

0 이러한 협상 자세는 지금까지의 협상결과를 UNRAVELLING 하고 협상 참가자들에게 피로 (FATIGUE)와 실망을 주며, 세계 경제에 유익한 영향을 주지 못하고 있음.

0 미.EC 협상 현황과 관련, 던켈 자신은 미.EC 가 협상의 결론에 도달하기 위하여 진지한 노력을 기울이고 있다고 생각하고 한가지 분명해진것은 미국 협상자들이 이제는 EC 가 농산물분야 최종의정서 초안에 동의할수 없다 (CAN'T SUBSCRIBE TO THE DRAFT)는 것을 분명히 인식하게된점이며, EC 도 농산물을 제외한 여타협상안에 대해서는 수락할 의사를 보이고 있는만큼 모든 협상 참가국들이 FLEXIBILITY 를 보여야할 것이며, 미.EC 간 입장 차이를 해소하기 위하여제 3자의 중재 (ARBITRATION)가 도움이 될 것임.

0 농산물 분야에서 진전이 있으면 모든 협상이 해결될 것이라는 착각을 하지 말기 바라며, 서비스, 시장접근 분야의 협상에서도 해결하여야 할 다수의 문제점이 남아 있음. 그러나 농산물 분야에서의 진전이 없으면 T1-2 에서도 진전이 없을 것임.

0 4.13 비공식 TNC 회의에 제출된 T1-3의장들의 보고서와 관련, 적절한 기회에

통상국   2차보   경기원   재무부   농수부   상공부   특허청

외신 1과 통제관

0040

합의할 기회를 가질것이나 현 단계에서 TNC회의 소집은 위기를 도발할 (PROVOKEA CRISIS)가능성이 있으며, 새로운 협상 시한도 설정하지않을 것인바, 차라리 협상국들이 미.EC 에대하여 그들의 협상 시한이 언제인지 문의하는 것이 좋겠음.

나. 각국 언급내용

0 홍콩은 TNC 개최를 봉하여 모든 참가국들이 금년말까지 협상을 끝낼것인지 여부를 집단적으로 결정하고 이러한 결의에 따라 작업계획을 작성해야 할것이라고 강조하고 조속한 TNC개최를 촉구하였으며, 인도, 브라질, 모로코등도 이에 동조함.

0 본직은 4.22 미.EC 정상회담 결과에 대해 실망을 표시하고 93.3.1 협상시한에 대한 이야기가 나오고 있는 만큼, 이러한 상황을 피하기 위해서라도 TNC 를 개최,

향후 협상 전략을 수립하는 것이 필요함을 강조함.

2. 던켈 총장은 상기 개도국들의 의견에 대하여 TNC 회의 개최문제는 검토해 보겠으며, 미.EC양자 협상 결과는 다자 차원에서 검토할수 있는 기회를 제공하겠다는 입장을 밝히고 협상의 현단계에서는 T-4 를 가동할 생각이 없음을 분명히 함.

3. BENHIMA 의장은 연호 회의시 결정에 따라 5.7 15:00 TRAN EC 대사, 내주에는 YERXA 미국대사를 초청, 미.EC 간 협상 현황을 청취키로 하였는바, 결과 보고 예정임. 끝

(대사 박수길-국장)

외교문서 비밀해제: 우루과이라운드2 28
우루과이라운드 관련 기타 자료

초판인쇄 2024년 03월 15일
초판발행 2024년 03월 15일

지은이 한국학술정보(주)
펴낸이 채종준
펴낸곳 한국학술정보(주)
주 소 경기도 파주시 회동길 230(문발동)
전 화 031-908-3181(대표)
팩 스 031-908-3189
홈페이지 http://ebook.kstudy.com
E-mail 출판사업부 publish@kstudy.com
등 록 제일산-115호(2000. 6. 19)

ISBN 979-11-7217-130-8 94340
      979-11-7217-102-5 94340 (set)